W9-BTG-377
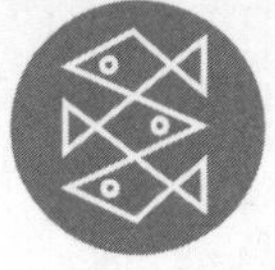

Auf seinen Streifzügen durch Bibliotheken und Archive, auf den Forschungsreisen nach Prag oder Israel stößt der Kafka-Biograph Reiner Stach immer wieder auf unglaubliche Funde: handschriftliche Ungereimtheiten, unerwartete Fotografien, Briefausschnitte und Zeugnisse von Zeitgenossen, die ein überraschendes Licht auf die Persönlichkeit und das Schreiben Franz Kafkas werfen. Für den Band ›Ist das Kafka?‹ hat Reiner Stach die 99 aufregendsten Fundstücke zusammengetragen und kenntnisreich kommentiert.

Reiner Stach, geboren 1951 in Rochlitz (Sachsen), arbeitete nach dem Studium der Philosophie, Literaturwissenschaft und Mathematik und anschließender Promotion zunächst als Wissenschaftslektor und Herausgeber von Sachbüchern. 1987 erschien seine Monographie ›Kafkas erotischer Mythos‹. 1999 gestaltete Stach die Ausstellung ›Kafkas Braut‹ (Frankfurt, Wien, Prag), in der er den Nachlass Felice Bauers präsentierte, den er in den USA entdeckt hatte. 2002 und 2008 erschienen die ersten beiden Bände der hoch gelobten dreiteiligen Kafka-Biographie. 2008 wurde Reiner Stach für ›Kafka: Die Jahre der Erkenntnis‹ mit dem Sonderpreis zum Heimito-von-Doderer-Literaturpreis ausgezeichnet.

Weitere Informationen finden Sie auf www.fischerverlage.de

Reiner Stach

Ist das Kafka?

99 Fundstücke

FISCHER Taschenbuch

2. Auflage: November 2017

Erschienen bei FISCHER Taschenbuch
Frankfurt am Main, Juli 2013

Satz: pagina GmbH, Tübingen
Druck und Bindung: CPI books GmbH, Leck
Printed in Germany
ISBN 978-3-596-19106-2

Inhalt

Slapstick

Illusionen

Andernorts

Vorwort

Manchen macht er Angst. Manche, die ihn nicht lesen, über ihn aber reden hörten, fürchten bloß, dass er ihnen Angst macht. Andere macht er traurig, ohne dass sie zu sagen wüssten, warum. Einige gar fühlen den Anhauch der Depression und legen seine schmalen Bücher darum vorsichtig beiseite. Vorbehalte gibt es viele, und das Gerücht, er sei im Grunde verrückt gewesen, findet noch immer Nahrung genug, auch in seinen vollendeten Texten. Gewiss, es ist nicht die Aufgabe der Literatur, für die Probleme, die sie aufwirft, beruhigende Lösungen gleich mitzuliefern oder gar den Nachweis zu führen, dass alles seine guten Seiten hat. Wir wissen, dass dies nicht wahr ist, und wir mögen keine Autoren, die uns für naiv halten. Aber wenn Literatur jenes reale Scheitern, das niemandem erspart bleibt, in einem offenbar lustvoll imaginierten Scheitern vielfach spiegelt und es überdies umrankt mit einem unablässigen, nirgendwohin führenden Reden *über* das Scheitern – dann fragen wir, ob hier nicht der Autor einer durchaus privaten Obsession die Zügel schießen lässt und warum wir ihm dabei so aufmerksam zuhören und zuschauen sollen, wie er es offenbar erwartet.

Manche macht er ungeduldig, nervös. Denn er verrätselt seine Texte und scheint Freude daran zu haben, den Leser auf Abwege zu führen, in labyrinthisch anmutende Gedankenschleifen, aus denen es kein Entrinnen gibt. Ein gewisser Gregor Samsa, der sich in ein Insekt verwandelt, und ein Josef K., der ohne erkennbaren Grund verhaftet wird, sind seine berühmtesten Erfindungen. Was diesen beiden Figuren widerfährt, ist erregend, phantastisch, es gibt zu denken und frustriert dennoch alle Erwartungen. Freilich, wer eine Beziehung zur Literatur unterhält, und sei es die unsicherste, versteht nach wenigen Seiten, dass jede vernunftgemäße Erklärung, jede ›Auflösung‹ diese Prosawerke zerstören würde, auch wenn es die Helden und mit ihnen die Leser nach Entspannung noch so sehr verlangt. Irgendeinen handfesten Trost gibt es hier nicht, kann es nach den Spielregeln avancierter Literatur nicht geben, allenfalls den sehr vorübergehenden Trost dessen, der sich im freien Fall befindet und der sich selbst versichert, dass ja bisher alles gut gegangen ist.

Und dennoch gibt es eine Fraktion von Lesern – sie ist nicht kleiner geworden im Lauf der Jahrzehnte –, die sich an ihm begeistert und die Lektüre seiner Prosa für den höchsten Genuss hält, den Literatur zu bieten hat. Solche Leser lassen sich weder von mysteriösen *plots* noch von finalen Katastrophen abschrecken, sie nehmen sie hin als Bilder der Undurchdringlichkeit und Begrenztheit menschlichen Lebens schlechthin und des Lebens in modernen verwalteten Massengesellschaften im Besonderen. Denn was diese Bilder so bezwingend macht, ist nicht der darin verborgene Gedanke, über dessen Stichhaltigkeit sich noch streiten ließe, sondern dessen ästhetische Gestalt: die kristalline Sprache, die Fülle nie gehörter, wunderbarer Metaphern und Paradoxien, die provozierende Schlichtheit, die virtuose Beherrschung der Logik des Traums, der Funkenregen des Komischen, der noch die finstersten Momente des Verhängnisses illuminiert. Ihm scheint schlechterdings alles zu gelingen. Er ist der Autor, der keine Nachlässigkeiten, keinen sprachlichen Zierrat und keine leeren Effekte kennt. Er ist der Autor, der niemals schläft.

Es konnte nicht ausbleiben, dass sich an einem Schriftsteller wie Franz Kafka, der bereits ein Jahrzehnt nach seinem frühen Tod vielen als kometenhafte Erscheinung und zugleich als künftiger Klassiker galt, auch ein starkes biografisches Interesse entzündete. Das verzehrende Verlangen nach menschlichen Erklärungen, das seine Texte immer wieder aufs Neue entfachen, bordete gleichsam über auf Kafkas private Existenz und schließlich auf sein gesamtes kulturelles, politisches und soziales Umfeld. Die Frage lautete, wie ein Mensch wohl beschaffen sein muss, der derartiges hervorbringt, wie er zu dem hatte werden können, der er war, und noch lange Zeit war diese legitime Frage vom unausgesprochenen Verdacht grundiert, dass ein solcher Mensch nicht eigentlich ›normal‹ sein könne. Die ersten anekdotischen Erinnerungen, die über Kafka bekannt wurden, schienen diesen Verdacht noch zu bestärken. Es hieß, er sei ein vom Schreiben Besessener gewesen und habe dennoch in seinem Testament alle seine Manuskripte zur Vernichtung bestimmt – eine Geste der Selbstauslöschung, über die wir uns, darüber bestand Konsens, ohne Zögern hinwegsetzen sollten. Auch schien es, dass Kafka ein äußerlich sonderbar konventionelles, unfreies Leben führte, ein Beamter mit wenigen Freunden, der wenig sah von der Welt, verstrickt in familiäre Abhängigkeiten und ohne die Erfahrung einer gelingenden erotischen Beziehung. Ein Asket, der alles auf eine einzige Karte setzte und der für eine hochspezialisierte künstlerische Leistung, deren Ertrag er nicht einmal genießen durfte, sein übriges Leben buchstäblich hingab. Das war keiner, mit dem irgendjemand würde tauschen wollen, am wenigsten ein Schriftsteller.

Dieses grob gerasterte Bild hat sich innerhalb eines dreiviertel Jahrhunderts immer weiter ausdifferenziert, und je überzeugender die Erklärungen dafür wurden, in welcher Weise Kafkas Werk mit seiner so überaus verwinkelten jüdisch-katholischen, deutsch-tschechischen Lebenswelt zusammenhängt, desto einleuchtender wurden auch die Widersprüche und Sonderbarkeiten seiner psychischen Gestalt. Das Geheimnis seiner beispiellosen Produktivität blieb zwar weitgehend unangetastet, und noch immer ist es eine prinzipiell unabschließbare Aufgabe, Kafka zu ›verstehen‹. Dennoch besitzen wir heute – als Ertrag einer jahrzehntelangen weltweiten, fachübergreifenden Forschung – eine sehr präzise Vorstellung sowohl dieses Menschen als auch seiner Lebenswelt.

Davon völlig unbeeindruckt hat sich jedoch im kulturellen Vorbewussten die Stereotype einer Dichter-Imago erhalten, die Kafka zu einer Art Alien macht: weltfremd, neurotisch, introvertiert, krank, ein Mann, der unheimlich ist und Unheimliches hervorbringt. Es ist nur ein Abziehbild, aber ein sehr wirkungsmächtiges. Denn wenngleich es vor allem literaturferne Massenmedien sind, die solche Mythen am Leben erhalten, so ist es auch für erfahrene Leser außerordentlich schwierig, sich dem Sog der kulturellen Stereotype zu entziehen. Sie entfaltet ja ihre Wirkung vor allem über bildhafte Vorstellungen, und diese bleiben lebendig, solange wir sie attraktiv finden: regenfeuchtes Kopfsteinpflaster in einer nächtlichen Prager Gasse, im Gegenlicht der Gaslaternen ... verstaubte Aktenberge im Kerzenschein ... der Alptraum eines riesigen Ungeziefers ... das alles ist ›Kafka‹, ganz gleich, was die Literaturwissenschaft uns erzählt.

Man kann gegen Bilder nur schwer argumentieren, doch man kann sie durch Gegenbilder in ihrem angemaßten Monopol ein wenig erschüttern. Die *99 Fundstücke* zu Leben und Werk Franz Kafkas zeigen ihn in ungewohnten Kontexten, in ungewohnter Beleuchtung, und sie lassen selten wahrgenommene Ober- und Untertöne vernehmen. Sie bedeuten, je für sich betrachtet, nicht allzu viel: eine Spurenlese, die auch Unscheinbares aufsammelt, manchmal auch bloß einen neuen Blick auf Bekanntes festhält oder Kafkas Spiegelbild in den Erinnerungen anderer zitiert. In der Summe jedoch – und dies ist das wesentliche Kriterium, nach dem die *Fundstücke* ausgewählt wurden –, in der Summe entfremden sie uns unmerklich dem Klischee und lassen ahnen, dass es vielleicht doch lohnend sein könnte, andere

Zugänge zu Kafka zu erproben, Zugänge, die immer schon da waren, die aber von ›kafkaesken‹ Bildern und Assoziationen gleichsam verklebt waren und in Vergessenheit gerieten.

Kafkas Sensorium für alles Komische spielt dabei eine herausragende und auch paradigmatische Rolle. Denn seine Komik ist keineswegs bloß abgründig, wie man angesichts der Unauslotbarkeit seiner Texte vielleicht annehmen würde; sie ist ebenso naiv, slapstickhaft, erfüllt von der Freude an Wortwitz und Pointe, am Hantieren mit Motiven, Perspektivwechseln und szenischen Einfällen. Kafkas künstlerische Anstrengung, so tödlich ernst er sie phasenweise nahm, bewahrte sich fortwährend ein spielerisches Moment, das er glücklich zu genießen durchaus imstande war. Er führte dieses Spiel fort über die Grenzen der Literatur hinaus, in Briefen und Tagebüchern, schließlich auch in Gesten und Episoden des alltäglichen Lebens, zumeist völlig bewusst, bisweilen auch unfreiwillig, aber stets mit der für ihn charakteristischen, eigensinnigen Konsequenz.

In *diesem* Sinne ist es wahr, dass Kafkas ganzes Leben Literatur war. Dann aber ist es nicht sehr bedeutsam, was wir uns zuerst vornehmen, um einen anderen Blick auf Kafka zu versuchen und uns seiner Erfahrungswelt und seinem Leben in der Sprache auf anderen, weniger abgenutzten Wegen zu nähern: einen Aprilscherz, auf den er hereinfiel, die Indianerhefte, die er noch als Erwachsener in der Tasche trug, böse Gedanken über Else Lasker-Schüler oder die Geschichte vom Philosophen, der hinter einem Kreisel herläuft. Zu sagen, dass all dies eben Kafka war, wäre nur trivial. Entscheidend ist vielmehr – und dies hat nun tatsächlich etwas Unheimliches, wenngleich in einem ganz anderen Sinn –, entscheidend ist, dass er in all diesen unscheinbaren Splittern tatsächlich wiedererkennbar ist. Wie, das sollte Kafka sein? Er ist es.

Reiner Stach — Berlin, März 2011

Eigenheiten

Der unglückliche Wohltäter

Ich hatte einmal als ganz kleiner Junge ein Sechserl bekommen und hatte grosse Lust es einer alten Bettlerin zu geben, die zwischen dem grossen und dem kleinen Ring sass. Nun schien mir aber die Summe ungeheuer, eine Summe die wahrscheinlich noch niemals einem Bettler gegeben worden ist, ich schämte mich deshalb vor der Bettlerin etwas so Ungeheuerliches zu tun. Geben aber musste ich es ihr doch, ich wechselte deshalb das Sechserl, gab der Bettlerin einen Kreuzer, umlief den ganzen Komplex des Rathauses und des Laubenganges am kleinen Ring, kam als ein ganz neuer Wohltäter links heraus, gab der Bettlerin wieder einen Kreuzer, fing wieder zu laufen an und machte das glücklich zehnmal. (Oder auch etwas weniger, denn, ich glaube die Bettlerin verlor dann später die Geduld und verschwand mir.) Jedenfalls war ich zum Schluss, auch moralisch, so erschöpft, dass ich gleich nach Hause lief und so lange weinte, bis mir die Mutter das Sechserl wieder ersetzte.

Du siehst, ich habe Unglück mit Bettlern, doch erkläre ich mich bereit mein ganzes gegenwärtiges und künftiges Vermögen in kleinsten Wiener Kassenscheinen dort bei der Oper langsam einer Bettlerin auszuzahlen unter der Voraussetzung dass Du dabei stehst und ich Deine Nähe fühlen darf.

Prag, Altstädter Ring, um 1880 ▶

EM. ALTSCHUL.

GENERAL AGENTUR FÜR BÖHMEN.
THE GRESHAM
SKLAD PORCELANU
SIGM. J. PERUTZ

Zu den zahlreichen Problemen, die sich zwischen Kafka und der von ihm geliebten Milena Jesenská ergaben, gehörte auch der sehr unterschiedliche Umgang mit Geld. »Einmal hat er einer Bettlerin zwei Kronen gegeben«, erzählte sie Max Brod, »und wollte eine Krone heraushaben. Sie sagte, daß sie nichts habe. Wir sind gute zwei Minuten dagestanden und haben darüber nachgedacht, wie wir die Sache durchführen sollten. Da fällt ihm ein, er könne ihr beide Kronen lassen. Aber kaum hat er ein paar Schritte gemacht, wird er sehr verdrießlich. Und derselbe Mensch würde mir selbstverständlich sofort mit Begeisterung, voll Glück zwanzigtausend Kronen geben.« Diesen Vorfall brachte sie auch gegenüber Kafka noch einmal zur Sprache, der sich jedoch erfindungsreich verteidigte und dabei unter anderem seine Kindheitserinnerung anführte.

Sich selbst warf Kafka »Geiz in kleinen Dingen vor«, und tatsächlich konnte er finanziell ebenso großzügig wie kleinlich sein. Er genoss es, Geschenke zu machen, auch Geld zu geben, doch es musste ganz und gar freiwillig geschehen. Mit einer abgenötigten Spende, mit falschem Wechselgeld oder unbedachten Ausgaben konnte er sich nur schwer abfinden – selbst wenn es nur um ein ›Sechserl‹ ging.

2 Kafka mogelt beim Abitur

In seinem berühmten hundertseitigen Brief an den Vater bekennt Kafka, er habe das Maturitätsexamen (Abitur) »zum Teil nur durch Schwindel« bestanden. Wie dies vor sich ging, schildert der Mediziner Hugo Hecht (1883–1970), ein langjähriger Klassenkamerad Kafkas, in seinen unveröffentlichten Erinnerungen. Besonders gefürchtet, schreibt Hecht, sei die mündliche Prüfung in Griechisch gewesen. Zwar galt der Griechischlehrer Gustav Adolf Lindner als nachsichtig und wenig anspruchsvoll, doch wurde jedem Schüler ein anderer Text zur Übersetzung ins Deutsche vorgelegt, so dass eine zielgenaue Vorbereitung unmöglich war.

Es war klar, dass es nur einen Weg gab, um zu lernen, was wir brauchten – nämlich ein kleines Notizbuch in die Hände zu bekommen, in dem unser Griechischlehrer (Lindner) die genauen Informationen verwahrte: den Text, der von jedem Schüler übersetzt werden musste, von Autoren, die wir niemals während unserer Schulzeit gelesen hatten. Der einfachste Plan schien zu sein, die junge und gut aussehende Haushälterin unseres Junggesellen und Gymnasialprofessors zu bestechen, das Notizbuch aus seiner Tasche zu nehmen und es uns für kurze Zeit zu leihen, so dass wir dessen wichtigen Teil kopieren konnten. Wir brachten Geld zusammen und vertrauten es einem der Ältesten in unserer Klasse an, der schon einen guten Ruf als Frauenheld hatte, mit dem Auftrag, mit der Haushälterin Bekanntschaft zu schließen. So geschah es: Er führte sie mehrmals zum Dinner, zum Tanz und ins Theater aus, und drei Wochen später warteten wir gespannt an einem Samstagabend in einem nahegelegenen Kaffeehaus auf das Notizbuch. Wir erhielten es tatsächlich, kopierten die ersehnten Notizen ab, und eine Stunde später war es wieder in der Tasche des Professors. Einer der Kopisten war unser Kafka. Natürlich bestanden wir unsere mündliche Griechisch-Prüfung alle mit wehenden Fahnen – wir hatten die Vorkehrung getroffen, dass die Schwächeren einige Fehler und Irrtümer einstreuen mussten, um keinen Verdacht zu erregen. Der Vorsitzende der Kommission war sehr erfreut, wie auch unser Professor: Er erhielt sogar eine spezielle Empfehlung für seine herausragenden Ergebnisse mit einer durchschnittlichen Klasse und war stolz darüber.

Gustav Adolf Lindner

3 Das Zeugnis der Reife

Die Prüfungen zum Abitur (österreichisch Matura oder Maturität) legte Kafka im Jahr 1901 am Altstädter Gymnasium in Prag ab, als einer der Jüngsten seines Jahrgangs. Zunächst hatten die Schüler Anfang Mai zu vier schriftlichen Examina zu erscheinen, in den Hauptfächern Deutsch, Latein, Griechisch und Mathematik. Im Juli, kurz nach Kafkas 18. Geburtstag, folgte dann eine Reihe mündlicher Prüfungen, wobei wiederum Übersetzungen aus den alten Sprachen gefordert waren – eine hohe Hürde, vor der auch Kafka sich derart fürchtete, dass er bereit war, unlautere Mittel einzusetzen (siehe Fundstück 2).

Kafkas Abiturzeugnis ist unauffällig und ragt über den Durchschnitt kaum hinaus. In keinem Fach gelang es ihm, die Bestnote *vorzüglich* zu erreichen, in keinem Fach wurde er schlechter als *befriedigend* beurteilt. Als besonders befremdlich erscheint, dass er selbst im Fach Deutsch über ein *befriedigend* nicht hinauskam, obgleich er, wie frühe Briefe zeigen, im sprachlichen Ausdruck seinen Mitschülern zweifellos überlegen war. Allerdings flossen in die Abiturnote auch freie Redeübungen ein, die nicht eben Kafkas Stärke waren.

Außer dem Maturitätszeugnis sind keine originalen Dokumente überliefert, die sich auf Kafkas Reifeprüfung beziehen. Insbesondere sein Abituraufsatz ›Welche Vorteile erwachsen Österreich aus seiner Weltlage und aus seinen Bodenverhältnissen?‹ wurde bisher nicht aufgefunden.

Zahl 11.

Maturitäts-Zeugnis.

Kafka Franz,

geboren am 3. Juli 1883 zu Prag

in Böhmen, mosaischer Religion, hat die Gymnasialstudien 1893/94 am deutschen Staatsgymnasium in Prag-Altstadt begonnen, daselbst ohne Unterbrechung fortgesetzt, im Schuljahre 1900/1 beendigt und sich der Maturitätsprüfung vor der unterzeichneten **Prüfungs-Commission** zum ersten Male unterzogen.

Auf Grund dieser Prüfung wird ihm nachstehendes Zeugnis ausgestellt:

Sittliches Betragen: lobenswert.

Leistungen in den einzelnen Prüfungs-Gegenständen:

Religionslehre:	befriedigend.
Lateinische Sprache:	befriedigend.
Griechische Sprache:	lobenswert.

Form. F. I. Nr. 615.

Deutsche Sprache (als Unterrichtssprache):	befriedigend.
Geographie und Geschichte:	lobenswert (Durchschnittsleistung)
Mathematik:	befriedigend.
Physik:	lobenswert (Durchschnittsleistung)
Naturgeschichte:	befriedigend.
Philosophische Propädeutik:	lobenswert.
Böhmische Sprache:	lobenswert
Französische Sprache: ([illegible])	befriedigend.

Hotel Kafka

Das vornehme Hotel ›Zum blauen Stern‹ am Graben, der deutschen Flaniermeile in der Prager Altstadt, war für Kafka der Ort einer nachhaltigen Erinnerung. In diesem Hotel nämlich hatte Felice Bauer am Tag ihrer ersten Begegnung logiert, am 13. August 1912, und zu diesem Hotel hatte er sie am späten Abend jenes entscheidenden Tages begleitet, gemeinsam mit dem Vater seines Freundes Max Brod.

Beim Eintritt ins Hotel drängte ich mich in irgend einer Befangenheit in die gleiche Abteilung der Drehtüre, in der Sie giengen, und stiess fast an Ihre Füsse. – Dann standen wir alle drei ein wenig vor dem Kellner bei dem Aufzug, in dem Sie gleich verschwinden sollten und dessen Türe schon geöffnet wurde. Sie führten noch eine kleine sehr stolze Rede mit dem Kellner, deren Klang ich – wenn ich innehalte – noch in den Ohren habe. Sie liessen es sich nicht leicht ausreden, dass zu dem nahen Bahnhof kein Wagen nötig sei.

Wenn Kafka in den folgenden Monaten, wie es gelegentlich vorkam, schon zu früher Stunde durch den Graben ging, dann kam er »vorbei am zwar schon beleuchteten, aber verhängten Frühstückzimmer des ›Blauen Stern‹, nun schaut zwar wieder jemand verlangend hinein, aber niemand mehr auf die Gasse heraus«. Während die unscheinbare Episode für Felice Bauer kaum von Bedeutung gewesen sein dürfte, flocht Kafka sie ein in ein ganzes Netz symbolischer Beziehungen, das er zwischen sich und die spätere Verlobte legte und mit dem er die unabweislichen Gegensätze und Fremdheiten zu überbrücken hoffte.

Dabei hat er, kurioserweise, den auffälligsten Wink des Schicksals gar nicht bemerkt. Das Hotel ›Zum blauen Stern‹ war nämlich einst, ab dem Jahr 1771, im Besitz einer Familie Kafka, und bis in die dreißiger Jahre des 19. Jahrhunderts hieß der Eigentümer tatsächlich Franz Kafka. Der nicht abergläubische, für solche Koinzidenzen aber sehr empfängliche Kafka wusste davon offenbar nichts – er hätte sich andernfalls die Sensation in seinen Werbebriefen an Felice gewiss nicht entgehen lassen.

Hotel ›Zum blauen Stern‹

5 Der große Zeichner

Wie gefällt Dir mein Zeichnen? Du, ich war einmal ein großer Zeichner, nur habe ich dann bei einer schlechten Malerin schulmässiges Zeichnen zu lernen angefangen und mein ganzes Talent verdorben. Denk nur! Aber warte, ich werde Dir nächstens paar alte Zeichnungen schicken, damit Du etwas zum Lachen hast. Jene Zeichnungen haben mich zu seiner Zeit, es ist schon Jahre her, mehr befriedigt, als irgendetwas.

Von Kafkas Bemühungen als Zeichner ist wenig erhalten geblieben, und auch dies wenige nur aufgrund der Sammelleidenschaft Max Brods, der selbst Kritzeleien Kafkas am Rand von Vorlesungsmitschriften aufbewahrte. Am stärksten prägten sich Kafkas Lesern seine expressionistisch anmutenden ›Strichmännchen‹ ein, da sie für Illustrationen, Buchumschläge etc. schon vielfach verwendet wurden.

Viel weniger bekannt ist, dass von Kafka auch ein Selbstporträt – möglicherweise nach der Vorlage eines Fotos – sowie eine Porträtzeichnung seiner Mutter überliefert sind. Auch diese Zeichnungen sind nicht datierbar, sie könnten jedoch im Zusammenhang mit einer Tagebuchnotiz von 1911 stehen. Am wahrscheinlichsten ist demzufolge, dass Kafka seine Mutter beim abendlichen Kartenspiel mit ihrem Ehemann porträtierte:

Jetzt erinnere ich mich, dass die Brille im Traum von meiner Mutter stammt, die am Abend neben mir sitzt und unter ihrem Zwicker während des Kartenspiels nicht sehr angenehm zu mir herüberschaut. Ihr Zwicker hat sogar, was ich früher bemerkt zu haben mich nicht erinnere das rechte Glas näher dem Auge als das linke.

6 Kafka turnt nach System

Spätestens im Jahr 1910 begann Kafka mit täglichen Turn- und Atemübungen nach der Methode des dänischen Sportlers und Gymnastiklehrers Jørgen Peter Müller (1866–1938). Mit seinem Buch *Mein System. 15 Minuten täglicher Arbeit für die Gesundheit*, das erstmals 1904 erschien, verzeichnete Müller einen überwältigenden Erfolg; es wurde in 24 Sprachen übersetzt, und allein die deutsche Übersetzung erreichte zu Kafkas Lebzeiten eine Auflage von nahezu 400 000 Exemplaren. Mit Büchern wie *Mein System für Frauen, Mein System für Kinder* und *Mein Atmungs-System* führte Müller diesen Erfolg fort.

Müllers System zielte weniger auf Muskelkraft als vielmehr auf allgemeine Fitness und Beweglichkeit. Alle Körperorgane, auch die Haut, sollten gestärkt und kräftig durchblutet werden. Die Übungen konnten in der eigenen Wohnung durchgeführt werden, vorzugsweise vorm offenen Fenster, und bedurften keiner technischen Hilfsmittel.

Kafka hielt am allabendlichen »Müllern« jahrelang fest und befolgte das Programm mit eiserner Regelmäßigkeit. Auch versuchte er, Verwandte und Freunde zu bekehren. Bei seiner jüngsten Schwester Ottla gelang ihm dies offensichtlich, bei seiner Verlobten Felice Bauer hingegen nicht: Ihr war das einsame Turnen nach Plan schlicht zu langweilig. Obwohl bei Kafka im September 1917 Lungentuberkulose diagnostiziert wurde, führte er nachweislich bis Ende dieses Jahres, wahrscheinlich aber noch wesentlich länger die Müller'schen Übungen fort.

Übung Nr. 12

Fig. 74

Fig. 77

Fig. 75

Fig. 78

Fig. 76

Fig. 79

Die Abbildungen stammen aus Müllers Klassiker *Mein System* und zeigen den Verfasser bei der Demonstration seiner Übungen. Die Tatsache, dass Müller in seinen Publikationen den eigenen Körper in den Vordergrund rückte, sich in Vorworten als »schönster Mensch« feiern ließ und gar als Sportjournalist mit »Apoxyomenos« zeichnete (die antike Marmorstatue eines Athleten), trug ihm einigen feuilletonistischen Spott ein.

7 Pakete für Muzzi

Auf dem einzigen Foto, das Kafka gemeinsam mit seiner Verlobten Felice Bauer zeigt, trägt diese ein aufklappbares Medaillon. Darin befanden sich zwei Porträts: eines von Kafka und eines von ihrer Nichte Gerda Wilma Braun, genannt »Muzzi«.

Die Familie Braun – Felices Schwester Elisabeth (Else), deren Ehemann Bernát Braun und die Tochter Muzzi – lebte seit 1911 in Ungarn, zunächst in Budapest, gegen Kriegsende in Arad (heute Rumänien). Felice Bauer besuchte ihre Schwester zweimal: zunächst im Sommer 1912 – wobei sie einen Zwischenstopp in Prag einlegte und dort Kafka kennenlernte –, dann erneut 1917, wobei Kafka sie bis Budapest begleitete.

Da während des Krieges Paketsendungen ins Ausland von komplizierten Zollbestimmungen und vielfachen Verboten erschwert wurden, beauftragte die in Berlin lebende Felice Bauer ihren Verlobten, von Prag aus Pakete an die Brauns zu senden, darunter auch zu Muzzis 4. Geburtstag am 31. Dezember 1915. Kafka schickte Kinderbücher und vermutlich einige (kriegsbedingt schon recht teuer gewordene) Süßigkeiten nach Budapest, die Familie Braun bedankte sich mit einem Foto, das die kleine Muzzi als Malerin zeigt. An Felice schrieb Kafka:

Von Deiner Schwester bekam ich gestern einen liebenswürdigen Brief, der mich sehr beschämt, denn ich habe doch an der Sendung für Muzzi nicht das geringste Verdienst, nur die mittelmässige Auswahl stammt von mir (Mit den 20 M sind natürlich beide Pakete überreichlich bezahlt.) Auch ein hübsches Bild von Muzzi lag bei. Eine etwas phantastische Aufnahme. Muzzi mit einer Palette vor einem Bild (Storch mit Kind) Was für ein kluges hübsches gut gebautes Kind das ist. Ich habe viel zu wenig und viel zu schlechte Sachen geschickt – fiel mir vor dem Bild ein.

»Muzzi« Braun, 1915

»Muzzi« Braun, 1998

Im folgenden Jahr schickte Else Braun offenbar Bittbriefe an Kafka, was ihre Schwester Felice zu unterbinden suchte. Zu Muzzis nächstem Geburtstag an Sylvester 1916 schnürte Kafka jedoch erneut ein Paket, wie aus drei weiteren Briefen an die Verlobte hervorgeht:

Morgen schicke ich das Paket für Muzzi weg. Nein vielleicht warte ich noch auf einen Auftrag von Dir. Vorläufig stelle ich zusammen: 2 Bücher 1 Spiel, Bonbons, Karlsbader Oblaten, Chokolade. Darüber hinaus versagt aber meine Phantasie. Soll nicht auch ein Kleidchen oder etwas derartiges beigepackt werden. Darüber müsste ich aber genaue Angaben bekommen, im übrigen würde ich es mir von Ottla besorgen lassen. […]

Das Geschenk für Muzzi wird diesmal besonders hübsch, Ottla hat die Ausführung übernommen. […]

Gestern ging das Paket an Muzzi ab, sehr hübsch, nur den Fehler hat es dass kein passendes Spiel gefunden wurde und deshalb ein Steinbaukasten geschickt wurde. Aber das Übrige macht diese Ungeschicklichkeit wieder gut.

8 Kafka kann nicht lügen

Kafka fiel es zeitlebens außerordentlich schwer, bewusst die Unwahrheit zu sagen. So zeigt etwa der Vergleich zwischen seinen Tagebüchern und den gleichzeitigen Korrespondenzen, dass er sehr wohl Tatsachen verschweigen konnte oder sie – je nach Adressat – in einem anderen Licht darstellte. Es finden sich jedoch so gut wie keine Beispiele für ausgesprochene Lügen oder Notlügen.

Eine bemerkenswerte Ausnahme gestattete sich Kafka am Morgen des 23. September 1912. In der Nacht zuvor hatte er keinen Augenblick geschlafen, sondern seine Erzählung *Das Urteil* niedergeschrieben, und sowohl die Erschöpfung als auch der narzisstische Überschwang nach dieser Leistung – die er sofort als schöpferischen Durchbruch empfand – machten es ihm unmöglich, sich wie gewohnt gegen 7.45 Uhr ins Büro zu begeben. Stattdessen schickte er eine Nachricht an seinen Vorgesetzten Eugen Pfohl: Wegen Fiebers und eines »kleinen Ohnmachtsanfalls« könne er wohl erst am Nachmittag zum Dienst erscheinen, aber er komme »bestimmt« (siehe das Faksimile, die Rückseite einer Visitenkarte). Doch Kafka blieb zu Hause und musste dann am folgenden Tag die besorgten Nachfragen seiner Kollegen ertragen und ein wenig Komödie spielen.

Beschwichtigen konnte Kafka seine Skrupel gegenüber Lügen nur dann, wenn sie eindeutig *nicht* im eigenen Interesse waren. So verschwieg er im Herbst 1917 gegenüber seinen Eltern den Ausbruch der Tuberkuloseerkrankung, und um diese Täuschung aufrechterhalten zu können, war er gezwungen, für den dreimonatigen Erholungsurlaub, den seine Behörde ihm genehmigte, eine andere Erklärung zu liefern. Man gönne ihm diese Pause wegen seiner »Nervosität«, behauptete Kafka. Dass seine Eltern dies tatsächlich glaubten, ehe sie Monate später doch die Wahrheit erfuhren, ist erstaunlich genug. Denn während des Kriegs wurde den nicht eingezogenen Beamten sogar der reguläre zweiwöchige Urlaub verweigert, und eine Beurlaubung wegen Nervosität war ganz undenkbar.

Sehr geehrter Herr Oberinspektor!
Ich habe heute früh einen
kleinen Ohnmachtsanfall gehabt
und habe etwas Fieber. Ich bleibe
daher zuhause. Es ist aber bestimmt
ohne Bedeutung und ich komme
bestimmt heute noch, wenn auch
vielleicht erst nach 12 ins Bureau

Eine Lüge *gegen* das Interesse des anderen, noch dazu mündlich vorzutragen, konnte für Kafka zum unüberwindlichen Problem werden. So gelang es ihm im August 1920 nicht, für eine kurze Reise nach Wien, um die ihn Milena Jesenská händeringend gebeten hatte, Urlaub von seinen wohlwollenden Vorgesetzten zu erlangen. Denn dazu hätte er einen dringenden Anlass, möglichst familiärer Art, vorbringen müssen.

Jesenská, die in dieser Hinsicht weniger skrupulös war, schlug vor, Kafka solle einen Onkel Oskar oder eine Tante Klara erfinden, die schwer erkrankt seien; auch könne er ein fingiertes Telegramm vorlegen. Doch obwohl Kafka ihr versichert hatte, »ich kann auch im Amt lügen, aber nur aus 2 Gründen, aus Angst … oder aus letzter Not«, nämlich um ihretwillen, konnte er sich nicht dazu durchringen. Das bedeutete einen Wendepunkt der Beziehung. Denn Jesenská verzieh ihm dieses Versagen nicht, trotz der scherzhaften Wendung, die Kafka der Angelegenheit noch zu geben suchte:

Glaubst Du denn ich könnte, von allem andern abgesehn, zum Direktor gehn und ohne zu lachen von der Tante Klara erzählen? […] Also das ist ganz unmöglich. Gut, dass wir sie nicht mehr brauchen. Mag sie sterben, sie ist ja doch nicht allein, Oskar ist bei ihr. Allerdings, wer ist Oskar? Tante Klara ist Tante Klara, aber wer ist Oskar? Immerhin, er ist bei ihr. Hoffentlich wird er nicht auch krank, der Erbschleicher.

9 Kafka trinkt Bier

viel Billard gespielt, grosse Spaziergänge gemacht, viel Bier getrunken
Brief an Max Brod, Mitte August 1907

Mailänder Bier riecht wie Bier, schmeckt wie Wein.
Reisetagebücher, 1. September 1911

Lichtenhainer Bier im Holzkrug, lange nicht getrunken von Kafka, schwitzt durch.
Max Brod, Reisetagebuch, 28. Juni 1912

Lichtenhainer in Holzkrügen. Schandgeruch wenn man den Deckel öffnet.
Reisetagebücher, 28. Juni 1912

Fleisch kann um mich dampfen, Biergläser können in grossen Zügen gelehrt werden, diese saftigen jüdischen Würste (wenigstens bei uns in Prag sind sie so üblich, sie sind rundlich wie Wasserratten) können von allen Verwandten ringsherum aufgeschnitten werden [...] alles das und noch viel ärgeres macht mir nicht den geringsten Widerwillen, sondern tut mir im Gegenteil überaus wohl.
Brief an Felice Bauer, 20./21. Januar 1913

oder Du muntertest mich auf, wenn ich kräftig essen und sogar Bier dazu trinken konnte
›Brief an den Vater‹, November 1919

die Schlaflosigkeit, die eine Zeitlang fast unmerklich war, ist seit einiger Zeit wieder abscheulich ausgebrochen, was Du daraus beurteilen kannst, dass ich zur Bekämpfung allerdings fast mit Gegenerfolg einmal Bier getrunken, einmal Baldriantee getrunken und heute Brom vor mir stehen habe.

Brief an Ottla Kafka, Mitte Mai 1920

heute im Biergarten (ja, ich habe ein kleines Bier zwischen den Fingern gedreht)

Brief an Ottla Kafka, Ende Mai 1920

So kamen wir auf die Schützeninsel, tranken dort Bier, ich am Nebentisch

Brief an Milena Jesenská, 8./9. August 1920

Wie er das gehört hat [ein Ausflug von Kafkas Schwester Elli und ihrer Familie], sagte er – mit leuchtenden Augen, wie eine Sonne, ›dann haben sie auch Bier getrunken‹, das sagte er aber in einer solchen Begeisterung, und Aufgehen in der Freude, daß wir, die es gehört haben, mehr jenes Bier, das dort getrunken wurde, genossen haben, als die, die es wahrhaftig getrunken hatten. Er trinkt, wie ich schon einmal geschrieben jetzt zu jeder Mahlzeit Bier, es so genießend, daß es ein Ergötzen ist, ihn anzuschauen.

Robert Klopstock an die Angehörigen Kafkas, 17. Mai 1924

Aber auch das Essen suche ich mir zu erleichtern z. B. was Dir liebster Vater vielleicht gefallen wird, durch Bier und Wein. Doppelmalz-Schwechater und Adriaperle, von welcher letzterer ich jetzt zu Tokayer übergegangen bin. Freilich, die Mengen, in denen es getrunken und die Art in der es behandelt wird, würden Dir nicht gefallen, sie gefallen mir auch nicht, aber es geht jetzt nicht anders. Warst Du übrigens als Soldat nicht in dieser Gegend? Kennst Du auch den Heurigen aus eigener Erfahrung? Ich habe grosse Lust, ihn einmal mit Dir in einigen ordentlichen grossen Zügen zu trinken. Denn wenn auch die Trinkfähigkeit nicht sehr gross ist, an Durst gebe ich es niemandem nach. So habe ich also mein Trinkerherz ausgeschüttet.

Brief an Julie und Hermann Kafka, um den 19. Mai 1924

Ganz besonders stolz ist er [Kafka] auf die Möglichkeit, mit seinem ehrwürdigen und lieben Vater, ein Glas Bier zu trinken. Ich möchte von Weitem stehen und zusehen. Ich bin von den bloßen häufigen Unterhaltungen über Bier, Wein, (Wasser), und anderen schönen Dingen sehr oft beinahe betrunken. Franz ist ein leidenschaftlicher Trinker geworden. Kaum eine Mahlzeit ohne Bier oder Wein. Allerdings in nicht zu großen Mengen. Er trinkt wöchentlich eine Flasche Tokayer, oder anderen guten Feinschmecker-Wein aus. Wir haben 3erlei Weine zu Verfügung, um es, so nach rechter Feinschmecker-Art, recht abwechslungsreich zu machen.

Liebste Eltern, nur eine Richtigstellung: meine Sehnsucht nach Wasser (wie es bei uns immer in grossen Gläsern nach dem Bier auf den Tisch kommt!) und nach Obst ist nicht kleiner als nach Bier, aber vorläufig gehts nur langsam.

Dora Diamant an Julie und Hermann Kafka, 26. Mai 1924. Ergänzung von Kafkas Hand.

Und dann »ein gutes Glas Bier« zusammentrinken, wie Ihr schreibt, woraus ich sehe, dass der Vater vom Heurigen nicht viel hält, worin ich ihm hinsichtlich des Bieres auch zustimme. Übrigens sind wir, wie ich mich jetzt während der Hitzen öfters erinnere, schon einmal regelmässig gemeinsame Biertrinker gewesen, vor vielen Jahren, wenn der Vater auf die Civilschwimmschule mich mitnahm.

Brief an Julie und Hermann Kafka, 2. Juni 1924

Den eigentlichen Grund dafür, warum Kafka in den letzten Wochen seines Lebens zum »leidenschaftlichen Trinker« wurde, erfuhren seine Eltern vorläufig nur in Andeutungen: Der an Kehlkopftuberkulose erkrankte Kafka konnte nur noch unter Schmerzen winzige Schlucke tun, er litt daher fortwährend Durst. Das letzte Mal über Bier schrieb Kafka am Tag vor seinem Tod (der vollständige Brief siehe Fundstück 97).

In seiner Biografie über Kafka berichtet Max Brod ausführlicher von dessen Erinnerungen an die ›Civilschwimmschule‹, ein öffentliches Bad an der Moldau. Gegenüber Dora Diamant soll Kafka in den Wochen vor seinem Tod geäußert haben: »Als kleiner Junge, als ich noch nicht schwimmen konnte, ging ich manchmal mit dem Vater, der auch nicht schwimmen kann, in die Nichtschwimmerabteilung. Dann saßen wir nackt beim Buffet, jeder mit einer Wurst und einem halben Liter Bier zusammen. Gewöhnlich brachte der Vater die Wurst mit, weil sie auf der Schwimmschule zu teuer war. – Du mußt Dir das richtig vorstellen, der ungeheure Mann mit dem kleinen ängstlichen Knochenbündel an der Hand, wie wir uns zum Beispiel in der kleinen Kabine im Dunkel auskleideten, wie er mich dann hinauszog, weil ich mich schämte, wie er mir dann sein angebliches Schwimmen beibringen wollte und so weiter. Aber das Bier dann!«

10 Kafkas Lieblingslied

Nun leb wohl, du kleine Gasse

Nun leb wohl, du kleine Gasse,
nun ade, du stilles Dach!
Vater, Mutter, sah'n mir traurig
und die Liebste sah mir nach.

Hier in weiter, weiter Ferne,
wie's mich nach der Heimat zieht!
Lustig singen die Gesellen,
doch es ist ein falsches Lied.

Andre Städtchen kommen freilich,
andere Mädchen zu Gesicht;
ach, wohl sind es andere Mädchen,
doch die eine ist es nicht.

Andre Städtchen, andere Mädchen,
ich da mitten drin so stumm!
Andre Mädchen, andere Städtchen,
o wie gerne kehrt ich um.

Der Text dieses Liedes stammt von Albert Graf von Schlippenbach (1833), die Melodie von Friedrich Silcher (1853). Der letzte Vers jeder Strophe wird jeweils wiederholt.

Aus Jungborn im Harz, wo sich Kafka in ›Rudolf Just's Kuranstalt‹ aufhielt, schrieb er am 22. Juli 1912 an Max Brod:

Kennst Du Max das Lied »Nun leb wohl …« Wir haben es heute früh gesungen und ich habe es abgeschrieben. Die Abschrift heb mir ganz besonders gut auf! Das ist eine Reinheit und wie einfach es ist; jede Strophe besteht aus einem Ausruf und einem Kopfneigen.

Kafkas Abschrift hat sich auf einem losen Blatt erhalten; unter dem Text des Liedes notierte er: »Das hätte ein Graf Schlippenbach machen sollen?« – Einige Monate später, am 17./18. November 1912, schrieb er an Felice Bauer:

So reisse ich aus meinem diesjährigen Reisetagebuch ein Blatt nach dem andern heraus und bin unverschämt genug, es Dir zu schicken. Suche es aber wieder dadurch auszugleichen, dass ich Dir ein Blatt, das gerade aus dem Heft gefallen ist mitschicke, mit einem Lied, das man im diesjährigen Sanatorium öfters am Morgen im Chor gesungen hat, in das ich mich verliebt und das ich abgeschrieben habe. Es ist ja sehr bekannt und Du kennst es wohl auch, überlies es doch einmal wieder. Und schicke mir das Blatt jedenfalls wieder zurück, ich kann es nicht entbehren. Wie das Gedicht trotz vollständiger Ergriffenheit ganz regelmässig gebaut ist, jede Strophe besteht aus einem Ausruf und dann einer Neigung des Kopfes. Und dass die Trauer des Gedichtes wahrhaftig ist, das kann ich beschwören. Wenn ich nur die Melodie des Liedes behalten könnte, aber ich habe gar kein musikalisches Gedächtnis.

Kafka spuckt vom Balkon

Während seiner Zeit als Fellow der American Academy in Berlin im Jahr 2000 machte der Kafka-Übersetzer Mark Harman den Versuch, Kafkas legendäre ›Puppenbriefe‹ (siehe Fundstück 70) wieder aufzufinden. Seine Bemühungen blieben erfolglos; doch erreichte ihn der Anruf einer alten Dame, die sich an Kafka noch erinnern konnte: Christine Geier, die Tochter des Schriftstellers Carl Busse (gestorben 1918) und dessen Ehefrau Paula, bei der Kafka und Dora Diamant von Februar bis März 1924 als Mieter gelebt hatten.

Christine Geier berichtete, ihre Mutter habe ihr Kafka als den angeblichen Chemiker »Dr. Kaesbohrer« vorgestellt, und dessen wahre Identität habe sie erst nach seinem Auszug erfahren. Dass Kafka – der sich schon zu kleinen Notlügen kaum durchringen konnte (siehe Fundstück 8) – seinen tatsächlichen Namen wochenlang verheimlicht haben sollte, wäre erstaunlich, aber nach seinen schlechten Erfahrungen mit der vorherigen Vermieterin immerhin denkbar. Ebenso gut kann es aber auch die Hausbesitzerin selbst gewesen sein, die Gerede in der Nachbarschaft oder in der Schule vermeiden wollte und die daher einen eindeutig nicht-jüdischen Mieter bevorzugte – obwohl sie selbst konvertierte Jüdin war.

Christine Geier erzählte eine weitere Begebenheit:

Wir hatten eine Laube, da war mit der Zeit ein richtiges Laubdach gewachsen, und Kafka sah von seinem Balkon direkt darauf. Ich spielte dort immer mit meiner Freundin, wir hatten dort eine Bank, auf die

mein Vater ›Freundschaftsbänkchen für zwei junge Gänschen‹ geschrieben hatte. Und eines Tages – da war er schon sehr krank –, da hörten wir etwas, er konnte uns ja nicht sehen: wie er seinen Schleim da runtergespuckt hat. Das ging so ein paar Tage, und dann hab ich's Mutti erzählt, und die war entsetzt – Kafka hat natürlich keine Ahnung gehabt, dass da Kinder unten sind –, und dann hat Mutti uns verboten, in die Laube zu gehen. Aber da konnte er ja nichts für. Er hatte eine sehr nette Art: Ein netter Onkel, will ich mal sagen.

Ob der tuberkulosekranke, stark abgemagerte und ständig hustende Kafka je zur Rede gestellt wurde, ist nicht überliefert. Mit dem eigenen Auswurf Kinder anzustecken, und sei es aus Unwissenheit, wäre ihm wohl als verbrecherisch erschienen.

Nach nicht einmal sieben Wochen im Haus der Frau Busse musste Kafka aus gesundheitlichen Gründen Berlin verlassen. Seine Vermieterin überlebte später das Konzentrationslager Theresienstadt.

Die Abbildung zeigt die Villa Busse in Berlin-Zehlendorf, damals Heidestraße 25–26. Auf der Freitreppe links Paula Busse mit einer ihrer beiden Töchter. Kafka hatte zwei Zimmer im 1. Stock gemietet.

Das Gebäude auf dem heutigen Grundstück Busseallee 7–9 existiert nicht mehr. Christine Geyer starb am 31. Januar 2009 im Alter von 100 Jahren.

12 Der einzige Feind

Ein besonders auffallendes Merkmal von Kafkas sozialem Leben war es, dass ihm von allen Seiten Sympathie entgegengebracht wurde: von Männern wie von Frauen, von Deutschen und Tschechen, Juden und Christen. Kafka war beliebt nicht nur unter Kollegen und Vorgesetzten, die ihn über längere Zeit beobachteten, sondern auch unter ganz fremden Tischgesellschaften, zu denen er sich in Hotels und Kuranstalten gesellte, und im weitläufigen Bekanntenkreis seiner Freunde. Kafka war im alltäglichen Umgang freundlich, hilfsbereit, charmant, ein einfühlsamer Zuhörer, dabei aber völlig unaufdringlich, und vor allem seine originellen selbstironischen Äußerungen sorgten dafür, dass niemand ihn als intellektuellen oder erotischen Konkurrenten empfand. Von publizistischen Fehden hielt sich Kafka fern, und auch in den überlieferten Tagebüchern und Briefen naher Zeitgenossen findet sich kein böses Wort über ihn.

Mit einer bemerkenswerten Ausnahme. »Kafka wird, je länger ich von ihm entfernt bin, desto unsympathischer mit seiner schleimigen Bosheit.« So der Arzt und Schriftsteller Ernst Weiß in einem Brief an seine Geliebte, die Schauspielerin Rahel Sanzara. Weiß war einer der wenigen Freunde Kafkas, die nicht aus dem Umfeld Max Brods stammten und die mit Brod in gewissem Sinn konkurrierten. Nach Weiß' Auffassung wäre es für Kafka die einzig denkbare Lösung seiner Lebensprobleme gewesen, sich aus den vielfachen Prager Bindungen zu lösen und eine literarische Existenz in Berlin zu begründen.

Wie es zu dem Bruch kam, ist nicht völlig geklärt, doch war Weiß offenbar erbost darüber, dass Kafka eine seit langem versprochene Rezension seines Romans *Der Kampf* letztlich doch verweigerte. Der Roman erschien im April 1916, zu einer Zeit, da Kafka schon seit langem unproduktiv war und sich auch zur geringfügigsten schriftstellerischen Arbeit unfähig fühlte, was indessen Weiß als Ausflucht empfand. »Wir wollen nichts mehr miteinander zu tun haben, solange es mir nicht besser geht«, schrieb Kafka an Felice Bauer. »Eine sehr vernünftige Lösung.«

In den Nachkriegsjahren kam es zwar zu einer halbherzigen Versöhnung der beiden Schriftsteller, doch Weiß' latente Feindseligkeit gegenüber Kafka war damit nicht ausgeräumt und nahm nach dessen Tod wiederum zu. So versicherte er dem Kafka-Verehrer Soma Morgenstern, Kafka habe sich ihm gegenüber verhalten »wie ein Schuft«. Und noch in den dreißiger Jahren porträtierte Weiß in der Zeitschrift *Mass und Wert* den früheren Freund als sozialen Autisten, bei aller Wertschätzung seines literarischen Werks.

Ernst Weiß

13 Welche Farbe hatten Kafkas Augen?

Von Kafkas Augen fühlten sich etliche Zeitzeugen stark beeindruckt. Um so auffallender, dass selbst diejenigen, die Kafka am nächsten standen, die Farbe seiner Augen völlig unterschiedlich wahrnahmen. Die von Hans-Gerd Koch gesammelten Erinnerungen »*Als Kafka mir entgegenkam ...*« (Berlin 1995/2005) und andere Zeugenaussagen ergeben keine eindeutige Mehrheit:

DUNKEL (4 Stimmen):

»der Blick seiner dunklen Augen fest und doch warm« (Felix Weltsch)

»sah mich aus seinen dunklen Augen, die stets so wehmütig, eigentlich unjugendlich blickten, an« (Anna Lichtenstein)

»seinem dunklen Blick« (Michal Mareš)

»dunkle Augen« (Alois Gütling)

GRAU (4 Stimmen):

»ich blieb tief beeindruckt von den stahlgrauen Augen Kafkas und ihrem tiefen Blick« (Miriam Singer)

»Kafka hatte große graue Augen« (Gustav Janouch)

»die Augen kühn, blitzend grau« (Max Brod)

»graue Augen« (Václav Karel Krofta)

BLAU (3 Stimmen):

»mit seinen stahlblauen Augen« (Dora Geritt)

»sah ich, dass seine dunklen Augen blau waren« (Fred Bérence)

»tiefblaue Augen« (Tile Rössler)

BRAUN (3 Stimmen):

»Er hatte braune, schüchterne Augen, in denen es aufleuchtete, wenn er sprach.« (Dora Diamant)

»mit seinen schönen braunen Augen« (Christine Geyer, geb. Busse)

»Er hatte schöne, große, braune Augen.« (Alice Herz-Sommer)

Eine diplomatische Lösung dieser Widersprüche bietet Kafkas Reisepass. Dort ist als Augenfarbe vermerkt:

DUNKELBLAUGRAU.

Emotionen

14 Worüber Kafka weinen muss

Mich erschreckt Weinen ganz besonders. Ich kann nicht weinen. Weinen anderer kommt mir wie eine unbegreifliche fremde Naturerscheinung vor. Ich habe im Laufe vieler Jahre nur vor zwei, drei Monaten einmal geweint, da hat es mich allerdings in meinem Lehnsessel geschüttelt, zweimal kurz hintereinander, ich fürchtete mit meinem nicht zu bändigendem Schluchzen die Eltern nebenan zu wecken, es war in der Nacht und die Ursache war eine Stelle meines Romans.

Tatsächlich gehörte es zu Kafkas Eigenheiten, dass er sich vom Schicksal anderer Menschen viel leichter rühren ließ als vom eigenen Leid – und zwar unabhängig davon, ob es sich um reale oder fiktive Personen handelte. Das bestärkte Kafka in seiner Empfindung, am wirklichen Leben gar nicht teilzunehmen. »Das Geniessen menschlicher Beziehungen ist mir gegeben, ihr Erleben nicht«, schrieb er 1913 an seine Verlobte Felice Bauer, nachdem ein Kinofilm ihn zum Weinen gebracht hatte. Da ihm – inmitten einer schweren Krise – nur zwei Wochen später in einem anderen Kino das Gleiche widerfuhr, liegt freilich die Vermutung nahe, dass die traurigen Szenen ihm lediglich einen emotionalen Zugang zur eigenen Trauer öffneten.

In zwei Fällen lassen sich Lektüreerlebnisse, die Kafka weinen ließen, genauer bestimmen. »Geschluchzt über dem Processbericht einer 23jähr. Marie Abraham«, notierte er im Tagebuch, »die ihr fast ¾ Jahre altes Kind Barbara wegen Not und Hunger erwürgte mit einer Männerkrawatte, die ihr als Strumpfband diente und die sie abband. Ganz schematische Geschichte.«

Auffallend ist hier der Begriff »schematisch«, mit dem man doch eher die Qualität eines *plots* beschreiben würde. Doch das sozial tausendfach durchgespielte Schema machte diese »Geschichte« für Kafka ebenso trostlos wie einen billigen Roman. Das empfanden wohl auch die Geschworenen des Prozesses so. Denn wie im ausführlichen Bericht des *Prager Tagblatt* nachzulesen (am Vorabend von Kafkas 30. Geburtstag), sprachen sie das Dienstmädchen nicht nur frei, sondern sammelten spontan Geld für sie.

Einige Jahre später, im Herbst 1916, schrieb Kafka an Felice Bauer: »Bei einer Stelle musste ich zu lesen aufhören und mich auf das Kanapee setzen und laut weinen. Ich habe schon seit Jahren nicht geweint.« Er bezog sich damit auf Arnold Zweigs Schauspiel *Ritualmord in Ungarn*, über das er sich ansonsten recht kritisch äußerte. Gegen Ende des Stücks gibt es jedoch eine ausgesprochen rührende Szene, in der die Mutter des Mordopfers, mittlerweile erblindet und resigniert, unwissenderweise dem Mörder ihrer Tochter begegnet und ihn für ihren Wohltäter hält.

Dass Kafka in Gegenwart anderer gänzlich die Fassung verlor, ist offenbar nur ein einziges Mal geschehen: nach dem endgültigen Abschied von Felice Bauer. An jenem Tag Ende 1917 tauchte er überraschend in Max Brods Büro auf, der die Szene später in seinen Erinnerungen an Kafka schilderte: »Um sich für einen Moment auszuruhen, sagte er. Er hatte eben F. zur Bahn gebracht. Sein Gesicht war blaß, hart und streng. Aber plötzlich begann er zu weinen. Es war das einzige Mal, daß ich ihn weinen sah. Ich werde diese Szene nie vergessen, sie gehört zu dem Schrecklichsten, was ich erlebt habe.« Schon am folgenden Tag schrieb Kafka an seine Schwester Ottla, er habe an diesem Vormittag mehr geweint als in all den Jahren seit seiner Kindheit.

15 Kafka mag Else Lasker-Schüler nicht

Eine der charakteristischen Eigenheiten Kafkas war es, dass er Antipathien so gut wie nie zu erkennen gab. Selbst in seinen Tagebüchern finden sich allenfalls mild ironische, kaum jedoch streitbare oder aggressive Äußerungen über andere. Die jahrelange ›Pflege‹ von Feindschaften, wie sie etwa Max Brod mit beträchtlichem Aufwand betrieb, war Kafka völlig fremd, und selbst in den sehr seltenen Fällen, da Bekanntschaften in Zerwürfnissen endeten – wie mit dem Schriftsteller Ernst Weiß –, fand er noch Worte des Verständnisses.

Um so auffallender die einzige Ausnahme von dieser Regel: Über die in Berlin lebende Schriftstellerin Else Lasker-Schüler äußerte sich Kafka mit ungewöhnlicher Schärfe, und ganz gegen seine sonstige Gewohnheit ließ ihn auch ihr persönliches Unglück kalt. An Felice Bauer schrieb er:

Ich kann ihre Gedichte nicht leiden, ich fühle bei ihnen nichts als Langweile über ihre Leere und Widerwillen wegen des künstlichen Aufwandes. Auch ihre Prosa ist mir lästig aus den gleichen Gründen, es arbeitet darin das wahllos zuckende Gehirn einer sich überspannenden Grossstädterin. Aber vielleicht irre ich da gründlich, es gibt viele, die sie lieben, Werfel z. B. spricht von ihr nur mit Begeisterung. Ja, es geht ihr schlecht, ihr zweiter Mann hat sie verlassen, soviel ich weiss, auch bei uns sammelt man für sie; ich habe 5 K hergeben müssen, ohne das geringste Mitgefühl für sie zu haben; ich weiss den eigentlichen Grund nicht, aber ich stelle mir sie immer nur als eine Säuferin vor, die sich in der Nacht durch die Kaffeehäuser schleppt.

Im Jahr 1913 kreuzten sich die Wege Kafkas und Lasker-Schülers gleich zweimal. Zunächst an Ostern im Berliner Literatencafé Josty; dieses Treffen ist dokumentiert durch eine gemeinsame Postkarte an den Verleger Kurt Wolff, unterzeichnet von einer Reihe von Autoren, darunter Kafka und Lasker-Schüler. Zwei Wochen später kam Lasker-Schüler zu ihrer ersten Lesung nach Prag, wo sie schon am Bahnhof von einer Gruppe von Fans empfangen und dann zu einem nächtlichen Rundgang durch die Altstadt geführt wurde. Dabei kam es zu einem burlesken Zwischenfall, den die Prager Tageszeitung *Bohemia* schilderte:

»*Die Dichterin und der Polizist.* Heute um zwölf Uhr nachts erregte ein kurzer Vorfall die Beachtung der nächtlichen Passanten. Auf dem Altstädter Ring wurde eine abenteuerlich gekleidete Dame von einem Wachmann in brüsker Weise angefahren, weil sie mit verzückten Mienen und rhythmischen Schwingungen ihres Leibes unzusammenhängende Worte gegen das Firmament sang… Die Dame, die ein schwarzes Gewand und um den Hals, der von schwarzen, wallenden Locken umsäumt war, eine Onyxkette trug, war Else Lasker-Schüler. Vergeblich machten die Begleiter der Dichterin… den Polizisten darauf aufmerksam, dass es sich um einen exotischen Gast aus Theben handle (Else Lasker-Schüler spricht sich in ihren Gedichten immer als Prinz von Theben an), der hier ein morgenländisches Gebet verrichte. ›Das ist mir wurscht!‹ antwortete der Wachmann, ›hier darfs niemand nicht singen‹ und forderte energisch die weltentrückte Dichterin zum Einstellen des Gesanges auf. Erschreckt fuhr diese zusammen und, erregt dem Wachmann das Wort ›Prinz‹ ins Gesicht schleudernd, entfernte sie sich…«

Es lässt sich nicht belegen, ist aber durchaus möglich, dass Kafka nicht nur die Prager Lesung Lasker-Schülers besuchte, sondern auch Zeuge dieses Vorfalls war.

Else Lasker-Schüler
als Prinz Jussuf von Theben, 1912

16 Kafka ist wütend (I)

[An Paul Kisch,
München, 5. Dezember 1903]

Du verfluchter Kerl, Du bist der einzige an den ich nur mit Wuth habe denken können. Das hier ist also die fünfte Karte. Ich bitte um die Adressen, bitte bitte, sollte ich am Ende auf den Knien nach Prag rutschen? Na warte!

Dein Franz

Paul Kisch (1883–1944), ein Bruder von Egon Erwin Kisch, war Klassenkamerad Kafkas am Altstädter Gymnasium. Als Kisch im Herbst 1901 nach München übersiedelte, um dort Germanistik zu studieren, wollte Kafka es ihm zunächst gleichtun, blieb dann aber doch an der Prager Deutschen Universität. Kisch wiederum kehrte schon nach einem Semester nach Prag zurück.

Als der 20jährige Kafka zum ersten Mal nach München reiste (24. November bis 5. Dezember 1903), hatte ihn Kisch zweifellos gut unterrichtet über die dortigen Literatentreffpunkte. Außerdem studierte in München Emil Utitz, ein weiterer Mitschüler. Das Bildmotiv der Postkarte lässt vermuten, dass Kafka auch das berühmte Kabarett ›Die Elf Scharfrichter‹ besuchte, in dem unter anderen Frank Wedekind mit Liedern und Balladen auftrat.

Du der flüchtige Paul, du bist der einzige
an den ich immer mit Wehmut habe denken
können. Das hier ist also die [illegible]
Karten. Ich bitte Dich die Adressen, bitte
bitte, sollte ich am Ende auf Deine Ruinen
weg [illegible] [illegible]? Ich warte.
Dein Franz

Von den fünf Postkarten, die Kafka in München an Kisch schrieb, sind nur vier erhalten; diese ist die letzte, eingeworfen offenbar erst während der Rückreise in Nürnberg. Mit der ersten Karte vom 26. November hatte Kafka die Adresse mitgeteilt, unter der er in München zu erreichen war (Pension Lorenz, Sophienstraße 15, 3. Stock). Doch Kisch meldete sich nicht, obwohl Kafka für ihn einige Einkäufe erledigen sollte (darauf beziehen sich die »Adressen«, nach denen er Kisch fragt).

Nach dieser wohl halb gespielten, halb echten Anwandlung von Zorn scheint es zwischen den Freunden zu einer Entfremdung gekommen zu sein, denn weitere Korrespondenz zwischen ihnen ist nicht überliefert. Auch die Tatsache, dass Kisch in Prag einer schlagenden Studentenverbindung beitrat und einen immer ausgeprägteren deutschnationalen Habitus annahm, wird Kafka wohl kaum erfreut haben.

17 Kafka ist wütend (II)

Ich habe fast kein unmittelbares Interesse an der Fabrik, desto mehr aber mittelbares. Ich will nicht dass des Vaters Geld, das er auf meinen Rat und meine Bitte K[arl] zur Verfügung gestellt hat, verloren geht das ist meine erste Sorge, ich will nicht dass des Onkels Geld verloren geht, das er nicht so sehr K[arl] als uns geborgt hat, das ist meine zweite Sorge und ich will auch nicht, dass E[llis] und der K[inder] Geld verloren geht, das ist meine dritte Sorge. Von meinem Geld und meiner Haftpflicht spreche ich gar nicht. Nun halte ich aber das Ganze durchaus nicht für mehr gefährdet, als bei diesen Zeitumständen alles gefährdet ist. Ich habe natürlich auch vollständiges Vertrauen zu Euch; dass Du im Laufe des letzten ¼ Jahres an 1500 K wenigstens nach dem Kassabuch entnommen hast, beirrt mich darin nicht im Geringsten, Du hast 400 K nach dem Kassabuch eingezahlt, wirst gewiss auch das übrige zurückzahlen und handelst wahrscheinlich im Sinne Karls. Allerdings wusste ich nichts davon, sondern erfuhr es erst aus dem Buch – es ist dort in der letzten Zeit übrigens kein Datum eingetragen – und war also aus diesem Grunde und weil doch in dieser Zeit die Gebarung der Fabrik besonders empfindlich ist, darüber erstaunt sonst nichts, ich war bloss erstaunt und habe es zur Kenntnis genommen. Damit war die Sache erledigt.

Ich schicke voraus, dass ich der Berichterstattung von Elli nicht vollständig glaube, Du hast sie in grosse Aufregung gebracht, sie ist überdies jetzt während des Krieges in fortwährender Aufregung und darin verliert sie dann den Überblick. Selbst wenn ich aber vieles von dem was sie erzählt hat, als blosse Phantasie auffasse, so scheint doch genug übrig zu bleiben, um anzunehmen, dass Du sie, nebenbei gesagt hier vor den Mädchen, unerhört behandelt hast. Du hast vergessen dass sie eine Frau ist und dass sie die Frau Deines Bruders ist.

»Sie hat hier aufgelauert und hat Dich dann hergeschickt.« Das ist eine Unwahrheit und eine beleidigende Unwahrheit. Ich glaube, Du hattest und hast die vollständigste Freiheit, die man sich nur ausdenken kann. Du arbeitest gewiss ausgezeichnet, daran habe ich gar keinen Zweifel. Die Sorgen, die ich um die Fabrik habe, sind ganz anderer Art als Deine, sie sind vollständig passiv, aber deshalb nicht weniger schwer. Du trägst die Verantwortung für die Arbeit (und trägst im Grunde nichts anderes als das) ich aber trage die Verantwortung für das Geld. Ich trage die Verantwortung gegenüber dem Vater und dem Onkel. Unterschätze das nicht, wäre es mein Geld, es wäre, glaube mir, kinderleicht für mich, die Sorge zu tragen. Aber ich trage leider bloss die Sorgen, kann aber sonst aus Gründen, die allerdings hauptsächlich in mir liegen nicht selbst eingreifen. Alles was ich tue ist dass ich einmal im Monat herkomme und ein zwei Stunden hier sitze. Das ist an sich sinnlos, schadet und nützt niemanden und ist nur ein vergeblicher Versuch meinem Verantwortlichkeitsgefühl und meinen Sorgen zu entsprechen. Dass Du auch daran etwas auszusetzen findest, ist ebenso lächerlich als anmassend. Ich bin nicht hergekommen um das Kassabuch anzusehn, das ist unwahr, trotzdem ich berechtigt und verpflichtet gewesen wäre, es zu tun; ich bin vielmehr hergekommen zu dem gleichen selbstsüchtigen Zweck, wie immer, nämlich um mich zu beruhigen; dass Du weg warst, wäre für mich eher eine Veranlassung gewesen, nicht hinzugehn, denn ich will ja eben immer Dich hören. Trotzdem gieng ich her, weil es mir gerade passte und weil ich auch sehen wollte, ob nicht in Deiner Abwesenheit irgendetwas Wichtiges sich ereignet hat. Dass ich gerade das Kassabuch durchgesehen habe, war Zufall und Zerstreutheit, ich hätte ebensogut beispielsweise die Gummizeitung durchsehn können. Dann fand ich allerdings im Kassabuch einige Posten, die mich begreiflicher Weise interessierten.

Du sollst auch eine abfällige Bemerkung darüber gemacht haben, dass der Vater dafür, dass E[lli] u. die K[inder] bei uns leben, eine Entschädigung annimmt. Was geht Dich denn das an? Wie darfst Du denn darüber urteilen.

Es handelt sich um den Entwurf eines Briefs, niedergeschrieben wahrscheinlich am 25. November 1914, gerichtet an Paul Hermann, den Bruder von Karl Hermann, der mit Kafkas Schwester Elli verheiratet war.

Anlass waren Streitigkeiten um die Buchführung der ›Prager Asbestwerke Hermann & Co.‹, einer 1911 gegründeten Werkstatt, in die Kafkas Vater, sein Onkel Alfred Löwy sowie er selbst Geld investiert hatten. Um diese Firma hatte es schon häufig familieninterne Konflikte gegeben – vor allem, weil der juristisch beschlagene Kafka, obwohl Teilhaber, keinerlei Interesse daran zeigte, seiner Verantwortung als Hüter des eingesetzten Familienkapitals nachzukommen.

Die Situation verschärfte sich mit Kriegsbeginn, da Karl Hermann als Offizier eingezogen wurde und die Geschäfte seinem Bruder Paul überließ, während Elli mit ihren beiden Kindern wieder zu den Eltern zog. Paul Hermann, der Prokura erhielt, wurde von den Kafkas und selbst von seiner Schwägerin Elli offenbar mit Misstrauen beobachtet, und dieses Misstrauen schien sich nun zu bestätigen, als Kafka verdächtige Kontobewegungen entdeckte.

Der Briefentwurf ist eines der sonderbarsten Beispiele für Kafkas gehemmte Aggression. Denn anstatt Paul Hermann einfach zu fragen, was es mit den Geldentnahmen auf sich hat, entschuldigt er sich gleichsam dafür, dass er einen Blick in die Geschäftsbücher geworfen hat – wozu er als Teilhaber doch jedes Recht hatte. Kafka ist hier deutlich zerrissen zwischen dem, was die Familie von ihm erwartet – nämlich, Paul Hermann unter schärfere Kontrolle zu nehmen –, und seinem Widerwillen dagegen, jemanden ohne zwingenden Grund zu verdächtigen, noch dazu einen Verwandten, der sich viel intensiver um die Fabrik kümmert als er selbst. Tatsächlich wütend macht ihn nicht der drohende Kapitalverlust, sondern die persönliche Anmaßung Pauls gegenüber Elli – vor den Ohren des Personals.

18 Der Professor und seine Salami

Der Prof. Grünwald auf der Reise von Riva. Seine an den Tod erinnernde deutsch-böhmische Nase, angeschwollene, gerötete, blasentreibende Backen eines auf blutleere Magerkeit angelegten Gesichtes, der blonde Vollbart ringsherum. Von der Fress- und Trinksucht besessen. Das Einschlucken der heissen Suppe, das Hineinbeissen und gleichzeitige Ablecken des nicht abgeschälten Salamistumpfes, das schluckweise ernste Trinken des schon warmen Bieres, das Ausbrechen des Schweisses um die Nase herum. Eine Widerlichkeit, die durch gierigstes Anschauen und Beriechen nicht auszukosten ist.

Der Professor, den Kafka im Oktober 1913 auf seiner Reise zurück vom Gardasee so eingehend studierte, war der Mathematiker Anton Grünwald (1838–1920) von der Deutschen Technischen Hochschule in Prag. Kafka hatte dort im Wintersemester 1909/10 Vorlesungen über mechanische Technologie gehört – eine Fortbildungsmaßnahme für seine Tätigkeit in der Arbeiter-Unfallversicherung. Grünwald war eine prominente Figur an der Hochschule, war auch mehrere Semester lang deren Rektor. Sein Name war der gebildeten Öffentlichkeit auch deshalb geläufig, weil er eine Mathematiker-Dynastie begründet hatte: Zwei von Grünwalds Söhnen brachten es ebenfalls zu Professoren der Mathematik, beide lehrten wie er in Prag.

Wo genau Kafka den der Völlerei ergebenen Professor fixierte – ob im Restaurant oder im Speisewagen –, lässt sich aus der knappen Tagebuchnotiz nicht erschließen. Bemerkenswert und für Kafka sehr charakteristisch ist jedoch, dass er seine Beobachtungen erst mehrere Tage nach der Rückkehr in Prag notierte, die sinnlichen einschließlich der »widerlichen« Details also gleichsam fotografisch gespeichert hatte.

Anton Grünwald

19 Kafka ist nicht prüde

[26./29. November 1911]

Mit Max […] zu A. M. Pachinger. Sammler aus Linz, von Kubin empfohlen, 50 Jahre, riesig, turmartige Bewegungen, wenn er längere Zeit schweigt, beugt man den Kopf, da er ganz schweigt, während er sprechend nicht ganz spricht, sein Leben besteht aus Sammeln und Koitieren. […] Aus dem Kaffeehaus im Hotel Graf führt er uns in sein überheiztes Zimmer hinauf, setzt sich aufs Bett, wir auf 2 Sessel um ihn, so dass wir eine ruhige Versammlung bilden. Seine erste Frage »Sind sie Sammler?« »Nein nur arme Liebhaber.« »Das macht nichts.« Er zieht seine Brieftasche und bewirft uns förmlich mit Exlibris, eigenen und fremden, untermischt mit einem Prospekt seines nächsten Buches »Zauberei und Aberglaube im Steinreich«. Er hat schon viel geschrieben, besonders über »Mutterschaft in der Kunst« den schwangeren Körper hält er für den schönsten, er ist ihm auch am angenehmsten zu vögeln. […] Beim Weggehn zerwirft er das Bett, damit es vollständig sich der Zimmerwärme angleiche, ausserdem ordnet er weiteres Einheizen an. […] Über Weiber: Die Erzählungen über seine Potenz machen einem Gedanken darüber, wie er wohl sein grosses Glied langsam in die Frauen stopft. Sein Kunststück in frühern Zeiten war, Frauen so zu ermüden, dass sie nicht mehr konnten. Dann waren sie ohne Seele, Tiere. Ja diese Ergebenheit kann ich mir vorstellen. Er liebt Rubensweiber wie er sagt, meint aber solche mit grossen oben gebauchten unten flachen, sackartig hängenden Brüsten. Er erklärt diese Vorliebe damit, dass seine erste Liebe eine solche Frau, eine Freundin seiner Mutter und Mutter eines Schulkollegen war, die ihn mit 15 Jahren verführte. Er war besser in Sprachen, sein Kollege in Mathematik, so lernten sie mit einander in der Wohnung des Kollegen, da geschah es. Er zeigt Photographien seiner Lieblinge. Sein gegenwärtiger ist eine ältere Frau, die auf einem Sessel mit gespreizten Beinen, gehobenen Armen, von Fett faltigem

Gesicht sitzt und so ihre Fleischmassen zeigt. Auf einem Bilde, das sie im Bett darstellt, sind die Brüste, so wie sie ausgebreitet und geschwollen förmlich geronnen aussehn, und der zum Nabel gehobene Bauch gleichwertige Berge. Ein anderer Liebling ist jung, sein Bild ist nur ein Bild der aus der aufgeknöpften Blouse gezogenen langen Brüste und eines abseits schauenden in einem schönen Mund zugespitzten Gesichtes. In Braila hatte er damals grossen Zulauf der dicken, viel vertragenden, von ihren Männern ausgehungerten Kaufmannsfrauen, die dort zur Sommerfrische lebten. Sehr ergiebiger Fasching in München. Nach dem Meldeamt kommen während des Faschings über 6000 Frauen ohne Begleitung nach München offenbar nur um sich koitieren zu lassen. Es sind Verheiratete, Mädchen, Witwen aus ganz Bayern, aber auch aus den angrenzenden Ländern.

[12. Juni 1914]

Pachinger hat einer Leiche einen silbernen Keuschheitsgürtel abgesägt, hat die Arbeiter, welche sie ausgegraben haben, irgendwo in Rumänien, beiseitegeschoben, hat sie mit der Bemerkung beruhigt, dass er hier eine wertlose Kleinigkeit sehe, die er sich als Andenken mitnehmen wolle, hat den Gürtel aufgesägt und vom Gerippe heruntergerissen. Findet er in einer Dorfkirche eine wertvolle Bibel oder ein Bild oder ein Blatt das er haben will, so reisst er, was er will, aus Büchern, von den Wänden, vom Altar, legt als Gegengabe ein 2hellerstück hin und ist beruhigt. – Liebe zu dicken Weibern. Jede Frau, die er hatte, wird photographiert. Stoss von Photographien, den er jedem Besucher zeigt. Sitzt in der einen Sophaecke, der Besucher, von ihm weit entfernt, in der andern. Pachinger sieht kaum hin und weiss doch immer, welche Photographie an der Reihe ist und gibt danach seine Erklärungen: Das war eine alte Witwe, das waren die zwei ungarischen Dienstmädchen u. s. w.

Kafka und Max Brod lernten den aus Linz stammenden Anton Maximilian Pachinger (1864–1938) durch Vermittlung von Alfred Kubin kennen. Der Privatier Pachinger, der vom elterlichen Erbe lebte, war ein manischer Sammler, der volkskundliche Bücher und Aufsätze publizierte und auch Vorträge hielt. Pachinger sammelte buchstäblich alles: von

Türbeschlägen bis zu Gebetbüchern, von gynäkologischen Schriften bis zu Wallfahrtsmedaillen, von Strumpfbändern bis zu historischen Fotografien.

Kafkas ausführliche Notizen zu Pachinger sind bemerkenswert, da er sich über sexuelle Themen sonst niemals derart drastisch äußert. Dass er fasziniert ist, ist offensichtlich – allerdings nicht nur von Pachingers erotischer Besessenheit, sondern mehr noch von dessen unreflektierter und bedenkenloser Zielstrebigkeit. Menschen, die sich auf diese Weise ›ausleben‹ und dadurch auch lebenslang definieren, beobachtete Kafka von jeher mit besonderer und auch bewundernder Aufmerksamkeit.

Wie der Kontext in Kafkas Tagebuch nahelegt, geht die Notiz von 1914 wahrscheinlich nicht auf eine weitere Begegnung mit Pachinger zurück, sondern auf einen detaillierten Bericht Kubins.

Als skurrile Figur erscheint Pachinger auch mehrfach in den Werken von Fritz von Herzmanovsky-Orlando.

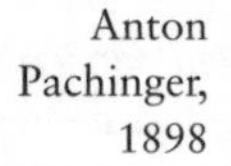

Anton Pachinger, 1898

20 Bei den Dirnen

Kisten tragen und abstauben, denn wir übersiedeln das Geschäft, kleines Mädchen, sehr wenig Lernen, Dein Buch, Dirnen, Macaulay »Lord Clive«; auch so ergibt sich ein Ganzes

Karte an Max Brod, 27. Mai 1906

Wir könnten statt unseres geplanten Nachtlebens von Montag zu Dienstag ein hübsches Morgenleben veranstalten, uns um 5 Uhr oder ½ 6 bei der Marienstatue treffen – bei den Weibern kann es uns dann nicht fehlen – und ins Trokadero oder nach Kuchelbad gehn oder ins Eldorado. Wir können dann, wie es uns passen wird im Garten an der Moldau Kaffee trinken oder auch an die Schulter der Josci gelehnt. Beides wäre zu loben.

Brief an Max Brod, 29. März 1908

nur dein Buch, das ich jetzt endlich geradenwegs lese, tut mir gut. So tief im Unglück ohne Erklärung war ich schon lange nicht. Solange ich es lese, halte ich mich daran fest, wenn es auch gar nicht Unglücklichen helfen will, aber sonst muss ich so dringend jemanden suchen, der mich nur freundlich berührt, dass ich gestern mit einer Dirne im Hotel war. Sie ist zu alt, um noch melancholisch zu sein, nur tut ihr leid, wenn es sie auch nicht wundert, dass man zu Dirnen nicht so lieb wie zu einem Verhältnis ist. Ich habe sie nicht getröstet, da sie auch mich nicht getröstet hat.

Brief an Max Brod, 29./30. Juli 1908

Ich gieng an dem Bordell vorüber, wie an dem Haus einer Geliebten.

Tagebuch, 1909

[Paris:] Rationell eingerichtete Bordelle. Die reinen Jalousien der grossen Fenster des ganzen Hauses herabgelassen. In der Portierloge statt eines Mannes ehrbar angezogene Frau, die überall zu Hause sein könnte. Schon in Prag habe ich immer den amazonenmässigen Charakter der Bordelle flüchtig bemerkt. Hier ist es noch deutlicher. Der weibliche Portier der sein elektr. Läutewerk in Bewegung setzt, der uns in seiner Loge zurückhält, weil ihm gemeldet wird, dass gerade Gäste die Treppe herabkommen, die zwei ehrbaren Frauen oben (warum zwei?) die uns empfangen, das Aufdrehen des elektr. Lichtes im Nebenzimmer in dem die unbeschäftigten Mädchen im Dunkel oder Halbdunkel sassen, der ¾ Kreis (wir ergänzen ihn zum Kreis) in dem sie um uns in aufrechten auf ihren Vorteil bedachten Stellungen stehn, der grosse Schritt, mit dem die Erwählte vortritt, der Griff der Madame mit dem sie mich auffordert … ich mich zum Ausgang gezogen fühle. Unmöglich mir vorzustellen wie ich auf die Gasse kam, so rasch war es. Schwer ist die Mädchen dort genauer anzusehn, weil sie zu viele sind, mit den Augen blinzeln, vor allem zu nahe stehn. Man müsste die Augen aufreissen und dazu gehört Übung. In der Erinnerung habe ich eigentlich nur die, welche gerade vor mir stand. Sie hatte lückenhafte Zähne, streckte sich in die Höhe, hielt mit der über der Scham geballten Faust ihr Kleid zusammen und öffnete und schloss gleich und schnell die grossen Augen und den grossen Mund. Ihr blondes Haar schien zerrauft. Sie war mager. Angst davor nicht zu vergessen den Hut nicht abzunehmen. Man muss sich die Hand von der Krempe reissen. Einsamer, langer sinnloser Nachhauseweg.

Reisetagebuch, 1911

Im B. [Bordell] Suha vorvorgestern. Die eine Jüdin mit schmalem Gesicht, besser das in ein schmales Kinn verläuft, aber von einer ausgedehnt welligen Frisur ins Breite geschüttelt wird. Die drei kleinen Türen, die aus dem Innern des Gebäudes in den Salon führen. Die Gäste wie in einer Wachstube auf der Bühne, Getränke auf dem Tisch, werden ja kaum angerührt. Die Flachgesichtige im eckigen Kleid, das erst tief unten in einem Saum sich zu bewegen anfängt. Einige hier und früher angezogen wie die Marionetten für Kinderteater, wie man sie auf dem Christmarkt verkauft d. h. mit Rüschen und Gold beklebt und lose benäht, so dass man sie mit einem Zug abtrennen kann und dass sie einem dann in den Fingern zerfallen. Die Wirtin mit dem mattblonden über zweifellos ekelhaften Unterlagen straff gezogenem Haar, mit der scharf niedergehenden Nase, deren Richtung in irgendeiner geometrischen Beziehung zu den hängenden Brüsten und dem steif gehaltenen Bauch steht, klagt über Kopfschmerzen, die dadurch verursacht sind, dass heute Samstag ein so grosser Rummel und nichts daran ist.

Tagebuch, 1. Oktober 1911

Ich gehe absichtlich durch die Gassen, wo Dirnen sind. Das Vorübergehn an ihnen reizt mich, diese ferne aber immerhin bestehende Möglichkeit mit einer zu gehn. Ist das Gemeinheit? Ich weiss aber nichts besseres und das Ausführen dessen scheint mir im Grunde unschuldig und macht mir fast keine Reue. Ich will nur die dicken ältern, mit veralteten aber gewissermassen durch verschiedene Behänge üppigen Kleidern. Eine Frau kennt mich wahrscheinlich schon. Ich traf sie heute nachmittag, sie war noch nicht in Berufskleidung, die Haare lagen noch am Kopf an, sie hatte keinen Hut, eine Arbeitsbluse wie Köchinnen und trug irgendeinen Ballen vielleicht zur Wäscherin. Kein Mensch hätte etwas Reizendes an ihr gefunden, nur ich. Wir sahen einander flüchtig an. Jetzt abend, es ist inzwischen kalt geworden, sah ich sie in einem anliegenden, gelblich braunen Mantel auf der andern Seite der engen von der Zeltnergasse abzweigenden Gasse, wo sie ihre Promenade hat. Ich sah zweimal nach ihr zurück, sie fasste auch den Blick, aber dann lief ich ihr eigentlich davon.

Tagebuch, 19. November 1913

das G. [Geschlecht] drängt mich, quält mich Tag und Nacht, ich müsste Furcht und Scham und wohl auch Trauer überwinden um ihm zu genügen, andererseits ist es aber gewiss, dass ich eine schnell und nah und willig sich darbietende Gelegenheit sofort ohne Furcht und Trauer und Scham benützen würde;

Tagebuch, 18. Januar 1922

Beim Kragen gepackt, durch die Strassen gezerrt, in die Tür hineingestossen.

Tagebuch, 20. Januar 1922

Kafka und Hansi Julie Szokoll, um 1907

Wie für die Mehrzahl bürgerlicher Männer seiner Zeit war auch für Kafka der Besuch von Prostituierten zunächst kein moralisches, sondern eher ein hygienisches Problem. Da man sich die männliche Sexualität (nicht aber die weibliche) als Dampfkessel vorstellte, aus dem, um größeres Unglück zu verhüten, gelegentlich Druck abgelassen werden muss, galt es weithin als legitim, wenn Junggesellen oder ›unbefriedigte‹ Ehemänner für Sex bezahlten. Noch der 36jährige Kafka bekam von seinem Vater zu hören – im Beisein der Mutter –, er solle doch lieber ins Bordell gehen, als sich mit der Nächstbesten zu verloben.

Im Prag der Jahrhundertwende gab es Dutzende von ›öffentlichen Häusern‹, daneben aber auch zahlreiche Bars, Nachtcafés und Weinstuben wie das Trocadero oder das Eldorado, in denen es leicht war, mit käuflichen Frauen Bekanntschaft zu schließen. Mindestens zweimal ließ sich Kafka auf Liaisons mit solchen Frauen ein, und es ist sogar ein Foto überliefert, auf dem er mit einer dieser unglücklichen Liebschaften zu sehen ist, der Weinstubenkellnerin Hansi Julie Szokoll. Auch auf den mit Max Brod unternommenen Reisen nach Mailand, Paris und Leipzig suchte man gemeinsam Bordelle auf.

Im Lauf der Jahre, mit zunehmend schärfer werdender Beobachtung und Selbstbeobachtung, wurde Kafka die eigene Sexualität immer problematischer, und im Gegensatz zu Brod war er nicht mehr imstande, Frauen zu ›konsumieren‹. Ab ca. 1912 nahm er am Prager Nachtleben kaum noch teil. Den letzten dokumentierten Besuch eines Bordells im Januar 1922 vermerkt Kafka im Tagebuch nur noch als Zwangshandlung.

21 Ein Flirt

[16. Oktober 1911]

Anstrengender Sonntag gestern. Dem Vater hat das ganze Personal gekündigt. […] Nachmittag nach Radotin, um den Contoristen zu halten. […] Auf und ab im Hof des Herrn Haman, ein Hund legt eine Pfote auf meine Fussspitze, die ich schaukle. Kinder, Hühner, hie und da Erwachsene. Ein zeitweise auf der Pawlatsche heruntergebeugtes oder hinter einer Tür sich versteckendes Kindermädchen hat Lust auf mich. Ich weiss unter ihren Blicken nicht, was ich gerade bin, ob gleichgültig, verschämt, jung oder alt, frech oder anhänglich, Hände hinten oder vorn haltend, frierend oder heiss, Tierliebhaber oder Geschäftsmann, Freund des Haman oder Bittsteller, den Versammlungsteilnehmern, die manchmal in einer ununterbrochenen Schleife aus dem Lokal ins Pissoir und zurückgehn überlegen oder infolge meines leichten Anzugs lächerlich, ob Jude oder Christ u. s. w. Das Herumgehn, Naseabwischen, hie und da im Pan lesen, furchtsam mit den Augen die Pawlatsche meiden, um sie plötzlich als leer zu erkennen, dem Geflügel zuschauen, sich von einem Mann grüssen zu lassen, durch das Wirtshausfenster die flach und schief neben einander gestellten Gesichter der einem Redner zugewendeten Männer zu sehn, alles hilft dazu.

[17. Oktober 1911]

[…] weiter in Radotin: ich gieng dann allein frierend im Wiesengarten herum, erkannte dann im offenen Fenster das mit mir auf diese Seite des Hauses gewanderte Kindermädchen –

[20. Oktober 1911]

[...] weiter in Radotin: lud sie ein herunterzukommen. Die erste Antwort war ernst, trotzdem sie bisher mit dem ihr anvertrauten Mädchen zu mir hinüber so gekichert und kokettiert hatte, wie sie es von dem Augenblick an, wo wir bekannt waren, nie gewagt hätte. Wir lachten dann viel zusammen, trotzdem ich unten und sie oben beim offenen Fenster fror. Sie drückte ihre Brüste an die gekreuzten Arme und alles mit offenbar gebeugten Knien an die Fensterbrüstung. Sie war 17 Jahre alt und hielt mich für 15–16jährig, wovon sie durch unser ganzes Gespräch nicht abgebracht wurde. Ihre kleine Nase gieng ein wenig schief und warf daher einen ungewöhnlichen Schatten auf die Wange, der mir allerdings nicht helfen könnte, sie wieder zu erkennen. Sie war nicht aus Radotin, sondern aus Chuchle (die nächste Station gegen Prag) was sie nicht vergessen lassen wollte. Dann Spaziergang mit dem Contoristen, der auch ohne meine Reise in unserem Geschäft geblieben wäre, im Dunkel auf der Landstrasse aus Radotin heraus und zurück zum Bahnhof.

Mitte Oktober 1911 traf die Eltern Kafkas ein harter Schlag: Nicht nur kündigte völlig überraschend der Geschäftsführer ihrer Galanteriewarenhandlung, um ein eigenes Geschäft zu gründen; es stellte sich auch heraus, dass ihr gesamtes übriges Personal bereits versprochen hatte, in das neue Geschäft überzuwechseln.

Durch Überredung und vermutlich auch durch materielle Zugeständnisse konnte Hermann Kafka einige seiner Angestellten umstimmen. Seinen eloquenten Sohn Franz beauftragte er, am Sonntag, den 15. Oktober, zunächst einen in Prag-Žižkov wohnenden Buchhalter zur Umkehr zu bewegen (was misslang), und dann am Nachmittag in das ca. 15 km südlich von Prag gelegene Radotin zu fahren, um dort einem weiteren Angestellten, einem Kontoristen, ins Gewissen zu reden. Am selben Tag erschien im *Prager Tagblatt* eine Anzeige, mit der für das Geschäft der Kafkas ein deutsch und tschechisch sprechender Geschäftsführer, ein Ladengehilfe und eine weibliche Bürokraft gesucht wurden.

Kafka begab sich in Radotin zunächst zu einem Freund seines Vaters – demselben, der den Kontoristen vermittelt hatte –, um ihm die Situation zu schildern. Da sich dieser potentielle Helfer jedoch in einer Versammlung aufhielt, musste der (wie häufig) zu dünn bekleidete Kafka vor dem Lokal warten und vertrieb sich dort die Zeit mit einem Flirt.

Dass er für einen Knaben gehalten und daher nicht ganz ernst genommen wurde, war für den bereits 28jährigen Kafka keine neue Erfahrung. Eine ähnliche Verkennung erlebte er noch fast ein Jahrzehnt später (siehe das Fundstück 64).

Kafkas Aufzeichnungen belegen, dass ihn weniger die Sorge um das Geschäft der Eltern als vielmehr die zahlreichen Begegnungen dieses Sonntags noch tagelang beschäftigten.

22 Die Tochter des Chefs – ein Albtraum

Eine schreckliche Erscheinung war heute in der Nacht ein blindes Kind scheinbar die Tochter meiner Leitmeritzer Tante die übrigens keine Tochter hat sondern nur Söhne, von denen einer einmal den Fuss gebrochen hatte. Dagegen waren zwischen diesem Kind und der Tochter Dr. Marschners Beziehungen, die, wie ich letzthin gesehen habe, auf dem Wege ist, aus einem hübschen Kind ein dickes steif angezogenes kleines Mädchen zu werden. Dieses blinde oder schwachsichtige Kind hatte beide Augen von einer Brille bedeckt, das linke unter dem ziemlich weit entfernten Augenglas war milchgrau und rund vortretend, das andere trat zurück und war von einem anliegenden Augenglas verdeckt. Damit dieses Augenglas optisch richtig eingesetzt sei, war es nötig statt des gewöhnlichen über das Ohr zurückgehenden Halters, einen Hebel anzuwenden, dessen Kopf nicht anders befestigt werden konnte als am Wangenknochen, so dass von diesem Augenglas ein Stäbchen zur Wange hinuntergieng, dort im durchlöcherten Fleisch verschwand und am Knochen endete, während ein neues Dratstäbchen heraustrat und über das Ohr zurückgieng.

Berta Marschner (1900–1972), an die sich Kafka durch diesen Albtraum erinnert fühlte, war die Tochter von Dr. Robert Marschner, seit 1909 leitender Direktor der Arbeiter-Unfall-Versicherungs-Anstalt in Prag und damit Kafkas höchster Vorgesetzter.

Wie aus Äußerungen Kafkas in Briefen und Tagebüchern hervorgeht, wurde er von dem literarisch interessierten Direktor Marschner geschätzt und gefördert, obwohl dieser über die kräftezehrende schriftstellerische Nebentätigkeit seines Angestellten durchaus im Bilde war. So verhinderte Marschner den Kriegseinsatz Kafkas, indem er dessen Wunsch, sich der österreichischen Armee anzuschließen, beharrlich überging und ihn mehrfach als unentbehrliche Fachkraft reklamierte. Mindestens einmal trat Kafka auch als Vortragender im stadtbekannten literarischen Salon von Marschners Ehefrau Emilie auf. Eine engere private Beziehung zu der Familie bestand aber nicht.

Berta Marschner

23 Die schöne Tilka

Viel gesehn in der letzten Zeit, weniger Kopfschmerzen. Spaziergänge mit Frl. Reiss. Mit ihr bei »Er und seine Schwester«, von Girardi gespielt. [...] In der städtischen Lesehalle. Bei ihren Eltern die Fahne angesehn. Die 2 wunderbaren Schwestern Esther und Tilka wie Gegensätze des Leuchtens und Verlöschens. Besonders Tilka schön: olivenbraun, gewölbte gesenkte Augenlider, tiefes Asien. Beide Shawls um die Schultern gezogen. Sie sind mittelgross, eher klein und erscheinen aufrecht und hoch wie Göttinnen, die eine auf dem Rundpolster des Kanapees, Tilka in einem Winkel auf irgendeiner unkenntlichen Sitzgelegenheit, vielleicht auf Schachteln.

Auch bei Frauen und Mädchen, deren äußere Erscheinung Kafka angenehm war, blieb sein Blick häufig, bisweilen zwanghaft an störenden Einzelheiten hängen. Sein Tagebucheintrag vom 3. November 1915 bietet eines der seltenen Beispiele dafür, dass er von weiblicher Schönheit ganz ohne Vorbehalte fasziniert war.

Die Handschrift zeigt, wie der Eindruck ihn beschäftigte. Denn zunächst schrieb Kafka nur »Die 2 wunderbaren Schwestern.« Dann löschte er den Punkt und ergänzte die Namen Esther und Tilka. Dann tilgte er auch den Punkt hinter »Tilka« und setzte fort: »wie Gegensätze des Leuchtens und Verlöschens.«

Die Schwestern Fanny, Esther und Tilka Reiß gehörten zu einer ostjüdischen Familie aus Lemberg in Galizien, die –

wie Tausende andere – vor den russischen Armeen nach Prag geflohen waren. Max Brod unterrichtete solche Mädchen ehrenamtlich, wobei Kafka manchmal als stiller Beobachter zugegen war. Auf diese Weise kam wohl auch sein Kontakt zur Familie Reiß zustande.

Bei der von Kafka erwähnten Fahne dürfte es sich um eine aus Lemberg gerettete Thora-Fahne handeln. Das Theaterstück, das er gemeinsam mit Fanny Reiß in einer Nachmittagsvorstellung des Neuen deutschen Theaters sah, war eine ›Posse mit Gesang‹ von Bernhard Buchbinder, gespielt von Alexander Girardi, dem damals populärsten österreichischen Komödianten.

Tilka Reiß

24 Rendezvous mit Julie

Liebe, wir haben nicht gewusst, dass Donnerstag Feiertag ist, also verlegen wir es auf Freitag nicht? Es ist doch besser? Freitag um ½ 4 bei der Koruna. Im Vertrauen: ich versäume dadurch eine Hebräischstunde, aber bei Dir würde ich doch auch eine versäumen so kämpft Hebräisch gegen Hebräisch und Deines siegt.

Fr.

Der einzige bislang bekannt gewordene Brief Kafkas an seine Verlobte Julie Wohryzek, der erst im Jahr 2008 bei einer Auktion auftauchte und vom Museum für tschechische Literatur in Prag erworben wurde.

Es handelt sich um einen per Rohrpost versandten Brief, datierbar auf den 18. Juni 1919. In diesem Jahr nahm Kafka Hebräischunterricht unter anderem bei dem Gymnasiallehrer und Zionisten Friedrich Thieberger, der in seinen Erinnerungen darüber berichtet.

Da Julie Wohryzek die Tochter eines ›Schammes‹, eines Synagogendieners war, ist es denkbar, dass auch sie einige Brocken altes Hebräisch noch im Gedächtnis hatte. Wahrscheinlicher aber ist, dass sich Kafkas ironische, wenngleich nicht ganz logische Bemerkung auf die »unerschöpfliche und unaufhaltbare Menge der frechsten Jargonausdrücke« bezog, mit der sie ihn belustigte – aus dem Jiddischen stammende Ausdrücke also, die unter akkulturierten Juden verpönt waren.

Als Ort des Treffens schlägt Kafka das Palais Corona vor (tschechisch: Koruna), ein monumentales Gebäude an der Ecke Graben/Wenzelsplatz, das von einer Passage durchquert wird.

25 Kafka meditiert über ein Gemälde

Er erinnert sich an ein Bild, das einen Sommersonntag auf der Themse darstellte. Der Fluss war in seiner ganzen Breite weithin angefüllt mit Booten, die auf das Öffnen einer Schleuse warteten. In allen Booten waren fröhliche junge Menschen in leichter heller Kleidung, sie lagen fast, frei hingegeben der warmen Luft und der Wasserkühle. Infolge alles dieses Gemeinsamen war ihre Geselligkeit nicht auf die einzelnen Boote eingeschränkt, von Boot zu Boot teilte sich Scherz und Lachen mit.

Er stellte sich nun vor, dass auf einer Wiese am Ufer – die Ufer waren auf dem Bild kaum angedeutet, alles war beherrscht von der Versammlung der Boote – er selbst stand. Er betrachtete das Fest, das ja kein Fest war, aber das man doch so nennen konnte. Er hatte natürlich grosse Lust sich daran zu beteiligen, er langte förmlich danach, aber er musste sich offen sagen, dass er davon ausgeschlossen war, es war für ihn unmöglich sich dort einzufügen, das hätte eine so grosse Vorbereitung verlangt, dass darüber nicht nur dieser Sonntag, sondern viele Jahre und er selbst dahingegangen wäre, und selbst wenn die Zeit hier hätte stillstehn wollen, es hätte sich doch kein anderes Ergebnis mehr erzielen lassen, seine ganze Abstammung, Erziehung, körperliche Ausbildung hätte anders geführt werden müssen.

So weit war er also von diesen Ausflüglern, aber damit doch auch wieder sehr nahe und das war das schwerer Begreifliche. Sie waren doch auch Menschen wie er, nichts Menschliches konnte ihnen völlig fremd sein, würde man sie also durchforschen müsste man finden, dass das Gefühl, das ihn beherrschte und ihn von der Wasserfahrt ausschloss, auch in ihnen lebte, nur dass es allerdings weit davon entfernt war sie zu beherrschen, sondern nur irgendwo in dunklen Winkeln geisterte.

Der Tagebucheintrag vom 2. Februar 1920 gehört zu den Selbstreflexionen, die Kafka in der Er-Form niederschrieb – ein Mittel der Distanzierung, zu dem er vor allem nach dem umfangreichen *Brief an den Vater* vom Herbst 1919 häufiger griff. Offensichtlich handelt es sich auch hier um ein thematisches Echo jenes Briefs.

Bei dem Bild, auf das sich Kafka bezieht, handelt es sich um das 1895 entstandene Ölgemälde *Boulter's Lock, Sunday Afternoon* des englischen Malers Edward John Gregory (1850–1909). Das Gemälde wurde zu Kafkas Lebzeiten auch auf dem Kontinent ausgestellt; es ist jedoch nicht bekannt, ob er es im Original oder lediglich als Reproduktion gesehen hat.

Die Schleuse von Boulters Lock (Themse bei Maidenhead, westlich von London) gilt auch heute noch als touristische Attraktion.

26 Drei Briefe an den Vater

Kafkas umfangreicher Brief an seinen Vater, den er Mitte November 1919 in Schelesen verfasste, gilt heute als eine der eindrucksvollsten und paradigmatischen Auseinandersetzungen mit dem ›Vater-Problem‹. Weniger bekannt ist, dass es zu diesem Brief einen Vorläufer gibt, den Kafka jedoch schon nach wenigen Seiten aufgab. Im Gegensatz zu dem vollendeten Brief ist dieser frühere Entwurf noch formell an die Eltern gerichtet, der angesprochene Adressat ist jedoch allein der Vater:

Liebe Eltern, an dem Abend, an welchem Hugo Kaufmann zum letztenmal bei uns war und Du Vater, Karl und Hugo über verschiedene geschäftliche und Familienangelegenheiten gesprochen habt, hörte ich später aus dem Badezimmer, wie Du der Mutter gegenüber Dich über meine Teilnahmslosigkeit bei jenem Gespräche beklagtest. Es war nicht das erste Mal, dass ich einen solchen Vorwurf von Dir Vater hörte und Du hast mir ihn nicht nur durch Türen, sondern auch schon unmittelbar ins Gesicht gesagt und es war auch nicht nur der Vorwurf der Teilnahmslosigkeit allein, wie schwer er auch an sich schon ist, den Du Vater mir gemacht hast – trotzdem wurde ich gerade an jenem Abend von dem Vorwurf, den ich nicht einmal ganz deutlich gehört hatte, trauriger noch, als sonst. Ich suchte lange einen Ausweg, bis mir endlich im Bett einfiel, ich könnte Dir, wenn Du jetzt während der Kur Zeit zum Lesen hättest, einen Brief schreiben und alles darin erklären. In der Freude, die mir dieser Einfall machte, fielen mir gleich 100 Dinge ein, die ich zu schreiben hätte, und überdies noch ein System, das sie vollkommen überzeugend machen sollte. Am Morgen aber war die Freude über den Einfall noch da und ist es noch heute, aber das Vertrauen in meine Fähigkeit, ihn auszuführen, fehlt mir, trotzdem es sich schliesslich um die einfachsten Dinge handelt. Ich fange den Brief also ohne Selbstvertrauen an und nur in der Hoffnung, dass Du Vater mich trotz allem noch lieb hast und besser lesen wirst, als ich schreibe.

Darin Vater sind wir, wenn Du ein wenig zurückdenkst, sicher einig, dass unser Verhältnis in den letzten Jahren zu Zeiten ein fast unerträgliches gewesen ist. (Mein Verhältnis zur Mutter ist vielleicht im Wesen nicht anders, aber ihre grenzenlose Uneigennützigkeit, die mir alle meine Pflichten ihr gegenüber abnimmt, lässt das nicht erkennen und kaum fühlen.) Die Schuld an der Unerträglichkeit dieses Verhältnisses trage ich, nur ich. Ich habe mich um Deine Angelegenheiten im allgemeinen nicht so bekümmert, wie es (an Sohnespflichten gar nicht zu denken) ein beliebiger Bekannter getan hätte und wenn ich mich einmal gekümmert habe, dann hat man mir den Zwang angesehn; ich habe meine Pflichten gegen die Schwestern nicht erfüllt und Dir in dieser Hinsicht keine Sorgen abgenommen;

Dieser nicht datierbare Entwurf ist im Ton weitaus defensiver als der vollendete Brief; er ist daher sicherlich vor 1919, möglicherweise Jahre früher entstanden (Hans-Gerd Koch, der Herausgeber der Briefe Kafkas, hält Mai 1918 für das wahrscheinlichste Datum). Offenbar waren zur Zeit des Entwurfs einige familieninterne Konflikte, bei denen sich Hermann Kafka nach Ansicht seines Sohnes eindeutig ins Unrecht setzte, noch nicht auf der Tagesordnung, insbesondere die Entfremdung Hermanns von seiner Tochter Ottla und der Konflikt um Kafkas neuerliche Verlobung. Als Kafka im September 1919 seinen Eltern eröffnete, dass er die aus einfachen Verhältnissen stammende Julie Wohryzek heiraten werde, wurde er von seinem Vater beschimpft und gedemütigt. Nach diesem Eklat hatte Kafka viel eher das

Bedürfnis nach Abrechnung als nach bloßer Selbstrechtfertigung.

Neben dem Entwurf und dem berühmt gewordenen Brief gab es noch mindestens einen weiteren Versuch Kafkas, Differenzen mit dem Vater auf schriftlichem Weg beizulegen. Als er im April 1918 nach mehrmonatigem Aufenthalt auf einem von seiner Schwester Ottla bewirtschafteten Hof in die elterliche Wohnung in Prag zurückkehrte, sandte er seinem Vater einen vorbereitenden Brief, in dem er offenbar recht unangenehme Themen berührte, insbesondere die Abneigung des Vaters gegen das bäuerliche Leben Ottlas – eine Abneigung, die so intensiv war, dass ihn zeitweilig schon die bloße Erwähnung seiner jüngsten Tochter aufbrachte. Erhalten ist dieser Brief nicht, seine Spur findet sich jedoch in einem unveröffentlichten Brief von Kafkas Cousine Irma, die im Galanteriewarengeschäft seines Vaters arbeitete und dessen Launen besonders ausgesetzt war, an die mit ihr eng befreundete Ottla. Am 25. April 1918, fünf Tage vor Kafkas Rückkehr nach Prag, beklagt sie sich bei Ottla darüber, »was mir Franz eingebrockt hat mit seinem Brief an den Vater«.

27 Kafka glaubt den Ärzten nicht

Diese empörenden Ärzte! Geschäftlich entschlossen und in der Heilung so unwissend, dass sie, wenn jene geschäftliche Entschlossenheit sie verliesse, wie Schuljungen vor den Krankenbetten stünden.

Tagebuch, 5. März 1912

Nein, berühmten Ärzten glaube ich nicht; Ärzten glaube ich nur, wenn sie sagen, dass sie nichts wissen und ausserdem hasse ich sie (hoffentlich lieben Sie keinen).

Brief an Felice Bauer, 5. November 1912

Ich bin der älteste von sechs Geschwistern, zwei Brüder etwas jünger als ich, starben als kleine Kinder durch Schuld der Ärzte

Brief an Felice Bauer, 19./20. Dezember 1912

Die Untersuchung beim Doktor [Kral], wie er gleich gegen mich vordringt, ich mich förmlich aushöhle und er in mir verachtet und unwiderlegt seine leeren Reden hält.

Tagebuch, 21. Juni 1913

An und für sich glaube ich ihm [Dr. Kral] nicht, aber beruhigen lasse ich mich von ihm, wie von jedem Arzt.

Brief an Felice Bauer, 4. August 1913

Die Medicin versteht es ja nicht anders als Schmerzen mit Schmerzen zu behandeln, das heisst dann »die Krankheit bekämpft« haben.

Brief an Grete Bloch, 17. Mai 1914

... wenn es natürlich auch richtig bleibt, dass jeder Gesunde jedem Kranken gegenüber idiotisch erscheint und sich auch wirklich idiotisch verhält. Das gilt besonders von Ärzten, die sich berufsmässig so verhalten müssen.

Brief an Grete Bloch, 18. Mai 1914

... gestern war ich wieder bei ihm, er war klarer als sonst, aber es bleibt seine oder aller Ärzte Eigentümlichkeit, dass sie aus notwendiger Unwissenheit und weil die Frager ebenso notwendig alles wissen wollen, entweder Wesenloses wiederholen oder in Wichtigem sich widersprechen und weder das eine noch das andere eingestehen wollen.

Postkarte an Ottla Kafka, 4./5. September 1917

Gewiss, die Ärzte sind dumm oder vielmehr sie sind nicht dümmer als andere Menschen aber ihre Prätentionen sind lächerlich, immerhin, damit muss man rechnen, dass sie von dem Augenblick an, wo man sich mit ihnen einlässt, immer dümmer werden und was der Arzt vorläufig verlangt ist weder sehr dumm noch unmöglich.

Brief an Milena Jesenská, um den 21. Mai 1920

Ist der Arzt nur ein Freund, dann mag es angehn, sonst aber ist es unmöglich sich mit ihnen zu verständigen. Ich z. B. habe 3 Ärzte, den hiesigen, Dr Kral und den Onkel. Dass sie verschiedenes raten, wäre nicht merkwürdig, dass sie gegensätzliches raten (Dr Kral ist für Injektionen, der Onkel gegen) ginge auch noch an, aber dass sie einander selbst widersprechen, das ist unverständlich

Brief an Ottla David, 16. März 1921

Es gibt nur eine Krankheit, nicht mehr, und diese eine Krankheit wird von der Medicin blindlings gejagt wie ein Tier durch endlose Wälder.

Brief an Max Brod, Ende April 1921

Kafkas Urteil über die Schulmedizin war von den Vorstellungen der Naturheilkunde geprägt. So lehnte er es strikt ab, unspezifische Symptome wie Nervosität, Schlaflosigkeit oder Kopfschmerzen mit Medikamenten zu behandeln; statt dessen setzte er auf gesunde Ernährung, Bewegung im Freien, Luft- und Sonnenbäder. Selbst bei lebensbedrohlichen Krankheiten wie der Tuberkulose, von der er selbst betroffen war, hielt er eine ›natürliche‹ Lebensweise, menschliche Zuwendung und eine stressfreie Umgebung für mindestens ebenso wirksam wie die seiner Ansicht nach niemals an die Wurzel der Krankheit reichenden schulmedizinischen Therapien. Auch staatlich verordnete Impfungen lehnte Kafka ab (siehe Fundstück 28). Nach heutigen Maßstäben vertrat er demnach ein ›ganzheitliches‹, strikt psychosomatisches Modell von Krankheit.

Dr. Heinrich Kral (*1871)

Den damals weit verbreiteten therapeutischen Optimismus der Schulmedizin und deren starres Festhalten an monokausalen Erklärungen hielt Kafka demgegenüber für borniert. Dass die zahlreichen Ärzte, die er in seinem Leben konsultieren musste, einander häufig widersprachen, bestärkte ihn noch in seiner Auffassung, dass die ärztliche Autorität in einem grotesken Missverhältnis stand zu dem fragmentarischen und vielfach schwankenden Wissen der Schulmedizin. Zwar traf Kafka immer wieder auf Mediziner, die er respektieren konnte oder die er sogar – wie seinen Freund Robert Klopstock – für ›geborene Ärzte‹ hielt; doch dazu waren nach seiner Ansicht vor allem menschliche Zugewandtheit und eine gesunde Skepsis gegenüber der eigenen Profession vonnöten.

Als Patient war Kafka kooperativ; Ärzten, deren Empfehlungen ihn nicht sonderlich überzeugten, hielt er dennoch die Treue, solange sie engagiert blieben, wie etwa dem Hausarzt der Familie Kafka, Dr. Heinrich Kral. Dass er in den letzten Wochen seines Lebens einem ganzen Konsilium von Ärzten ausgeliefert war und auch hochwirksame Schmerz- und Betäubungsmittel nicht mehr vermeiden konnte, empfand er hingegen als schwere Kränkung.

28 Kafka hält nichts vom Impfen

Im April 1911 lernte Kafka während einer Dienstreise in Nordböhmen den fanatischen Naturheilkundler Moriz Schnitzer kennen. Aus Brods Notizen geht hervor, dass Kafka äußerst beeindruckt war. »Freitag nachmittag besuchte er mich, erzählt sehr hübsche Dinge von der Gartenstadt Warnsdorf, einem ›Zauberer‹, Naturheilmenschen, reichen Fabrikanten, der ihn untersucht, nur den Hals im Profil und von vorn, dann von Giften im Rückenmark und fast schon im Gehirn spricht, die infolge verkehrter Lebensweise entstanden seien. Als Heilmittel empfiehlt er: bei offenem Fenster schlafen, Sonnenbad, Gartenarbeit, Tätigkeit in einem Naturheil-Verein und Abonnement der von diesem Verein, respektive dem Fabrikanten selbst, herausgegebenen Zeitschrift. Spricht gegen Ärzte, Medizinen, Impfen.«

Kafka hielt sich beinahe lebenslang an diese Ratschläge, abonnierte tatsächlich das in Warnsdorf erscheinende *Reformblatt für Gesundheitspflege* und dachte allen Ernstes daran, in Prag einen Naturheilverein zu gründen. Aus einer Spendenliste des *Reformblatts* vom Juni 1911 (Heft 172, siehe Abbildung) geht hervor, dass sich Kafka bei seinem Besuch auch von Schnitzers Propaganda gegen den ›Impfzwang‹ überzeugen ließ: Er spendete zwei Kronen. Auf seiner eigenen militärischen Einberufungskarte von 1915 sind keine Impfungen eingetragen.

Ab Ende 1918 lag Warnsdorf auf dem Gebiet der neu gegründeten Tschechoslowakischen Republik. Auch dieser Staat erließ ein Gesetz, das die Pockenimpfung obligatorisch machte, wodurch sich wiederum Schnitzer veranlasst sah, seinen Abwehrkampf fortzusetzen. In Heft 276 (Juni 1920) brachte er einen Artikel ›Aus der Unheils-Chronik der Zwangsimpfung‹, der die Beschlagnahme des *Reformblatts* und sogar eine Interpellation im tschechischen Parlament zur Folge hatte.

Kafka dürfte diesen Konflikt mit Interesse verfolgt haben, denn das *Reformblatt für Gesundheitspflege* las er nachweislich noch 1924, im Jahr seines Todes.

Für die Agitation gegen das Seuchen-recte Impfgesetz.

Saldo zum Vortrag Kr. 653,85. Karl Dünnebier, Pilsdorf Kr. 2,—. Fridolin Michal, Kleische Kr. 3,—. Angela Loos, Neudorf Kr. 3,—. Dr. Franz Kafka, Prag Kr. 2,— Franz Kühn, Ullrichtsthal Kr. 1,06. Stefan Wenzel, Reichenberg Kr. 5,—. Hermann Grubner, Gorlice Kr. 1,—. Emilie Winter, Hohenleipa Kr. 1,—. Felix Reisenhofer, Wien XVIII Kr. 0,86. Ernest Righetti, Barcola Kr. 5,—. Josef Thiel, Engelsberg Kr. 1,—. Robert Gröger, Hödnitz Kr. 1,—. Wilhelm Seitz Wien V Kr. 10,—. Saldo zum Vortrag Kr. 689,77.

Lesen und Schreiben

29 Kafkas Schreibtisch

Jetzt habe ich meinen Schreibtisch genauer angeschaut und eingesehn, dass auf ihm nichts Gutes gemacht werden kann. Es liegt hier so vieles herum und bildet eine Unordnung ohne Gleichmässigkeit und ohne jede Verträglichkeit der ungeordneten Dinge, die sonst jede Unordnung erträglich macht. Sei auf dem grünen Tuch eine Unordnung wie sie will, das durfte auch im Parterre der alten Teater sein. Dass aber aus den Stehplätzen aus dem offenen Fach unter dem Tischaufsatz hervor Broschüren, alte Zeitungen, Kataloge Ansichtskarten, Briefe, alle zum Teil zerrissen, zum Teil geöffnet in Form einer Freitreppe hervorkommen, dieser unwürdige Zustand verdirbt alles. Einzelne verhältnismässig riesige Dinge des Parterres treten in möglichster Aktivität auf, als wäre es im Teater erlaubt, dass im Zuschauerraum der Kaufmann seine Geschäftsbücher ordnet, der Zimmermann hämmert, der Officier den Säbel schwenkt, der Geistliche dem Herzen zuredet, der Gelehrte dem Verstand, der Politiker dem Bürgersinn, dass die Liebenden sich nicht zurückhalten u. s. w. Nur auf meinem Schreibtisch steht der Rasierspiegel aufrecht, wie man ihn zum Rasieren braucht, die Kleiderbürste liegt mit ihrer Borstenfläche auf dem Tuch, das Portemonnaie liegt offen für den Fall dass ich zahlen will, aus dem Schlüsselbund ragt ein Schlüssel fertig zur Arbeit vor und die Kravatte schlingt sich noch teilweise um den ausgezogenen Kragen. Das nächst höhere, durch die kleinen geschlossenen Seitenschubladen schon eingeengte offene Fach des Aufsatzes ist nichts als eine Rumpelkammer, so als würde der niedrige Balkon des Zuschauerraumes, im Grunde die sichtbarste Stelle des Teaters für die gemeinsten Leute reserviert für alte Lebemänner, bei denen der Schmutz allmählich von innen nach aussen kommt, rohe Kerle, welche die Füsse über das Balkongeländer herunterhängen lassen, Familien mit soviel Kindern, dass man nur kurz hinschaut, ohne sie zählen zu können richten hier den Schmutz armer Kinderstuben ein (es rinnt ja schon im Parterre) im dunklen Hintergrund sitzen unheilbare Kranke, man sieht sie glücklicherweise nur wenn man hineinleuchtet u. s. w. In diesem Fach liegen alte Papiere die ich längst weggeworfen hätte wenn ich einen Papierkorb hätte, Bleistifte mit abgebrochenen Spitzen, eine leere Zündholzschachtel, ein Briefbeschwerer aus Karlsbad, ein Lineal mit einer Kante, deren Holprigkeit für eine Landstrasse zu arg wäre, viele Kragenknöpfe, stumpfe Rasiermessereinlagen (für die ist kein Platz auf der Welt), Krawattenzwicker und noch ein schwerer eiserner Briefbeschwerer. In dem Fach darüber –

Der hier abgebildete Schreibtisch – sehr wahrscheinlich derselbe, den Kafka mit 27 Jahren im Tagebuch beschrieb – wurde nach seinem Tod von der Schwester Ottla übernommen und befindet sich noch heute im Besitz der Familie. In den sechziger Jahren identifizierte Max Brod ihn als denjenigen Kafkas. Lediglich ein Abschlussbogen über dem erhöhten Mittelstück des Aufsatzes fehlt.

Die Beschreibung des Tisches war von Kafka offenkundig als literarischer Text konzipiert. Denn unmittelbar nach Abbruch notierte er:

Elend, elend und doch gut gemeint. Es ist ja Mitternacht, aber das ist, da ich sehr gut ausgeschlafen bin, nur insoferne Entschuldigung als ich bei Tag überhaupt nichts geschrieben hätte. Die angezündete Glühlampe, die stille Wohnung, das Dunkel draussen, die letzten Augenblicke des Wachseins sie geben mir das Recht zu schreiben und sei es auch das Elendeste. Und dieses Recht benütze ich eilig. Das bin ich also.

30 Die erste Postkarte

Klein-Ella wie schaust Du denn aus, ich habe Dich schon so völlig vergessen als hätte ich Dich nie gestreichelt. Besten Gruß

Dein
Franz.

Kafka war 17 Jahre alt, als er diese Postkarte schrieb, die Adressatin, seine Schwester Gabriele, genannt Elli oder Ella, erst elf Jahre. Es ist die früheste postalische Mitteilung, die von Kafkas Hand erhalten ist: laut Poststempel vom 21. Juli 1900. Abgeschickt wurde sie aus dem Dorf Triesch (heute Třest') in Mähren, wo Kafka als Schüler und Student regelmäßig einen Teil der Sommerferien bei einem Onkel verbrachte, dem Landarzt Siegfried Löwy. Die Anschrift der Postkarte lautet: »Herrn / Hermann Kafka / für Fräulein Ella Kafka / Prag / Zeltnergasse N° 3«.

Bemerkenswert ist die frühe Karte vor allem, weil sie bereits eine literarische Anspielung enthält: »Klein-Ella« ist der Titel einer Prosaskizze von Peter Altenberg, veröffentlicht 1897 in dem Band *Ashantee*. Ob Kafkas Schwester etwas damit anzufangen wusste, ist allerdings fraglich. Denn Altenbergs *Ashantee*, dessen Schutzumschlag die Fotografie zweier barbusiger schwarzer Mädchen zeigte, war ein Buch, das in den Händen von Gymnasiasten höchst ungern gesehen wurde und das die Kafkas wohl kaum auf dem Schreibtisch ihres Sohnes, geschweige denn im ›Mädchenzimmer‹ geduldet hätten. In Kafkas Nachlass hat sich der Band nicht erhalten.

BAND 2
PREIS 2 Mk.
COLLECTION FISCHER
Peter Altenberg
ASHANTEE

31 Kafka und die Indianer

Zu Kafkas Lieblingslektüre zählten ›Schaffsteins Grüne Bändchen‹: schmale Hefte, die überwiegend Erinnerungen und Reiseberichte enthielten, häufig Auszüge aus umfangreicheren Werken.

Klara Thein (1884–1974), eine Prager Zionistin, hat bezeugt, dass Kafka diese Bändchen auch bei Spaziergängen mit sich führte. Sie erinnerte sich noch im hohen Alter an eine Begegnung, bei der Kafka ihr die Schilderung einer Reise zu den Indianern des Amazonasgebiets zeigte und am Ende des Gesprächs auch schenkte. »Ich interessiere mich für Indianer«, soll er dabei geäußert haben.

Es handelte sich um einen Auszug aus Karl von den Steinens ethnologischem Standardwerk *Unter den Naturvölkern Zentralbrasiliens*, in dem der Verfasser seine zweite Xingu-Expedition von 1887/88 schildert. Das ›Grüne Bändchen‹, das Kafka las, erschien 1912 unter dem Titel *Bei den Indianern am Schingu* und enthielt auch einige Zeichnungen.

Kafka kannte Indianer gewiss aus seiner Jugendlektüre und aus dem Kino. Sein kurzes Prosastück *Wunsch, Indianer zu werden*, das in dem Band *Betrachtung* veröffentlicht wurde, visualisiert den Indianer als perfekten Reiter:

Wenn man doch ein Indianer wäre, gleich bereit, und auf dem rennenden Pferde, schief in der Luft, immer wieder kurz erzitterte über dem zitternden Boden, bis man die Sporen ließ, denn es gab keine Sporen, bis man die Zügel wegwarf, denn es gab keine Zügel, und kaum das Land vor sich als glatt gemähte Heide sah, schon ohne Pferdehals und Pferdekopf.

Hier standen ihm offenbar die Indianer Nordamerikas vor Augen, die seit dem 17. Jahrhundert Reiternomaden waren. In Zentralbrasilien wurden Pferde erst sehr viel später durch Europäer eingeführt, und die Reaktionen der Eingeborenen auf das ihnen unbekannte Tier werden in Karl von den Steinens Bericht, den Kafka bei sich trug, lebhaft geschildert.

32 Kafka möchte sein wie Voltaire

Kafka blieb vor einem alten Stich stehen, der eine Episode aus dem Leben Voltaires zeigt; von dieser Darstellung konnte er sich nicht losreißen, auch später sprach er oft von ihr: Man sieht Voltaire, der eben aus dem Bett aufgesprungen ist, er hat noch die Nachtmütze auf dem Kopf – und, die eine Hand befehlend ausgestreckt, während er mit der andern die Hose hält, in die er schlüpft, beginnt er schon blitzenden Auges seinem Diener, der seitwärts an einem Tischchen sitzt, etwas zu diktieren. Ich verstand wohl, was Kafka an dem Stich [...] so sehr bezauberte: das Feuer des Geistes, die direkt in Geist umgesetzte ungemeine Vitalität eines auserkorenen Menschen.

Das Pathos von Max Brods Schilderung führt ein wenig in die Irre: Tatsächlich bewunderte Kafka nicht nur »auserkorene« Menschen, sondern schlechterdings jeden, der produktiv, geistesgegenwärtig und konzentriert einer selbstbestimmten Arbeit nachging, ohne sich von inneren oder äußeren Störungen ablenken zu lassen. Ein Schriftsteller, der des Morgens zu diktieren beginnt, noch ehe er seine Hosen anhat, war daher für Kafka eine besondere Attraktion – vor allem, wenn er an die eigenen im Büro verbrachten Vormittage und an seine fragile, irritierbare und immer wieder für Monate aussetzende literarische Produktivität dachte.

Kafka und Brod sahen das Ölgemälde Jean Hubers am 13. Oktober 1910 im Musée Carnavalet in Paris. Der schweizer Jurist Jean Huber (1721–1786) gehörte in Genf zum

Freundeskreis Voltaires; noch zu Lebzeiten wurde er für seine zahlreichen, teils karikaturistischen Porträts Voltaires so berühmt, dass man ihn den ›Voltaire-Huber‹ nannte. Katharina II. bestellte bei ihm sogar eine ganze Serie häuslicher Szenen aus dem Leben des Philosophen (die später einem Brand zum Opfer fielen). Auch das Motiv, das Kafka im Pariser Museum bewunderte, malte Huber auf Bestellung in mehreren Versionen – teils mit, teils ohne Hund.

Jean Huber, Le Lever de Voltaire

33 Kafka schreibt ein Gedicht und liebt es

Von Kafka sind nur gelegentliche lyrische Versuche überliefert, meist wenige hingeworfene Verse ohne Titel. Weder in den autobiografischen Zeugnissen noch in Max Brods Erinnerungen ist je die Rede davon, dass Kafka an die Veröffentlichung dieser Zeilen dachte. Auch hat er niemals versucht, seine lyrische Begabung durch ein umfänglicheres Werk auf die Probe zu stellen (wie er es für die Form des Dramas mit dem *Gruftwächter* unternahm).

Es ist jedoch vorgekommen, dass Kafka eigene Verse schätzte und der Überlieferung für wert hielt. So findet sich auf einem Kalenderblatt vom 17. September 1909 das folgende titellose Gedicht:

Kleine Seele
springst im Tanze
legst in warme Luft den Kopf
hebst die Füsse aus glänzendem Grase
das der Wind in zarte Bewegung treibt

Dieses Gedicht behielt Kafka im Gedächtnis; etwa zwei Jahre später trug er es spontan in ein Stammbuch ein, das ihm ein Bekannter aus dem Kaffeehaus vorlegte, ein Sammler namens Anton Max Pachinger (siehe Fundstück 19).

Außerdem bewahrte Kafka das Kalenderblatt mit der Handschrift sorgfältig auf. Erhalten blieb es zwischen den Seiten eines der Oktavhefte, die er 1917/18 in Zürau benutzte, wo er für acht Monate auf dem Gut seiner Schwester Ottla lebte. Entweder hat Kafka das Blatt dort eingelegt, während das Heft bereits in Benutzung war, möglicherweise während eines kurzen Besuchs in Prag. Oder das Gedicht geriet versehentlich in das Zürauer Heft, als Max Brod an Kafkas Nachlass arbeitete. Auch dies würde jedoch voraussetzen, dass Kafka selbst das Kalenderblatt bis zu seinem Tod aufbewahrte, denn Einblick in die Oktavhefte erhielt Brod erst danach.

34 Versuch einer Rezension

Ein Damenbrevier

Wenn man sich in die Welt aufatmend entläßt, wie vom hohen Gerüst der Schwimmer in den Fluß, gleich und später manchmal von Gegenstößen wie ein liebes Kind verwirrt, aber immer mit schönen Wellen zur Seite in die Luft der Ferne treibt, dann mag man wie in diesem Buch ziellos mit geheimem Ziel die Blicke über das Wasser richten, das einen trägt und das man trinken kann und das für den auf seiner Fläche ruhenden Kopf grenzenlos geworden ist.

Verschließt man sich jedoch diesem ersten Eindruck, dann erkennt man bis zur Überzeugung, daß der Verfasser hier mit einer förmlich ungestillten Energie gearbeitet hat, die den Bewegungen seines unablässigen Geistes – sie sind zu schnell, als daß sie Zusammenhang verrieten – Kanten zum Erschrecken gibt.

Und dies vor einer Materie, die in der zuckenden Entwicklung, welche sie erfährt, an die Versuchungen erinnert, die vom Schreien unsichtbarer Wüstentiere angetrieben, Einsiedler einst erfrischten. Doch schwebt diese Versuchung nicht vor dem Verfasser als kleines Balletkorps auf ferner Bühne, sondern sie ist ihm nah, sie umpreßt ihn stark, bis er sich in sie verschlingt und ehe er es noch von der Dame erfuhr, schrieb er schon: »Aber man muß lieben, um sich mit Grazie hingeben zu können«, sagte Annie D., eine schöne blonde Schwedin.

Was ist es nun für ein Anblick, wenn der Verfasser in diese Arbeit so verstrickt uns erscheint, getragen von einer Natur, gleich jenen Wolken aus Stein, die einmal im Barock die Gruppen im Sturmwind sich umarmender Heiliger erhoben. Der Himmel, in den das Buch in der Mitte und gegen Ende ausbrechen muß, um durch ihn die frühere Gegend zu retten, ist fest und überdies durchsichtig.

Natürlich besteht niemand darauf, daß die Damen, für die der Verfasser geschrieben hat, dies wirklich sehn. Ist es doch genügend und mehr als das, wenn sie, vom ersten Absatz schon gezwungen, wie es sein muß, fühlen werden, daß sie in ihren Händen einen Beichtspiegel halten und einen besonders treuen. Denn die Beichte, die man so nennt, geschieht in einem ungewohnten Möbelstück, auf dem Boden eines ungewohnten Raumes im halben Licht, das alles ringsherum und auf und ab mit Zukunft und Vergangenheit nur halb wahr macht, so daß notwendig auch alle Ja und Nein, die gefragten und die geantworteten halb falsch sein müssen, besonders wenn sie ganz ehrlich sind. Wie könnte man aber hier an ein wichtiges Detail vergessen in der gewohnten mitternächtlichen Beleuchtung während eines leisen Gespräches (leise, weil es heiß ist) nahe beim Bett!

Kafkas erste von nur drei veröffentlichten Rezensionen erschien am 6. Februar 1909 in der kurzzeitig von Herwarth Walden redigierten Berliner Zeitschrift *Der neue Weg*, dem Fachblatt der Genossenschaft deutscher Bühnenangehöriger. Sie bezog sich auf eine kurz zuvor erschienene Publikation von Franz Blei: *Die Puderquaste. Ein Damenbrevier. Aus den Papieren des Prinzen Hippolyt.*

Auch hier, wie so häufig, war vermutlich Max Brod der Initiator. Er hatte bereits erste literarische Texte Kafkas an die von Franz Blei gegründete Zeitschrift *Hyperion* vermittelt, und er hatte die beiden Autoren persönlich miteinander bekannt gemacht. Die Veröffentlichung der Rezension in der Zeitschrift *Der neue Weg* geht wohl ebenfalls auf Brods Initiative zurück, denn auch mit Herwarth Walden stand Brod in Verbindung.

Anders als für die überwältigende Mehrzahl zeitgenössischer Autoren spielte das Verfassen von Rezensionen für Kafka niemals eine nennenswerte Rolle. Etwas ›auf Bestellung‹ zu liefern fiel ihm schon in seinen frühen Jahren sehr schwer, und nach dem Beginn seiner literarischen Reife, den er auf 1912 datierte, war es ihm gänzlich unmöglich.

Auch sein Text über Bleis *Puderquaste* ist weniger eine Rezension als vielmehr eine dichte Abfolge durch die Lektüre angeregter, scheinbar nach eigenen Gesetzen sich fortpflanzender bildlicher Assoziationen, wie sie für seinen frühen Stil charakteristisch sind. Über den Inhalt des rezensierten Buchs hingegen erfährt der Leser so gut wie nichts – abgesehen davon, dass es sich um einen »Beichtspiegel« handeln soll. Tatsächlich ist *Die Puderquaste* eine Ansammlung feuilletonistischer Skizzen und Betrachtungen über buchstäblich Gott und die Welt.

Franz Blei, der keineswegs disziplinierter schrieb als der junge Kafka, war mit der Besprechung trotz allem zufrieden, wie er Brod unmittelbar nach Erscheinen bestätigte: »Was Kafka in der Zeitschrift über die Puderquaste schrieb ist sehr fein«.

35 Die erste Verlagswerbung

Franz Kafka ist denen, die die Entwicklung unserer besten jungen Dichter verfolgen, längst bekannt durch Novellen und Skizzen, die im »Hyperion« und anderen Zeitschriften erschienen. Seine Eigenart, die ihn dichterische Arbeiten immer und immer wieder durchzufeilen zwingt, hielt ihn bisher von der Herausgabe von Büchern ab. Wir freuen uns das Erscheinen des ersten Werkes dieses feinen, kultivierten Geistes in unserem Verlage anzeigen zu können. Die Art der formal feingeschliffenen, inhaltlich tief empfundenen und durchdachten Betrachtungen, die dieser Band vereinigt, stellt Kafka vielleicht neben Robert Walser, von dem ihn doch wiederum in der dichterischen Umgestaltung seelischer Erlebnisse tiefe Wesensunterschiede trennen. Ein Autor und ein Buch, dem allseitig größtes Interesse entgegengebracht wird.

Text einer ganzseitigen Anzeige des Ernst Rowohlt Verlag, Leipzig, zu Kafkas erster Buchveröffentlichung *Betrachtung*. Die Anzeige erschien am 18. November 1912 im *Börsenblatt für den Deutschen Buchhandel*. Der Band *Betrachtung* wurde im November 1912 in 800 nummerierten und bibliophil ausgestatteten Exemplaren gedruckt und ab Anfang Dezember ausgeliefert. Der Ladenpreis betrug 4,50 Mark (Japan-Broschur) bzw. 6,50 Mark (Halbleder). Kafka erhielt pro verkauftem Exemplar 37 Pfennig Honorar.

Der Verkaufserfolg ist nicht mehr mit letzter Genauigkeit rekonstruierbar; er war jedoch so gering, dass an Nachauflagen nicht zu denken war (die sogenannte ›Zweite Ausgabe‹ von 1915 ist kein Nachdruck, sondern trägt lediglich ein neues Titelblatt). Aus Honorarabrechnungen des Verlags zwischen 1915 und 1918 geht hervor, dass innerhalb eines Jahres 258, dann 102, schließlich nur noch 69 Exemplare verkauft wurden. Das Buch war offenbar erst 1924, in Kafkas Todesjahr, vergriffen.

Wer den Text der Anzeige verfasst hat, ist nicht überliefert. Ernst Rowohlt war bereits drei Wochen zuvor aus dem Verlag ausgeschieden; alleiniger Inhaber war nun Kurt Wolff. Seit Oktober 1912 arbeitete Franz Werfel als Lektor für Wolff. Auch Kurt Pinthus war zu dieser Zeit nebenberuflicher Lektor des Verlags. Die Erwähnung einer persönlichen »Eigenart« Kafkas lässt vermuten, dass der mit Werfel befreundete Max Brod an der Formulierung zumindest beteiligt war.

36 Die Wohnung der Samsas

An seiner Erzählung *Die Verwandlung* arbeitete Kafka vom 17. November bis 7. Dezember 1912. Zu dieser Zeit lebte er schon seit mehr als fünf Jahren mit den Eltern in einem modernen, neu errichteten Mietshaus in der Niklasstraße. Die Wohnung im vierten Stock bot einen Blick über die Moldau und die Čech-Brücke zu den gegenüber gelegenen Parkanlagen am Abhang des Belvedere.

Der in einen Käfer verwandelte Vertreter Gregor Samsa, der Held der Erzählung, genießt diese Aussicht nicht; vor seinem Fenster erstreckt sich vielmehr die lange und einförmige Fensterfront eines Krankenhauses. Die Wohnung selbst jedoch ist offensichtlich die der Kafkas. Vergleicht man den Grundriss der realen Wohnung mit den einschlägigen Hinweisen in der Erzählung, so zeigt sich, dass Kafka zwar die Nutzung der einzelnen Zimmer verändert, deren Anordnung aber genau übernommen hat. Kafkas Zimmer wird zu Gregors Zimmer, das Schlafzimmer der Eltern wird zum Zimmer der Schwester Grete, und das Mädchenzimmer – in dem noch Kafkas Schwestern Ottla und Valli wohnten – wird zum Schlafzimmer des Ehepaars Samsa.

Die Abbildung zeigt den von Hartmut Binder aufbereiteten Grundriss der Kafka'schen Wohnung. Der schwarze Punkt markiert die Stelle, von der aus Gregor Samsa, zum ersten Mal auf seinen »vielen Beinchen« stehend, dem ins Treppenhaus flüchtenden Prokuristen nachblickt.

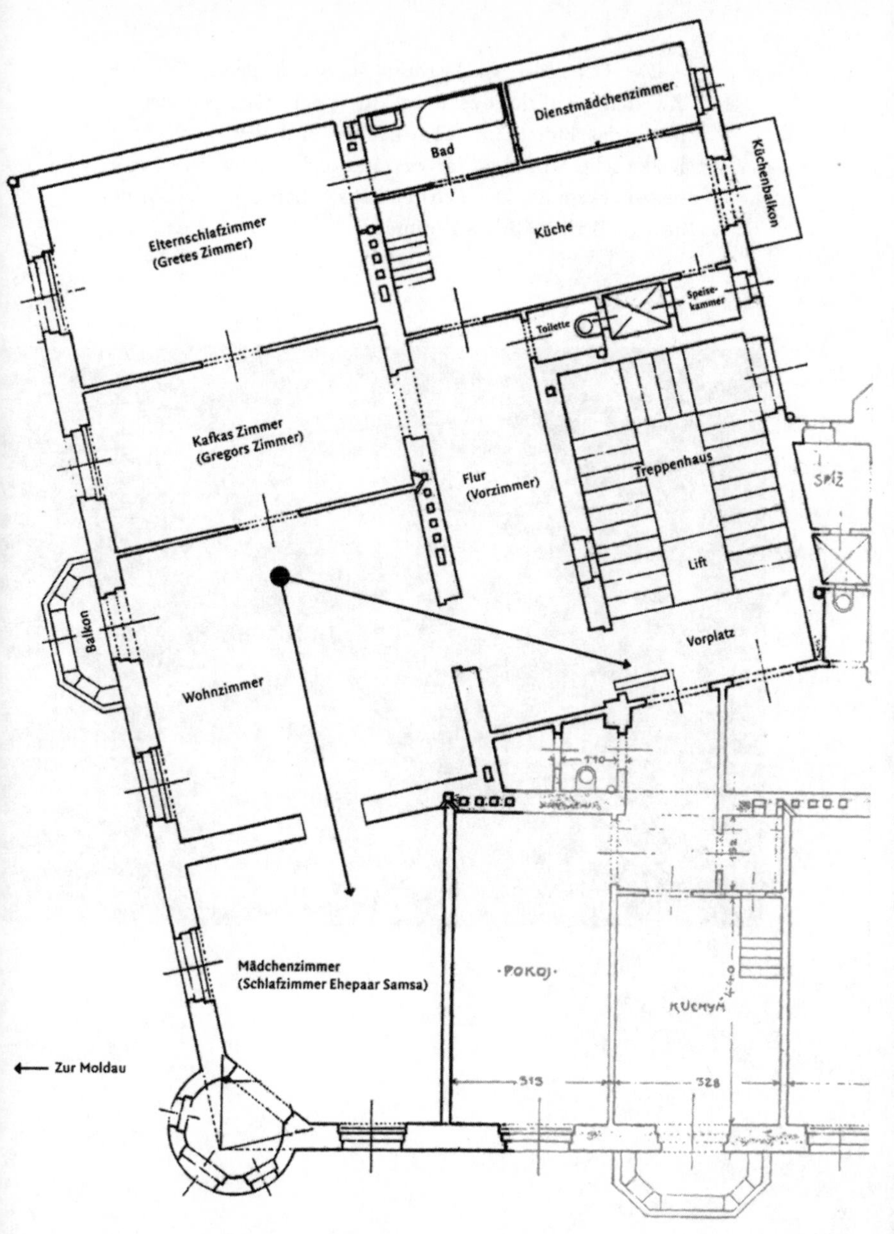
Dienstmädchenzimmer
Bad
Küchenbalkon
Elternschlafzimmer
(Gretes Zimmer)
Küche
Speise-
kammer
Toilette
Kafkas Zimmer
(Gregors Zimmer)
Flur
(Vorzimmer)
Treppenhaus
SPÍŽ
Lift
Balkon
Vorplatz
Wohnzimmer
110
152
Mädchenzimmer
(Schlafzimmer Ehepaar Samsa)
POKOJ
440
KUCHYŇ
Zur Moldau
315
328

Niklasstraße

Das Gebäude Niklasstraße 36 wurde gegen Ende des Zweiten Weltkriegs zerstört. An seiner Stelle befindet sich heute das Hotel ›Intercontinental‹. Auf dem Foto ist die Kafka'sche Wohnung im vierten Stock des linken Eckhauses zu erkennen. Das Fenster links neben dem kleinen Balkon gehört zu Kafkas Zimmer.

37 Kafka verschreibt sich

Es gehört zum besonderen Reiz von Kafkas überlieferten Manuskripten, dass sie tiefe Einblicke ermöglichen in den Assoziationsfluss und in den Prozess der inneren Umgestaltung von szenischen Einfällen und Bildern. Eine gründliche Untersuchung der Manuskripte mit dem Ziel, Kafkas Arbeitsweise zu erhellen, steht bisher jedoch aus.

Von größter Bedeutung für eine solchen Untersuchung wären natürlich nicht zuletzt Kafkas Fehlleistungen, die auf ein momentanes Versagen der bewussten Kontrolle zurückgehen. Kafka hat sich häufig auf interessante Weise ›verschrieben‹. Zwar hat er es meist sofort bemerkt und korrigiert, doch auch ihm dürfte klar gewesen sein, dass es sich nur selten um bloße Zufälle handelte. Drei Beispiele:

— An entscheidender Stelle in der *Verwandlung*, kurz vor dem endgültigen Untergang des Helden Gregor Samsa, wollte Kafka schreiben: »Sein letzter Blick streifte die Mutter …« Stattdessen schrieb er: »Sein letzter Brief …« Offenbar ein Reflex der lebenswichtigen Bedeutung, die der Briefverkehr mit Felice Bauer für Kafka gewonnen hatte.

— Im Manuskript des *Process* schreibt Kafka stets »F. B.« für »Fräulein Bürstner«. Auf zwei aufeinander folgenden Manuskriptseiten schreibt er jedoch zunächst »F. K« und muss verbessern. Über die Bedeutung darf man spekulieren: Franz Kafka, Felice Kafka, Fräulein Kafka … Wenige Wochen zuvor war die Verlobung mit Felice Bauer aufgelöst worden.

— In der unvollendeten Erzählung über einen »älteren Junggesellen« namens Blumfeld kürzt Kafka den Namen seines Helden durchgängig mit »Bl.« ab. Auch hier unterläuft ihm zweimal ein »K«, vermutlich deshalb, weil er in Gedanken noch beim *Process* ist, dessen Niederschrift er eben abgebrochen hat.

38 Kafka liest Korrektur

Im Sommer 1917 verabredete Kafka mit seinem Verleger Kurt Wolff, unter dem Titel *Ein Landarzt* eine Reihe kürzerer Erzählungen zu veröffentlichen. Wegen Papiermangels, Schwierigkeiten mit der von Wolff vorgeschlagenen übergroßen Schrifttype sowie aufgrund des allgegenwärtigen kriegsbedingten Mangels an Fachkräften erstreckte sich die Herstellung des Buchs jedoch über Jahre. Der Briefwechsel zwischen Kafka und dem Verlag ist nur fragmentarisch überliefert; er lässt jedoch erkennen, dass Kafka die Korrekturbögen in mehreren Fortsetzungen, mit großen zeitlichen Abständen und gelegentlich nur auf Drängen Max Brods erhielt. Kafka war darüber so verärgert, dass er zeitweilig erwog, den Verlag zu wechseln. Im März 1918 sandte er gar einen (wie er Brod mitteilte) »Ultimatumbrief« an Wolff, der ebenfalls nicht überliefert ist. Die letzten Korrekturen gingen Kafka zwischen Mitte Februar und Ende November 1919 zu, in mindestens neun separaten Lieferungen.

Wie akribisch und unnachgiebig Kafka Korrektur las, zeigt das Titelblatt, das er mit der letzten Sendung erhielt. *Der Landarzt. Neue Betrachtungen* war eine Titelformulierung, mit der der Verlag – inhaltlich verfehlt und ohne Rücksprache mit dem Autor – an Kafkas erstes Buch *Betrachtung* anknüpfen wollte. Kafka bestand jedoch auf dem von ihm gewählten Titel *Ein Landarzt. Kleine Erzählungen*. Unklar ist, warum er auch das Erscheinungsjahr tilgte; vielleicht deshalb, weil sich bereits abzeichnete, dass der Band erst im Jahr 1920 erscheinen würde.

Der Band wurde im Mai 1920 mit einer Auflage von höchstens 2 000 Exemplaren ausgeliefert. Er enthält die Texte: *Der neue Advokat. Ein Landarzt. Auf der Galerie. Ein altes Blatt. Vor dem Gesetz. Schakale und Araber. Ein Besuch im Bergwerk. Das nächste Dorf. Eine kaiserliche Botschaft. Die Sorge des Hausvaters. Elf Söhne. Ein Brudermord. Ein Traum. Ein Bericht für eine Akademie.*

Ein Landarzt war das letzte Buch Kafkas im Kurt Wolff Verlag. Besprochen wurde es von einem einzigen Rezensenten.

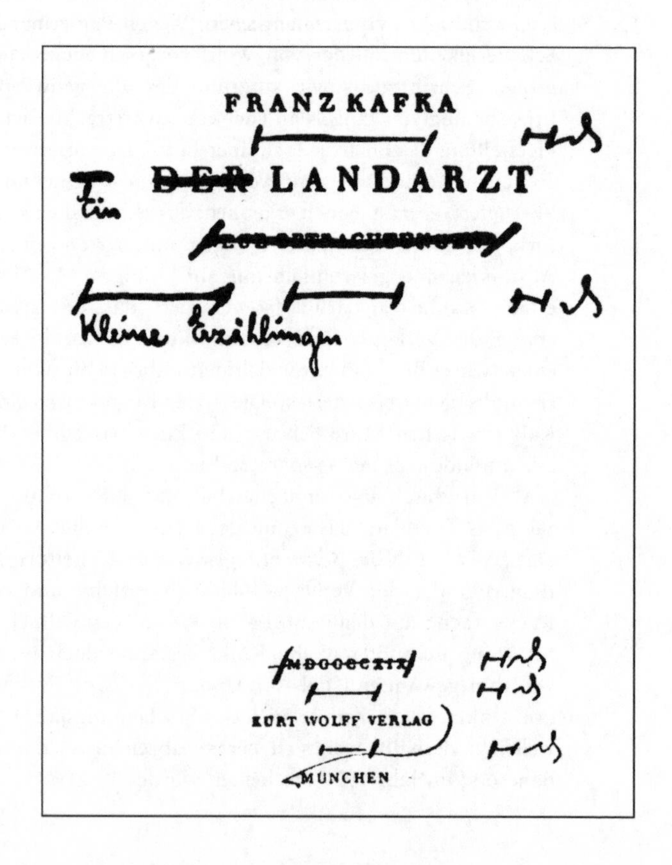
FRANZ KAFKA

Ein ~~DER~~ LANDARZT

Kleine Erzählungen

~~MDCCCCXIX~~

KURT WOLFF VERLAG

MÜNCHEN

39 Ein Komma zu viel

Hier ist das Inserat, es hätte wohl ein wenig scharfsinniger und verständlicher gemacht werden können, besonders die »Wiener Handels- und Sprachschulen« stehn dort verlassen und sinnlos; den Beistrich nach Lehrerin habe allerdings ich nicht gemacht. Sag übrigens was Du verbessert haben willst und ich lasse es nächstens abändern. Vorläufig ist es also am 26 erschienen und erscheint zunächst am 1, 5 und 12.

Milena Pollak, geborene Jesenská, erteilte tschechischen Sprachunterricht an einer Wiener Handelsschule, suchte aber wegen ihrer desolaten finanziellen Situation dringend auch nach privaten Schülern. Da sie sich im Sommer 1920 für einige Wochen in Salzburg und St. Gilgen aufhielt, bat sie Kafka, für sie eine entsprechende deutschsprachige Anzeige in der Wiener *Neuen Freien Presse* aufzugeben.

Die von Kafka formulierte und in einem Prager Inseratenbüro eingereichte Anzeige erschien erstmals am 26. August (obere Abbildung). Zu seinem Unmut hatte jedoch der Setzer nicht erkannt, dass die »Wiener Handels- und Sprachschulen« hier im Genetiv stehen, und hatte daher ein irritierendes Komma eingefügt. Mit diesem Fehler, der sich nachträglich nicht mehr korrigieren ließ, erschien das Inserat im September noch weitere drei Male.

Kafkas Bemerkung gegenüber Jesenská lässt erkennen, dass er sich mangelnde Klarheit selbst bei einem derartigen Gebrauchstext nicht ohne weiteres verzieh. Als er zwei Monate später erneut für sie inserierte, wollte er es besser machen und formulierte den Text so um, dass grammatische Missverständnisse ausgeschlossen waren (untere Abbildung). Diese Version erschien in der *Neuen Freien Presse* dreimal im November 1920.

Ob die Inserate Erfolg hatten, ist nicht überliefert; es ist jedoch zweifelhaft, da sich Milena Jesenská ab Winter 1920/21 ganz auf ihre Tätigkeiten als Journalistin und Übersetzerin konzentrierte.

Czechisch unterrichtet akademisch gebildete Lehrerin, Wiener Handels- u. Sprachschulen, ab 15. September. Adr.: Frau Milena Pollak, Lerchenfelderstraße Nr. 113, Tür 5. 22410—7

Czechisch unterrichtet akademisch gebildete, an Wiener Handels- u. Sprachschulen tätige Lehrerin. Adresse: Milena Pollak, Lerchenfelderstr. 113, Tür 5. 88107—7

40 Kafka-Lesung als Körperverletzung?

Am Abend des 10. November 1916 las Kafka in der Buchhandlung und Galerie Goltz in München seine noch unveröffentlichte Erzählung *In der Strafkolonie* neben einigen Gedichten seines Freundes Max Brod. Diese Lesung im Rahmen einer Serie von ›Abenden für neue Litteratur‹ war die einzige, die Kafka jemals außerhalb von Prag bestritt. Unter den etwa fünfzig Zuhörern, die sich in einem ungeheizten Raum im Obergeschoss der Galerie versammelten, befanden sich die Schriftsteller Gottfried Kölwel, Eugen Mondt und Max Pulver sowie Kafkas Verlobte Felice Bauer, die eigens aus Berlin angereist war. Auch Rainer Maria Rilke war vermutlich anwesend.

Dem Bericht Pulvers zufolge, der erstmals 1953 veröffentlicht wurde, nahm diese Lesung einen höchst bemerkenswerten Verlauf:

Ein dumpfer Fall, Verwirrung im Saal, man trug eine ohnmächtige Dame hinaus. Die Schilderung ging inzwischen fort. Zweimal noch streckten seine Worte Ohnmächtige nieder. Die Reihen der Hörer und der Hörerinnen begannen sich zu lichten. Manche flohen im letzten Augenblick, bevor die Vision des Dichters sie überwältigte. Niemals habe ich eine ähnliche Wirkung von gesprochenen Worten beobachtet.

Galerie Goltz,
München

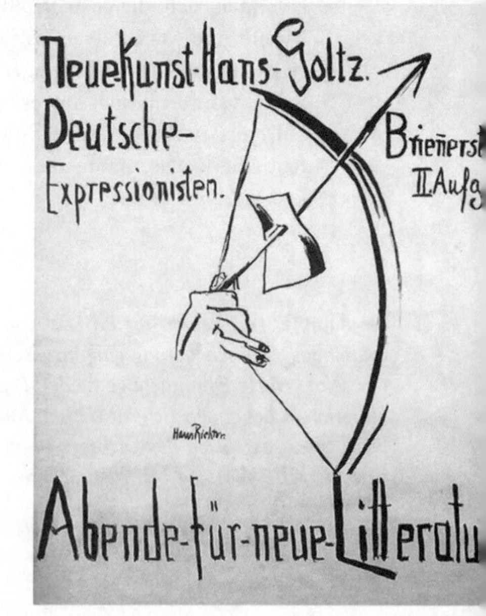

Dieser Bericht ist der Ursprung einer der beliebtesten, weil dämonischsten Kafka-Legenden, ungeachtet der Tatsache, dass es sich offenkundig um eine Slapstick-Phantasie handelt. Ein Dichter, der ungerührt weiterliest, während seine Zuhörer teils hinausgetragen werden, teils auf eigenen Beinen fliehen – kaum vorstellbar, dass die Presse sich einen derartigen Vorfall hätte entgehen lassen.

Tatsächlich gibt es aber in den drei bekannt gewordenen Besprechungen des Abends nur vage Hinweise auf negative Reaktionen der Zuhörer: »Das Publikum konnte zum Teil die übermäßige Nervenanspannung nicht durchhalten, zum Teil, aus derberem Holz geschnitzt, schien es befriedigt.« »... stofflich abstoßend, was auch die Zuhörerschaft wohl zu erkennen gab.« Max Brod hat in den ›Ergänzungen‹ zu seiner Kafka-Biographie die Geschichte dementiert: Kafka habe ihm über die Münchner Lesung ausführlich erzählt, von ohnmächtigen Zuhörern jedoch nichts verlauten lassen.

Kafka fühlte sich von dem 26jährigen Max Pulver, der ihn nach der Lesung in Beschlag nahm, »eine Zeitlang geradezu betört«, wie er Gottfried Kölwel in einem Brief gestand. Offenbar zählte Pulver mit seinem Faible für Graphologie, Astrologie und Gnostik zu jenem Typus besessener Traumwandler, für die Kafka zeitlebens besondere Sympathien hegte – selbst dann noch, wenn sie versuchten, ihn zu missionieren. Insofern wäre sein Kommentar zu Pulvers Phantasien vermutlich milde-ironisch ausgefallen.

41 Eine ungeschriebene Erzählung

Aus unvollendeten Werken – vor allem aus den drei Romanen – las Kafka regelmäßig seinen Freunden und vermutlich auch der Schwester Ottla vor. Über literarische Projekte hingegen, die noch in den Anfängen waren oder die er noch gar nicht in Angriff genommen hatte, schwieg er gewöhnlich.

Eine seltene Ausnahme ist die erzählerische Idee, die er im Januar 1918 gegenüber dem Schriftsteller Oskar Baum preisgab, einem seiner nächsten Freunde. Baum besuchte Kafka im nordwestböhmischen Dorf Zürau (Siřem), wo Ottla einen kleinen Hof bewirtschaftete und wo sie über den Winter auch ihren an Tuberkulose erkrankten Bruder beherbergte. Da hier Baum und Kafka im selben Zimmer nächtigten, ergab sich die Gelegenheit zu langen Gesprächen, und Baum hat später berichtet, in jener einen Woche habe er über Kafka mehr erfahren als in den zehn Jahren zuvor und den fünf Jahren danach. Auch habe Kafka ihm von zahlreichen literarischen Entwürfen und Plänen erzählt, »ohne die Hoffnung, ja ohne die Absicht, sie je auszuführen«. An eine dieser ungeschriebenen Erzählungen erinnerte sich Baum genau:

Ein Mann will die Möglichkeit einer Gesellschaft schaffen, die zusammenkommt, ohne eingeladen zu sein. Menschen sehen und sprechen und beobachten einander, ohne einander zu kennen. Es ist ein Gastmahl, das jeder nach seinem eigenen Geschmack, für seine Person bestimmen kann, ohne daß er irgendwem beschwerlich fällt. Man kann erscheinen und wieder verschwinden, wenn es einem beliebt, ist keinem Hauswirte verpflichtet und ist doch, ohne Heuchelei, immer gern gesehen. Als es zum Schluß tatsächlich gelingt, die skurrile Idee in Wirklichkeit umzusetzen, erkennt der Leser, daß auch dieser Versuch zur Erlösung des Einsamen nur – den Erfinder des ersten Kaffeehauses hervorgebracht hat.

42 Die Broskwa-Skizze

Es ist möglich, dass es noch nördlicher gelegene europäische Ansiedlungen gibt als Broskwa, aber verlassener kann keine sein. Nach einigen Menschenaltern wird Broskwa vielleicht eine wichtige und lebhafte Stadt sein, wenn nämlich ein 100 km entfernter natürlicher Hafen von Eisbrechern freigelegt sein wird und wenn die Bahn, die man von Gradula 300 km südlich von Broskwa zu bauen beabsichtigt, bis nach Broskwa geführt sein wird. Aber mit dem allen haben die Lebenden nicht zu rechnen. Wir in Broskwa müssen uns damit begnügen auf den Marktplatz mit den paar Strohhütten eingeschränkt zu bleiben und Sendungen und Nachrichten von auswärts im Sommer zwei oder auch dreimal im Monat, im Winter aber gar nicht zu bekommen. Ich könnte wenn ich einmal nach Europa zurückkäme, viel erzählen, aber ich werde nicht zurückkommen. Es ist merkwürdig, der Mensch muss nur ein wenig an einem Ort niedergehalten werden und schon fängt er an zu versinken. Man sollte meinen, ich strebe nach nichts anderem als von hier fortzukommen, durchaus nicht. Einmal hätte ich Gelegenheit gehabt, mit Brascha, dem Postboten, bei besonders guter Bespannung nach Gradula zu fahren, die Fahrt wäre für mich wegen verschiedener Einkäufe sogar wichtig gewesen, man bat mich förmlich zu fahren, ich überlegte es einen Tag und überliess dann den Platz einem anderen.

Es ist möglich, daß es noch nördlicher gelegene europäische Ansiedlung gibt als Moskwa aber verlorener kann keine sein. Nach einigen Menschenaltern wird Moskwa vielleicht eine wichtige und lebhafte Stadt sein, wenn nämlich ein 100 km entfernter natürlicher Hafen von Eisbrechern freigehalten sein wird und wenn die Bahn die man von Gradula aus baut südlich von Moskwa zu bauen beabsichtigt, bis nach Moskwa geführt sein wird. Aber mit dem allen haben die Lebenden nicht zu rechnen. Wir in Moskwa müssen uns damit begnügen auf den Marktplatz mit den paar Strohhütten eingeschränkt zu bleiben und Sendungen und Nachrichten von auswärts im Sommer zwei oder auch dreimal im Monat, im Winter aber gar nicht zu bekommen. Ich könnte wenn ich einmal nach Europa zurückkäme, viel erzählen, aber ich werde nicht zurückkommen. Es ist merkwürdig, der Mensch muß nur ein wenig an einem Ort niedergehalten werden und schon fängt er an zu verzichten. Man sollte meinen, ich strebe nach nichts anderem als von hier fortzukommen, durchaus nicht. Einmal hätte ich Gelegenheit gehabt mit Prascha, dem Erdboten, bei besonders guter Bespannung nach Gradula zu fahren, die Fahrt wäre für mich wegen verschiedener Einkäufe sehr wichtig gewesen, ich überlegte es einen Tag mit dem Platz einen andern.

Als dieser Blick auf K. fiel, schien es ihm, daß dieser Blick schon K. betreffende Dinge erledigt hatte, von deren Vorhandensein er selbst noch gar nicht wußte, von deren Vorhandensein aber der Blick ihn überzeugte.

Diese Prosaskizze findet sich auf der Rückseite eines einzelnen Blattes, das Kafka 1922 für den Roman *Das Schloss* verwendete. Es stammt ursprünglich aus dem ›Zehnten Tagebuchheft‹, das er von November 1914 bis Mai 1915 benutzte und in dem einige Seiten leer geblieben waren. Da außerdem Kafka im selben Winter ein längeres, thematisch eng verwandtes Fragment niederschrieb (*Erinnerungen an die Kaldabahn*), ist anzunehmen, dass auch die Broskwa-Skizze aus diesem Zeitraum stammt.

Zeitweilige Aufmerksamkeit erregte Kafkas Text im Jahr 2007, nachdem er – ohne Angabe des Verfassers – vier Lektoren zur Begutachtung vorgelegt worden war. Deren vielfältige Verbesserungsvorschläge wurden von der Leipziger Literaturzeitschrift *Edit* veröffentlicht.

43 In den Direktionskanzleien (I)

Banz, der Direktor der Versicherungsgesellschaft ›Fortschritt‹, sah den Mann, der vor seinem Schreibtisch stand und sich um eine Dienerstelle bei der Gesellschaft bewarb, zweifelnd an. Hie und da las er auch in den Papieren des Mannes, die vor ihm auf dem Tische lagen. »Lang sind Sie ja«, sagte er, »das sieht man, aber was sind Sie sonst? Bei uns müssen die Diener mehr können, als Marken lecken, und gerade das müssen Sie nicht können, weil solche Sachen bei uns automatisch gemacht werden. Bei uns sind die Diener halbe Beamte, sie haben verantwortungsvolle Arbeit zu leisten, fühlen Sie sich dem gewachsen? Sie haben eine eigentümliche Kopfbildung. Wie Ihre Stirn zurücktritt. Sonderbar! Welches war denn Ihr letzter Posten? Wie? Sie haben seit einem Jahr nichts gearbeitet? Warum denn? Wegen Lungenentzündung? So? Nun, das ist nicht sehr empfehlend, wie? Wir können natürlich nur gesunde Leute brauchen. Ehe Sie aufgenommen werden, müssen Sie vom Arzt untersucht werden. Sie sind schon gesund? So? Gewiss, das ist ja möglich. Wenn Sie nur lauter reden würden! Sie machen mich ganz nervös mit Ihrem Lispeln. Hier sehe ich auch, dass Sie verheiratet sind, vier Kinder haben. Und seit einem Jahr haben Sie nichts gearbeitet! Ja, Mensch! Ihre Frau ist Wäscherin? So! Nun ja. Da Sie jetzt schon einmal hier sind, lassen Sie sich gleich vom Arzt untersuchen, der Diener wird Sie hinführen. Daraus dürfen Sie aber nicht schließen, dass Sie angenommen werden, selbst wenn das Gutachten des Arztes günstig ist. Durchaus nicht. Eine schriftliche Verständigung bekommen Sie jedenfalls. Um aufrichtig zu sein, will ich Ihnen gleich sagen: Sie gefallen mir gar nicht. Wir brauchen ganz andere Diener. Lassen Sie sich aber jedenfalls untersuchen. Gehn Sie nur schon, gehn Sie. Hier hilft kein Bitten. Ich bin nicht berechtigt, Gnaden auszuteilen. Sie wollen jede Arbeit leisten. Gewiss. Das will jeder. Das ist keine besondere Auszeichnung. Es zeigt nur, wie tief Sie sich einschätzen. Und nun sage ich zum letzten Mal: Gehn Sie, und halten Sie mich nicht länger auf. Es ist wahrhaftig genug.« Banz musste mit der Hand auf den Tisch schlagen, ehe der Mann sich vom Diener aus dem Direktionszimmer hinausziehn ließ.

Ein in Kafkas Werk sehr häufiges Motiv ist die Demütigung machtloser Figuren durch scheinbar allmächtige Gegenspieler. Insbesondere in seinen drei Romanen hat er diese Konstellation vielfach variiert; sie findet sich aber auch in den von ihm selbst veröffentlichten Erzählungen, etwa in *Das Urteil* und *Die Verwandlung*.

Dieses und das folgende Fundstück bieten Beispiele dafür, dass Kafka auch in weniger bekannten fragmentarischen Texten solche demütigenden Konfrontationen immer wieder durchgespielt hat. Da sie hier in keinen größeren erzählerischen Zusammenhang eingebettet sind, beobachtet der Leser gleichsam durch ein Vergrößerungsglas die Anwendung reiner Macht – einer Macht, die sich ihrer selbst völlig sicher ist und die sich daher auch Zynismus erlauben kann.

Die Ansprache des Direktors an den lästigen Stellenbewerber findet sich in Kafkas Tagebuch unter dem Datum des 30. Juli 1914 – zwei Tage vor Beginn des Ersten Weltkriegs.

44 In den Direktionskanzleien (II)

Gestern war ich zum erstenmal in den Direktionskanzleien. Unsere Nachtschicht hat mich zum Vertrauensmann gewählt und da die Konstruktion und Füllung unserer Lampen unzulänglich ist, sollte ich dort auf die Abschaffung dieser Missstände dringen. Man zeigte mir das zuständige Bureau, ich klopfte an und trat ein. Ein zarter junger Mann, sehr bleich, lächelte mir von seinem grossen Schreibtisch entgegen. Viel, überviel nickte er mit dem Kopf. Ich wusste nicht ob ich mich setzen sollte, es war dort zwar ein Sessel bereit, aber ich dachte, bei meinem ersten Besuch müsse ich mich vielleicht nicht gleich setzen, und so erzählte ich die Geschichte stehend. Gerade durch diese Bescheidenheit verursachte ich aber dem jungen Mann offenbar Schwierigkeiten, denn er musste das Gesicht zu mir herum und aufwärts drehn, falls er nicht seinen Sessel umstellen wollte und das wollte er nicht. Andererseits aber brachte er auch den Hals trotz aller Bereitwilligkeit nicht ganz herum und blickte deshalb während meiner Erzählung auf halbem Wege schief zur Zimmerdecke hinauf, ich unwillkürlich ihm nach. Als ich fertig war stand er langsam auf, klopfte mir auf die Schultern, sagte: So, so – so so, und schob mich in das Nebenzimmer, wo ein Herr mit wildwachsendem grossen Bart uns offenbar erwartet hatte, denn auf seinem Tisch war keine Spur irgendeiner Arbeit zu sehn, dagegen führte eine offene Glastür zu einem kleinen Gärtchen mit Blumen und Sträuchern in Fülle. Eine kleine Information aus paar Worten bestehend, vom jungen Mann ihm zugeflüstert genügt dem Herrn um unsere vielfachen Beschwerden zu erfassen. Sofort stand er auf und sagte: Also mein lieber – er stockte, ich glaubte, er wolle meinen Namen wissen und ich machte deshalb schon den Mund auf, um mich neuerlich vorzustellen, aber er fuhr mir dazwischen: Ja, ja, es ist gut, es ist gut, ich kenne Dich sehr genau – also Deine oder Euere Bitte ist gewiss berechtigt, ich und die Herren von der Direktion sind die letzten, die das nicht einsehen würden. Das Wohl der Leute, glaube mir, liegt uns mehr am Herzen als das Wohl des Werkes. Warum auch nicht? Das Werk kann aber wieder neu errichtet werden, es kostet nur Geld, zum Teufel mit dem Geld, geht aber ein Mensch zugrunde, so geht eben ein Mensch zugrunde, es bleibt die Witwe, die Kinder. Ach Du liebe Güte! Darum ist also jeder Vorschlag neue Sicherung, neue Erleichterung, neue Bequemlichkeit und Luxuriositäten einzuführen, uns hochwillkommen. Wer damit kommt, ist unser Mann. Du lässt uns also Deine Anregungen hier, wir werden sie genau prüfen, sollte noch irgendeine kleine blendende Neuigkeit angeheftet werden können, werden wir sie gewiss nicht unterschlagen und bis alles fertig ist, bekommt Ihr die neuen Lampen. Das aber sage Deinen Leuten unten: Solange wir nicht aus Euerem Stollen einen Salon gemacht haben, werden wir hier nicht ruhn und wenn Ihr nicht schliesslich in Lackstiefeln umkommt, dann überhaupt nicht. Und damit schön empfohlen!

Das titellose Prosastück findet sich im ›Oktavheft E‹: eines der Hefte, das Kafka im Jahr 1917 benutzte. Da sich eine Notiz wenige Seiten zuvor auf Kafkas Blutsturz vom 13. August bezieht, dürfte das Stück ebenfalls im August oder Anfang September entstanden sein.

Ob Kafka den Text als abgeschlossen betrachtete, ist unklar. Die einzige wesentliche Korrektur findet sich nach dem Ausruf »Ach Du liebe Güte!«. Hier fuhr Kafka zunächst fort: »Natürlich kann man auch den Menschen ersetzen«, brach jedoch mitten im Wort »ersetzen« ab und strich diese Bemerkung. Die Wendung »bis alles fertig ist« ist ein Austriazismus; gemeint ist: *wenn* alles fertig ist.

Der Kreisel 45

Ein Philosoph trieb sich immer dort herum wo Kinder spielten. Und sah er einen Jungen, der einen Kreisel hatte lauerte er schon. Kaum war der Kreisel in Drehung, verfolgte ihn der Philosoph um ihn zu fangen. Dass die Kinder lärmten und ihn von ihrem Spielzeug abzuhalten suchten kümmerte ihn nicht, hatte er den Kreisel, solange er sich noch drehte, gefangen, war er glücklich, aber nur einen Augenblick, dann warf er ihn zu Boden und ging fort. Er glaubte nämlich, die Erkenntnis jeder Kleinigkeit, also z. B. auch eines sich drehenden Kreisels genüge zur Erkenntnis des Allgemeinen. Darum beschäftigte er sich nicht mit den grossen Problemen, das schien ihm unökonomisch, war die kleinste Kleinigkeit wirklich erkannt, dann war alles erkannt, deshalb beschäftigte er sich nur mit dem sich drehenden Kreisel. Und immer wenn die Vorbereitungen zum Drehen des Kreisels gemacht wurden, hatte er Hoffnung, nun werde es gelingen und drehte sich der Kreisel, wurde ihm im atemlosen Lauf nach ihm die Hoffnung zur Gewissheit, hielt er aber dann das dumme Holzstück in der Hand, wurde ihm übel und das Geschrei der Kinder, das er bisher nicht gehört hatte und das ihm jetzt plötzlich in die Ohren fuhr, jagte ihn fort, er taumelte wie ein Kreisel unter einer ungeschickten Peitsche.

Entstanden vermutlich November/Anfang Dezember 1920. Der Titel stammt von Max Brod, der das im Manuskript titellose Prosastück aus Kafkas Nachlass veröffentlichte.

46 Erster Anlauf zum Schloss

Der Wirt begrüsste den Gast. Ein Zimmer im ersten Stockwerk war bereitgemacht. »Das Fürstenzimmer« sagte der Wirt. Es war ein grosses Zimmer mit zwei Fenstern und einer Glastüre zwischen ihnen, quälend gross in seiner Kahlheit. Die paar Möbelstücke, die drin herumstanden waren merkwürdig dünnfüssig, man hätte glauben können sie seien aus Eisen, sie waren aber aus Holz. Den Balkon bitte ich nicht zu betreten sagte der Wirt, als der Gast, nachdem er kurz aus einem Fenster in die Nacht hinaus gesehn hatte, sich der Glastüre näherte. »Der Tragbalken ist ein wenig brüchig geworden.« Das Stubenmädchen trat ein, machte sich am Waschtisch zu schaffen und fragte dabei, ob genügend geheizt sei. Der Gast nickte. Aber trotzdem er bisher nichts an dem Zimmer ausgesetzt hatte, gieng er noch immer völlig angezogen im Mantel mit Stock und Hut in der Hand auf und ab, als sei es noch nicht gewiss, ob er hier bleiben werde. Der Wirt stand beim Stubenmädchen, plötzlich trat der Gast hinter die beiden und rief: »Warum flüstert Ihr?« Der Wirt erschrocken: »ich gab dem Mädchen nur Anweisungen wegen des Bettzeugs. Das Zimmer ist leider ich sehe es erst jetzt, nicht so sorgfältig vorbereitet, wie ich es gewünscht hätte. Es wird aber alles gleich geschehn.« »Davon ist nicht die Rede« sagte der Gast »ich habe nichts anderes erwartet als ein schmutziges Loch und ein widerliches Bett. Suche mich nicht abzulenken. Nur das eine will ich wissen: Wer hat Dir meine Ankunft angezeigt?« »Niemand Herr« sagte der Wirt. »Du hast mich erwartet« »Ich bin ein Wirt und erwarte Gäste« »Das Zimmer war vorbereitet« »Wie immer« »Gut also, Du wusstest nichts, ich aber bleibe nicht hier.« Und er riss ein Fenster auf und rief hinaus: »Nicht ausspannen, wir fahren weiter. Aber als er zur Tür eilte trat ihm das Stubenmädchen in den Weg, ein schwaches, förmlich allzujunges zartes Mädchen und sagte mit gesenktem Kopf: »Geh nicht fort. Ja wir haben Dich erwartet, nur weil wir ungeschickt im Antworten unsicher Deiner Wünsche sind haben wir es verschwiegen« Die Erscheinung des Mädchen rührte den Gast, ihre Worte waren ihm verdächtig. »Lass mich mit dem Mädchen allein« sagte er zum Wirt. Der Wirt zögerte, dann ging er. »Komm« sagte der Gast zum Mädchen und sie setzten sich zum Tisch. »Wie heisst Du?« fragte der Gast und fasste über den Tisch hinweg des Mädchens Hand, »Elisabeth« sagte sie. »Elisabeth« sagte er »höre mich genau an. Ich habe eine schwere Aufgabe vor mir und habe ihr mein ganzes Leben gewidmet. Ich tue es fröhlich und verlange niemandes Mitleid. Aber weil es alles ist was ich habe, diese Aufgabe nämlich unterdrücke ich alles was mich bei ihrer Ausführung stören könnte, rücksichtslos. Du, ich kann in dieser Rücksichtlosigkeit wahnsinnig werden.« Er drückte ihre Hand, sie blickte ihn an und nickte. »Das hast Du also verstanden« sagte er »und nun erkläre mir, wie ihr von meiner Ankunft erfahren habt. Nur das will ich wissen, nach Euerer Gesinnung frage ich nicht. Zum Kampf bin ich ja hier, aber ich will nicht angegriffen werden vor meiner Ankunft. Was war also, ehe ich kam?« »Das ganze Dorf weiss von Deiner Ankunft, ich kann es nicht erklären, schon seit Wochen wissen es alle, es geht wohl vom Schloss aus, mehr weiss ich nicht.« »Jemand vom Schloss war hier und hat mich angemeldet?« »Nein niemand war hier, die Herren vom Schloss verkehren nicht mit uns, aber die Dienerschaft oben mag davon gesprochen, Leute aus dem Dorf mögen es gehört haben, so hat es sich vielleicht verbreitet. Es kommen ja so wenig Fremde her, von einem Fremden spricht man viel.« »Wenig Fremde?« fragte der Gast. »Ach« sagte das Mädchen und lächelte – es sah gleichzeitig zutraulich und fremd aus – »niemand kommt, es ist als hätte die Welt uns vergessen.« »Warum sollte man denn auch herkommen« sagte der Gast »ist denn hier etwas Sehenswertes?« Das Mädchen entzog ihm langsam ihre Hand und sagte: »Du hast noch immer kein Vertrauen zu mir.« »Mit Recht« sagte der Gast und stand auf »Ihr seid alle ein Pack aber Du bist noch gefährlicher als der Wirt. Du bist eigens vom Schloss hergeschickt, mich zu bedienen.« »Vom Schloss geschickt« sagte das Mädchen »wie wenig Du unsere Verhältnisse kennst. Aus Misstrauen fährst Du fort, denn nun fährst Du wohl.« »Nein« sagte der Gast, riss den Mantel von sich und warf ihn auf einen Sessel »ich fahre nicht, nicht einmal dieses: mich von hier zu vertreiben, hast Du erreicht.« Plötzlich aber schwankte er, hielt sich noch ein paar Schritte und fiel dann über das Bett hin. Das Mädchen eilte zu ihm: »Was ist Dir?« flüsterte sie und schon lief sie zum Waschbecken und holte Wasser und kniete bei ihm nieder und wusch sein Gesicht. »Warum quält Ihr mich so?« sagte er mühsam. »Wir quälen Dich doch nicht« sagte das Mädchen »Du willst etwas von uns und wir wissen nicht was. Sprich offen mit mir und ich werde Dir offen antworten«

Das Fragment, entstanden wahrscheinlich Ende Januar 1922 in Spindlermühle im Riesengebirge, ist Kafkas erste Aufzeichnung zu seinem Roman *Das Schloss*. Offenbar verwarf er diesen Romanbeginn schon kurz nach der Niederschrift; in einem neuen Anlauf entstand dann das bekannte Eingangskapitel ›Ankunft‹, das Kafka allerdings zunächst in Ich-Form verfasste. Diese Erzählperspektive gab er dann in der Mitte des dritten Kapitels auf und kehrte zur Er-Form zurück; erst hier entschloss er sich auch, die Hauptfigur des Romans wiederum ›K.‹ zu nennen, wie schon den Helden des *Process*.

47 Die erste Übersetzung

Tschechisch war die erste Sprache, in die ein literarischer Text Kafkas übersetzt wurde: Am 22. April 1920 erschien die Prager Literaturzeitschrift *Kmen* mit einem einzigen Beitrag, Kafkas Erzählung *Der Heizer*, übertragen von Milena Jesenská.

Wie es zu dieser Übersetzung kam, lässt sich im Einzelnen nicht belegen. Milena Jesenská lebte 1920 in bereits zerrütteter Ehe mit dem deutschen Literaten Ernst Pollak in Wien, und sie suchte dringend nach Verdienstmöglichkeiten als Journalistin, Übersetzerin oder Sprachlehrerin (siehe auch Fundstück 39). Es war offenbar Pollak, der sie auf Kafka aufmerksam machte.

Im Winter 1919/20 kam es in einem Prager Kaffeehaus zu einem kurzen Zusammentreffen zwischen Jesenská und Kafka, bei dem sie ihn um Erlaubnis bat, einige seiner Werke übersetzen zu dürfen. Kafka hatte keine Einwände, obwohl er sicherlich bemerkte – bei der Begegnung wurde Deutsch gesprochen –, dass Jesenskás deutsche Sprachkenntnisse noch recht unzulänglich waren.

Auf die Übersetzung selbst nahm Kafka keinen Einfluss, und es gelang ihm zunächst auch nicht, mit Jesenská in schriftlicher Verbindung zu bleiben. Erst ab April 1920, als er ihr von Meran aus schrieb, antwortete sie ausführlicher und auch persönlicher. Bereits am 8. Mai erhielt er von ihr ein Exemplar des *Kmen*.

Als ich das Heft aus dem grossen Kouvert zog, war ich fast enttäuscht. Ich wollte von Ihnen hören und nicht die allzu gut bekannte Stimme aus dem alten Grabe. Warum mischte sie sich zwischen uns? Bis mir dann einfiel, dass sie auch zwischen uns vermittelt hatte. Im übrigen aber ist es mir unbegreiflich, dass Sie diese grosse Mühe auf sich genommen haben, und tief rührend, mit welcher Treue Sie es getan haben, Sätzchen auf und ab, einer Treue, deren Möglichkeit und schöne natürliche Berechtigung, mit der Sie sie üben, ich in der tschechischen Sprache nicht vermutet habe. So nahe deutsch und tschechisch? Aber wie das auch sein mag, jedenfalls ist es eine abgründig schlechte Geschichte, mit einer Leichtigkeit, wie nichts sonst, könnte ich liebe Frau Milena Ihnen das fast Zeile für Zeile nachweisen, nur der Widerwille dabei wäre noch ein wenig stärker als der Beweis. Dass Sie die Geschichte gern haben, gibt ihr natürlich Wert, trübt mir aber ein wenig das Bild der Welt. Nichts mehr davon.

Dass Kafka die eigene Leistung – und damit in gewissem Sinn auch ihre – so rigide abwertete, dürfte Milena Jesenská befremdet haben. Das hinderte sie jedoch nicht daran, weitere Texte Kafkas zu übersetzen, u. a. *Betrachtung* (in Auswahl veröffentlicht), den *Bericht an eine Akademie*, der im Herbst 1920 in der kommunistischen *Tribuna* erschien, sowie *Das Urteil*, erschienen Ende 1923 in *Česta*.

Selbstverständlich stand Kafka der Tatsache, dass er zum ersten Mal übersetzt wurde, keineswegs so indifferent gegenüber, wie er vorgab. Noch am selben Tag, da er den *Kmen* erhielt, bat er seine Schwester Ottla per Postkarte, in einer tschechischen Buchhandlung zwanzig Exemplare des Hefts zu kaufen: »man kann damit billige Geschenke machen«. Wer diese Geschenke erhalten hat (gewiss mit Widmung), ist leider nicht überliefert.

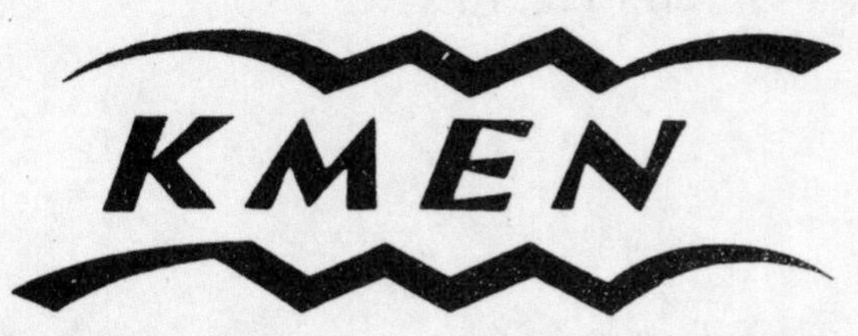

LITERÁRNÍ TÝDENNÍK

ROČNÍK IV. V Praze, dne 22. dubna 1920. ČÍSLO 6.

Franz Kafka: Topič

Fragment

Se svolením autorovým přeložila Milena Jesenská

Když 16letý Karel Rosman, který byl svými chudými rodiči poslán do Ameriky, poněvadž ho svedla služka a měla s ním dítě, vjel již v zpomaleném parníku do newyorského přístavu, spatřil sochu Svobody, kterou již dávno pozoroval, jakoby ve světle náhle prudším. Její paže s mečem trčela jaksi nově vstříc a kolem její postavy vanul volný vzduch.

»Tak vysoko,« řekl si, a v tom, vůbec nemysle na odchod, byl stále rostoucím množstvím nosičů pomalu posunut až k zábradlí.

Jakýsi mladý muž, s nímž se byl při jízdě povrchně seznámil, řekl, předcházeje ho: »Nu, což pak nemáte pražádné chuti, abyste vystoupil?« »Jsem přece již hotov,« řekl Karel usmívaje se, a zdvihl z dobré nálady a poněvadž byl silný chlapec, kufr na ramena. Když však pohlédl za svým známým, který se již vzdaloval s ostatními a mával při tom hůlkou, s úlekem zpozoroval, že zapomněl dole v lodi svůj deštník. Rychle poprosil známého, aby mu laskavě u jeho zavazadla okamžik posečkal, čímž muž nebyl příliš obšťastněn, přehlédl ještě situaci, aby se při návratu vyznal, a pospíchal pryč.

S lítostí nalezl dole zavřenu chodbu, která by jeho cestu byla velice zkrátila, což patrně souviselo s vyloďováním cestujících, a bylo mu namáhavě si hledati cestu nespočetnými malými místnostmi, po krátkých schodech, které stále za sebou následovaly, korridory, neustále se zahýbajícími, prázdným pokojem s opuštěným psacím stolem, až skutečně, poněvadž touto cestou šel teprve jednou nebo dvakrát a vždy ve větší společnosti, úplně zabloudil. Ve své bezradnosti, poněvadž nepotkával lidí a slyšel jen nad sebou šoupání tisíce lidských nohou a pozoroval z dálky jakoby dech, poslední pracování již zastavovaných strojů, počal bez přemýšlení tlouci na první malá dvířka, na která při svém bloudění narazil.

»Vždyť je otevřeno,« ozvalo se uvnitř a Karel otevřel dvéře s poctivým oddechnutím. »Proč tlučete tak zběsile do dveří?« řekl ohromný člověk a skoro se po Karlovi ani neohlédl. Jakýmsi malým, svrchním oknem padalo ponuré, nahoře na lodi již dávno opotřebované světlo v žalostnou kabinu a v ní stáli těsně vedle sebe postel, skříň, židle a muž, jakoby složeni ve skladišti. »Zabloudil jsem,« řekl Karel, »ani jsem toho tak za jízdy nepozoroval, ale to je strašně veliká loď.« »To je pravda,« řekl muž s jistou pýchou, nepřestav se při tom nimrati se zámkem malého kufru, který oběma rukama vždy znovu přitlačil a čekal při tom na sklapnutí závory. »Ale pojďte přece dovnitř,« pokračoval muž, »nebudete přece státi venku.« »Nevyrušuji?« ptal se Karel. »Ale jak pak byste rušil?« »Jste Němec?« pokusil se Karel zabezpečiti, poněvadž mnoho slyšel o nebezpečí, které hrozí v Americe nově příchozím, obzvláště od Irů. »I jsem, jsem,« řekl muž. Karel ještě váhal. Tu muž náhle uchopil kliku a přisunul dveřmi, které rychle zavřel, Karla k sobě dovnitř. »Nemohu vystát, dívá-li se sem

48 Kafka schreibt Hebräisch

Ich verstehe nicht alle Deine Sorgen wegen der Widerstände Deiner Eltern gegen Dein Studium. Ich hielt es schon für sicher, dass Du noch anderthalb Jahre in Europa (lache nicht) bleibst, ist das noch nicht sicher? Und gerade jetzt haben sie diese Frage entschieden? Nebenbei: Es ist doch unmöglich, dass Du jetzt schon einen Brief Deiner Eltern bekommen hast, in dem Du das Ergebnis der Unterredung Hugos mit Deinen Eltern findest, auch Hugos Frau, mit der ich heute sprach, hat bis jetzt keinen Brief von ihrem Mann in Jerusalem bekommen. Aber ich verstehe gut die Verwirrung, in der man auf einen entscheidenden Brief wartet, der die ganze Zeit herumirrt. Wie viele Male in meinem Leben habe ich in einer solchen Angst geglüht. Ein Wunder, dass niemand früher zu Asche wird als es in Wirklichkeit geschieht. Es tut mir sehr leid, dass auch Du so leiden musst, arme liebe Puah, aber inzwischen kommt schon der Brief, und alles ist gut.

Diesen Briefentwurf, adressiert an die 19jährige Puah Ben-Tovim in Berlin, schrieb Kafka im Frühsommer 1923 in hebräischer Sprache (siehe Faksimile).

Puah Ben-Tovim (1904–1991) wurde in Palästina als Tochter russischer Einwanderer geboren. Im Herbst 1921 kam sie auf Empfehlung Hugo Bergmanns, eines Klassenkameraden Kafkas, nach Prag, um zu studieren. Bergmann leitete zu dieser Zeit die Jüdische Nationalbibliothek in Jerusalem.

Im Winter 1922/23 nahm Kafka privaten Hebräischunterricht bei Ben-Tovim. Er verfügte bereits über gute Grundkenntnisse des Hebräischen, die er sich überwiegend im Selbststudium angeeignet hatte, doch legte er Wert darauf, auch umgangssprachliches Vokabular zu erlernen (vgl. Fundstück 86). Eine Zeitlang erwog er ernsthaft die Auswanderung nach Jerusalem, wohin Else Bergmann ihn eingeladen hatte, doch dieser Plan erwies sich schon aus gesundheitlichen Gründen als undurchführbar.

Mitte 1923 ging Puah Ben-Tovim nach Berlin, gegen den Willen ihrer Eltern, wie Kafkas Brief andeutet. Obwohl ab September auch Kafka in Berlin lebte, wurde der Hebräischunterricht nur kurzzeitig fortgeführt, dann brach der Kontakt ab.

Kafkas Notizhefte belegen, dass er ein ehrgeiziger und motivierter Schüler war, der jede Unterrichtsstunde sorgfältig vorbereitete. Auch die beiden erhaltenen hebräischen Briefentwürfe lassen erkennen, dass er seiner Lehrerin einen möglichst fehlerfreien Sprachgebrauch demonstrieren wollte. Allein die korrekte hebräische Schreibweise von »Europa« kannte er nicht, er schrieb das Wort nach Gehör; daher seine Aufforderung »lache nicht«.

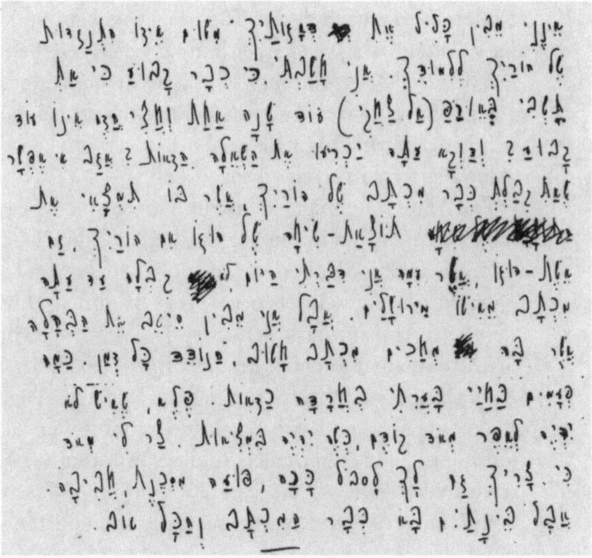

49 Vom Umgang mit den Originalen

Spätestens seit den achtziger Jahren genießen Originalmanuskripte und -briefe Kafkas den Status von Kultobjekten. Sie werden in Panzerschränken verwahrt, der Zugang ist strikt begrenzt, sie werden als Faksimiles reproduziert und ediert, und sofern sie noch im Autographenhandel angeboten werden – was immer seltener vorkommt –, dann zu Preisen, die selbst die Möglichkeiten staatlicher Institutionen überschreiten.

Das war keineswegs immer so, und der vielleicht eindrucksvollste Beleg dafür ist die Art und Weise, wie Kafkas Freund und Nachlassverwalter Max Brod mit den Originalen verfuhr. Brod setzte sich zwar erfolgreich dafür ein, dass Kafkas Werke nach dessen Tod möglichst bald und vollzählig veröffentlicht wurden; er hatte aber keinerlei Bedenken, auf den (teilweise von ihm selbst geretteten) Manuskripten eigene Eintragungen und Streichungen vorzunehmen, noch nicht entzifferte Originale per Post zu verschicken oder einzelne Blätter zu verschenken.

Die Abbildung zeigt ein instruktives Beispiel: die erste Seite des Kapitels ›Im leeren Sitzungssaal‹ aus dem Roman *Der Process*. Da hier Kafka etliche Wörter in stenographischen Kürzeln niedergeschrieben hat, fügt Brod den Hinweis für den Setzer hinzu, dass sich diese Passage in gewöhnlicher Schrift auf einer anderen Manuskriptseite befindet, von wo Kafka selbst sie abgeschrieben hat. Auch die Paginierung rechts oben stammt von Brod. Insgesamt finden sich allein auf dieser Seite – zusätzlich zu der von Kafka verwendeten schwarzen Tinte – die Spuren von drei verschiedenen Schreibmaterialien: Rotstift, Blaustift und violette Tinte.

K. wartete [illegible] nächsten ~~Tag~~ Woche [illegible]
[illegible] Verständigung, er konnte [illegible] glauben
[illegible] Verzicht [illegible] Verhöre wörtlich genommen hatte
[illegible] erwartete [illegible] Verständigung bis Sonntag
abend wirklich nicht kam, nahm er an, der
sei stillschweigend in das gleiche Haus für die
gleiche Zeit [illegible] vorgeladen. Er begab sich
Sonntags wieder hin, gieng diesmal geradeweg über
Treppen und Gänge, einige Leute, die sich seiner
erinnerten, grüßten ihn an ihren Türen, [illegible]
mehr fragen und kam bald zu der richtigen
Tür. Auf sein Klopfen [illegible] gleich [illegible]
[illegible] bekannten Frau [illegible], [illegible] bei der Tür
stehen blieb, wollte [illegible] ins Nebenzimmer.
„Heute ist keine Sitzung“ [illegible] Frau. „Warum

Anmerkung: *
Der nichtstenographische Text dieser Seite befindet sich auf der vorhergehenden Seite 75!

Slapstick

50 Josef K., der Amokläufer

Kafka war Beamter der Arbeiter-Unfall-Versicherungs-Anstalt in Prag. Seine Aufgabe bestand dort hauptsächlich darin, die Versicherungsbeiträge festzulegen, die von den einzelnen Unternehmen im Industriegebiet Nordböhmen zu zahlen waren: Je gefährlicher die Arbeit, desto höher der Beitrag.

Häufig hatte Kafka allerdings auch mit verstümmelten Opfern von Arbeitsunfällen zu tun, die vorsprachen, um eine Unfallrente zu beantragen. Max Brod berichtet, Kafka habe sich über diese Bittsteller mit Verwunderung geäußert: »Wie bescheiden diese Menschen sind. Sie kommen zu uns bitten. Statt die Anstalt zu stürmen und alles kurz und klein zu schlagen, kommen sie bitten.«

Kafka wusste offenbar nicht, dass es zu derartigen Vorfällen tatsächlich schon gekommen war. So findet sich beispielsweise im *Prager Tagblatt* vom 31. Dezember 1899 – da ging Kafka noch aufs Gymnasium – die folgende Notiz:

*** **Kleine Localnachrichten.** **Ein gefährlicher Bittsteller.** Der beschäftigungslose Taglöhner Joseph Kafka aus Rotok bei Časlau kam vorgestern Mittags in die Unfallversicherungsanstalt und verlangte eine Unterstützung. Da er mit seinem Ansuchen abgewiesen wurde, beschimpfte er die Beamten, warf mit den Stühlen herum, und als die Diener herbeieilten, bedrohte er sie mit seinem Taschenmesser. Es wurde ein Sicherheitswachmann geholt, worauf es erst gelang, ihm das Messer zu entreißen. Der Mann wurde dem Sicherheitsdepartement der Polizeidirection eingeliefert.

Ob Franz und Joseph Kafka weitläufig miteinander verwandt waren, lässt sich nicht mehr feststellen. Immerhin wurden beide nach dem regierenden Kaiser Österreich-Ungarns benannt, ebenso wie der Angeklagte Josef K. in Kafkas *Process*, dem Beleidigung, Sachbeschädigung und Nötigung freilich ganz fern lagen.

51 Kafka lacht den Präsidenten aus

Ich kann auch lachen, Felice, zweifle nicht daran, ich bin sogar als grosser Lacher bekannt, doch war ich in dieser Hinsicht früher viel närrischer als jetzt. Es ist mir sogar passiert, dass ich in einer feierlichen Unterredung mit unserem Präsidenten – es ist schon zwei Jahre her wird aber in der Anstalt als Legende mich überleben – zu lachen angefangen habe; aber wie! Es wäre zu umständlich, Dir die Bedeutung dieses Mannes darzustellen, glaube mir also, dass sie sehr gross ist, und dass ein normaler Anstaltsbeamter sich diesen Mann nicht auf der Erde, sondern in den Wolken vorstellt. Und da wir im allgemeinen nicht viel Gelegenheit haben mit dem Kaiser zu reden, so ersetzt dieser Mann dem normalen Beamten – ähnlich ist es ja in allen grossen Betrieben – das Gefühl einer Zusammenkunft mit dem Kaiser. Natürlich haftet auch diesem Mann, wie jedem in ganz klare allgemeine Beobachtung gestellten Menschen, dessen Stellung nicht ganz dem eigenen Verdienste entspricht, genug Lächerlichkeit an, aber sich durch eine solche Selbstverständlichkeit, durch diese Art Naturerscheinung, gar in der Gegenwart des grossen Mannes zum Lachen verleiten lassen, dazu muss man schon gottverlassen sein. Wir – zwei Kollegen und ich – waren damals gerade zu einem höhern Rang erhoben worden und hatten uns in feierlichem schwarzen Anzug beim Präsidenten zu bedanken, wobei ich nicht zu sagen vergessen darf, dass ich aus besonderem Grunde dem Präsidenten von vornherein zu besonderem Dank verpflichtet bin. Der würdigste von uns dreien – ich war der jüngste – hielt die Dankrede, kurz, vernünftig, schneidig wie das seinem Wesen entsprach. Der Präsident hörte in seiner gewöhnlichen, bei feierlichen Gelegenheit gewählten, ein wenig an die Audienzhaltung unseres Kaisers erinnernden, tatsächlich (wenn man will und nicht anders kann) urkomischen Stellung zu. Die Beine leicht gekreuzt, die linke Hand zur Faust geballt auf die äusserste

Tischecke gelegt, den Kopf gesenkt so dass sich der weisse Vollbart auf der Brust einbiegt und zu alledem den nicht allzu grossen aber immerhin vortretenden Bauch ein wenig schaukelnd. Ich muss damals in einer sehr unbeherrschbaren Laune gewesen sein, denn diese Stellung kannte ich schon zur Genüge und es war gar nicht nötig, dass ich, allerdings mit Unterbrechungen, kleine Lachanfälle bekam, die sich aber noch leicht als Hustenreiz erklären liessen, zumal der Präsident nicht aufsah. Auch hielt mich die klare Stimme meines Kollegen, der nur vorwärts blickte und meinen Zustand wohl bemerkte, ohne sich aber von ihm beeinflussen zu lassen, noch genug im Zaum. Da hob aber der Präsident nach Beendigung der Rede meines Kollegen das Gesicht und nun packte mich für einen Augenblick ein Schrecken ohne Lachen, denn nun konnte er ja auch meine Mienen sehn und leicht feststellen, dass das Lachen, das mir zu meinem Leidwesen aus dem Munde kam, durchaus kein Husten war. Als er aber seine Rede anfieng, wieder diese übliche, längst vorher bekannte, kaiserlich schematische, von schweren Brusttönen begleitete, ganz und gar sinnlose und unbegründete Rede, als mein Kollege durch Seitenblicke mich, der ich mich ja gerade zu beherrschen suchte, warnen wollte und mich gerade dadurch lebhaft an den Genuss des frühern Lachens erinnerte, konnte ich mich nicht mehr halten und alle Hoffnung schwand mir, dass ich mich jemals würde halten können. Zuerst lachte ich nur zu den kleinen hie und da eingestreuten zarten Spässchen des Präsidenten; während es aber Gesetz ist, dass man zu solchen Spässchen nur gerade in Respekt das Gesicht verzieht, lachte ich schon aus vollem Halse, ich sah wie meine Kollegen aus Furcht vor Ansteckung erschraken, ich hatte mit ihnen mehr Mitleid als mit mir, aber ich konnte mir nicht helfen, dabei suchte ich mich nicht etwa abzuwenden oder die Hand vorzuhalten, sondern starrte immerzu dem Präsidenten in meiner Hilflosigkeit ins Gesicht, unfähig das Gesicht wegzuwenden, wahrscheinlich in einer gefühlsmässigen Annahme, dass nichts besser, alles nur schlechter werden könne und dass es daher am besten sei, jede Veränderung zu vermeiden. Natürlich lachte ich dann, da ich nun schon einmal im Gange war, nicht mehr bloss über die gegenwärtigen Spässchen, sondern auch über die vergangenen und die zukünftigen und über alle zusammen und kein Mensch wusste mehr, worüber ich eigentlich lache; eine allgemeine Verlegenheit fieng an, nur der Präsident war noch verhältnismässig unbeteiligt, als grosser Mann, der an

Vielerlei in der Welt gewöhnt ist und dem übrigens die Möglichkeit der Respektlosigkeit vor seiner Person gar nicht eingehn kann. Wenn wir in diesem Zeitpunkt herausgeschlüpft wären, der Präsident kürzte auch vielleicht seine Rede ein wenig ab, wäre noch alles ziemlich gut abgelaufen, mein Benehmen wäre zwar zweifellos unanständig gewesen, diese Unanständigkeit wäre aber nicht offen zur Sprache gekommen und die Angelegenheit wäre, wie dies mit solchen scheinbar unmöglichen Dingen öfters geschieht, durch stillschweigendes Übereinkommen unserer vier, die wir beteiligt waren, erledigt gewesen. Nun fieng aber zum Unglück der bisher nicht erwähnte Kollege (ein fast 40jähriger Mann mit rundem kindischen aber bärtigen Gesicht, dabei ein fester Biertrinker) eine kleine ganz unerwartete Rede an. Im Augenblick war es mir vollständig unbegreiflich, er war ja schon durch mein Lachen ganz aus der Fassung gebracht gewesen, hatte mit vor verhaltenem Lachen aufgeblähten Wangen dagestanden und – jetzt fieng er eine ernste Rede an. Nun war das aber bei ihm gut verständlich. Er hat ein so leeres hitziges Temperament, ist imstande, von allen anerkannte Behauptungen leidenschaftlich endlos zu vertreten und die Langweile dieser Reden wäre ohne das Lächerliche und Sympathische ihrer Leidenschaft unerträglich. Nun hatte der Präsident in aller Harmlosigkeit irgendetwas gesagt, was diesem Kollegen nicht ganz passte, ausserdem hatte er, vielleicht durch den Anblick meines schon ununterbrochenen Lachens beeinflusst, ein wenig daran vergessen wo er sich befand, kurz er glaubte, es sei der richtige Augenblick gekommen, mit seinen besondern Ansichten hervorzutreten und den (gegen alles, was andere reden, natürlich zum Tode gleichgültigen) Präsidenten zu überzeugen. Als er also jetzt mit schwingenden Handbewegungen etwas (schon im Allgemeinen und hier insbesondere) Läppisches daherredete, wurde es mir zu viel, die Welt, die ich bisher immerhin im Schein vor den Augen gehabt hatte, vergieng mir völlig und ich stimmte ein so lautes rücksichtsloses Lachen an, wie es vielleicht in dieser Herzlichkeit nur Volksschülern in ihren Schulbänken gegeben ist. Alles verstummte und nun war ich endlich mit meinem Lachen anerkannter Mittelpunkt. Dabei schlotterten mir natürlich vor Angst die Knie, während ich lachte, und meine Collegen konnten nun ihrerseits nach Belieben mitlachen, die Grässlichkeit meines solange vorbereiteten und geübten Lachens erreichten sie ja doch nicht und blieben vergleichsweise unbemerkt. Mit der rechten Hand meine Brust schlagend, zum

Teil im Bewusstsein meiner Sünde (in Erinnerung an den Versöhnungstag) zum Teil um das viele verhaltene Lachen aus der Brust herauszutreiben, brachte ich vielerlei Entschuldigungen für mein Lachen vor, die vielleicht alle sehr überzeugend waren, aber infolge neuen immer dazwischenfahrenden Lachens gänzlich unverstanden blieben. Nun war natürlich selbst der Präsident beirrt und nur in dem solchen Leuten schon mit allen seinen Hilfsmitteln eingeborenen Gefühl alles möglichst abzurunden, fand er irgend eine Phrase, die meinem Heulen irgend eine menschliche Erklärung gab, ich glaube eine Beziehung zu einem Spass, den er vor langer Zeit gemacht hatte. Dann entliess er uns eilig. Unbesiegt, mit grossem Lachen, aber totunglücklich stolperte ich als erster aus dem Saal.

Otto Přibram
(1844–1917)

Der Vorfall, den Kafka in diesem Brief an Felice Bauer Anfang 1913 schildert, ist datierbar auf den 28. April 1910; an diesem Tag wurde er in der Arbeiter-Unfall-Versicherungs-Anstalt über seine Beförderung zum ›Concipisten‹ offiziell belehrt. Warum Kafka das eigene Verhalten gegenüber seinem höchsten Vorgesetzten, dem 65jährigen Professor und Hofrat Otto Přibram, so überaus peinlich war, deutet er hier nur an: Er schreibt, er sei »aus besonderem Grunde dem Präsidenten von vornherein zu besonderem Dank verpflichtet«. Das ist eine Anspielung auf die Umstände, denen es Kafka verdankte, dass er im Juli 1908 in die Versicherungsbehörde überhaupt aufgenommen wurde. Der Präsident der Anstalt war nämlich der Vater seines Schulfreundes Ewald Přibram, und nur diese persönliche Beziehung, also Přibrams Fürsprache, machte es möglich, dass Kafka als jüdischer Bewerber eine Chance erhielt.

52 Das Publikum flüchtet, Kafka bleibt

Bernhard Kellermann hat vorgelesen: einiges ungedruckte aus meiner Feder, so fieng er an. Scheinbar ein lieber Mensch, fast graues stehendes Haar, mit Mühe glatt rasiert, spitze Nase, über die Backenknochen geht das Wangenfleisch oft wie eine Welle auf und ab. Er ist ein mittelmässiger Schriftsteller mit guten Stellen (ein Mann geht auf den Korridor hinaus, hustet und sieht herum, ob niemand da ist) auch ein ehrlicher Mensch, der lesen will, was er versprochen hat, aber das Publikum liess ihn nicht, aus Schrecken über die erste Nervenheilanstaltgeschichte, aus Langweile über die Art des Vorlesens giengen die Leute trotz schlechter Spannungen der Geschichte immerfort einzeln weg mit einem Eifer, als ob nebenan vorgelesen werde. Als er nach dem ⅓ der Geschichte ein wenig Mineralwasser trank, gieng eine ganze Menge Leute weg. Er erschrak. Es ist gleich fertig, log er einfach. Als er fertig war, stand alles auf, es gab etwas Beifall, der so klang als wäre mitten unter allen den stehenden Menschen einer sitzen geblieben und klatschte für sich. Nun wollte aber Kellermann noch weiterlesen eine andere Geschichte, vielleicht noch mehrere. Gegen den Aufbruch öffnete er nur den Mund. Endlich nachdem er beraten worden war sagte er: Ich möchte noch gerne ein kleines Märchen vorlesen, das nur 15 Minuten dauert. Ich mache 5 Minuten Pause. Einige blieben noch, worauf er ein Märchen vorlas, das Stellen hatte, die jeden berechtigt hätten, von der äussersten Stelle des Saales mitten durch und über alle Zuhörer hinauszurennen.

Der Schriftsteller Bernhard Kellermann (1879–1951) ist heute vor allem als Autor des mehrfach verfilmten Science-fiction-Romans *Der Tunnel* (1913) in Erinnerung, eines der spektakulärsten Bucherfolge des frühen 20. Jahrhunderts. Zuvor war Kellermann eher als Verfasser impressionistisch getönter Prosa bekannt.

Die Lesung in Prag, die Kafka wenige Stunden nach der Hochzeitsfeier seiner Schwester Elli vermutlich ohne Begleitung besuchte, fand am Sonntag, den 27. November 1910 um 17 Uhr im Spiegelsaal des Deutschen Kasinos statt. Bemerkenswert ist, dass er als einer der wenigen Zuhörer bis zum Ende ausharrte – offenbar in der für ihn charakteristischen Mischung aus Höflichkeit, Mitleid und Neugier. Seine Eindrücke notierte er noch am selben Abend.

Die Besprechung Ludwig Steiners im *Prager Tagblatt* des folgenden Tages bestätigt im wesentlichen Kafkas Schilderung: »Leider hatte der Dichter den sonderbaren Ehrgeiz, ihre [der Zuhörer] Geduld auf eine ziemlich harte Probe zu stellen. Auf seinem Programm stand eine umfängliche Prosa-Arbeit, deren Vorlesung beträchtlich mehr als eine Stunde in Anspruch nahm. [...] Daher kam es, daß nach einstündiger Lesung das Publikum zuerst tropfenweise aus dem Saal sickerte, dann in breiterem Fluß hinausströmte und der Schluß nur noch von einem Rest der Hörerschaft mit ehrerbietigem Applaus – wenn man so sagen darf – begrüßt wurde.«

Bei der »Prosa-Arbeit« handelte es sich um die Erzählung *Die Heiligen*, die im Juni 1911 in der *Neuen Rundschau* publiziert wurde. Das von Kellermann als Zugabe gelesene Märchen *Die Geschichte von der verlorenen Wimper der Prinzessin* wurde erst 1979 aus seinem Nachlass veröffentlicht.

53 Slapstick im Gericht

Man erzählt zum Beispiel folgende Geschichte, die sehr den Anschein der Wahrheit hat. Ein alter Beamter, ein guter stiller Herr, hatte eine schwierige Gerichtssache, welche besonders durch die Eingaben des Advokaten verwickelt worden war, einen Tag und eine Nacht ununterbrochen studiert – diese Beamten sind tatsächlich fleissig wie niemand sonst. Gegen Morgen nun, nach vierundzwanzigstündiger wahrscheinlich nicht sehr ergiebiger Arbeit, ging er zur Eingangstür, stellte sich dort in Hinterhalt und warf jeden Advokaten, der eintreten wollte, die Treppe hinunter. Die Advokaten sammelten sich unten auf dem Treppenabsatz und berieten, was sie tun sollten. Einerseits haben sie keinen eigentlichen Anspruch darauf, eingelassen zu werden, können daher rechtlich gegen den Beamten kaum etwas unternehmen und müssen sich, wie schon erwähnt, auch hüten, die Beamtenschaft gegen sich aufzubringen. Andererseits aber ist jeder nicht bei Gericht verbrachte Tag für sie verloren, und es lag ihnen also viel daran einzudringen. Schliesslich einigten sie sich darauf, dass sie den alten Herrn ermüden wollten. Immer wieder wurde ein Advokat ausgeschickt, der die Treppe hinauf lief und sich dann unter möglichstem, allerdings passivem Widerstand hinunterwerfen liess, wo er dann von den Kollegen aufgefangen wurde. Das dauerte etwa eine Stunde, dann wurde der alte Herr, er war ja auch von der Nachtarbeit schon erschöpft, wirklich müde und ging in seine Kanzlei zurück. Die unten wollten es zuerst gar nicht glauben und schickten zuerst einen aus, der hinter der Tür nachsehn sollte, ob dort wirklich leer war. Dann erst zogen sie ein und wagten wahrscheinlich nicht einmal zu murren.

Die Szene aus dem Roman *Der Process* ist eines der Beispiele dafür, dass Kafka auch in seinen vielfach als düster oder fatalistisch empfundenen Hauptwerken typische Motive des Slapstick einbaute, die er sehr wahrscheinlich dem frühen Stummfilm abgeschaut hatte. Derartige Szenen einer körperlich agierenden Komik gibt es auch im *Verschollenen* und selbst im *Schloss*-Roman, obwohl Kafka, als er dieses späte Werk verfasste, bei weitem nicht mehr so häufig ins Kino ging wie noch vor dem Krieg.

54 Der Kampf der Hände

Meine zwei Hände begannen einen Kampf. Das Buch in dem ich gelesen hatte, klappten sie zu und schoben es bei Seite, damit es nicht störe. Mir salutierten sie und ernannten mich zum Schiedsrichter. Und schon hatten sie die Finger ineinander verschränkt und schon jagten sie am Tischrand hin, bald nach rechts bald nach links je nach dem Überdruck der einen oder der andern. Ich liess keinen Blick von ihnen. Sind es meine Hände, muss ich ein gerechter Richter sein, sonst halse ich mir selbst die Leiden eines falschen Schiedsspruchs auf. Aber mein Amt ist nicht leicht, im Dunkel zwischen den Handtellern werden verschiedene Kniffe angewendet, die ich nicht unbeachtet lassen darf, ich drücke deshalb das Kinn an den Tisch und nun entgeht mir nichts. Mein Leben lang habe ich die Rechte, ohne es gegen die Linke böse zu meinen, bevorzugt. Hätte doch die Linke einmal etwas gesagt, ich hätte, nachgiebig und rechtlich wie ich bin, gleich den Missbrauch eingestellt. Aber sie muckste nicht, hing an mir hinunter und während etwa die Rechte auf der Gasse meinen Hut schwang, tastete die Linke ängstlich meinen Schenkel ab. Das war eine schlechte Vorbereitung zum Kampf, der jetzt vor sich geht. Wie willst Du auf die Dauer, linkes Handgelenk, gegen diese gewaltige Rechte Dich stemmen? Wie Deine mädchenhaften Finger in der Klemme der fünf andern behaupten? Das scheint mir kein Kampf mehr, sondern natürliches Ende der Linken. Schon ist sie in die äusserste linke Ecke des Tisches gedrängt, und an ihr regelmässig auf und nieder schwingend wie ein Maschinenkolben die Rechte. Bekäme ich angesichts dieser Not nicht den erlösenden Gedanken, dass es meine eigenen Hände sind, die hier im Kampf stehn und dass ich sie mit einem leichten Ruck von einander wegziehn kann und damit Kampf und Not beenden – bekäme ich diesen Gedanken nicht, die Linke wäre aus dem Gelenk gebrochen vom Tisch geschleudert und dann vielleicht die

Rechte in der Zügellosigkeit des Siegers wie der fünfköpfige Höllenhund mir selbst ins aufmerksame Gesicht gefahren. Statt dessen liegen die zwei jetzt übereinander, die Rechte streichelt den Rücken der Linken, und ich unehrlicher Schiedsrichter nicke dazu.

Das offenbar abgeschlossene, jedoch titellose und von Kafka nicht veröffentlichte Prosastück findet sich im sogenannten ›Oktavheft D‹. Es entstand im April 1917 sehr wahrscheinlich in dem von seiner Schwester Ottla angemieteten Häuschen in der Alchimistengasse auf dem Prager Hradschin.

Der letzte Satz lautete im Manuskript zunächst: »Statt dessen liegen die zwei jetzt übereinander, die Rechte streichelt den Rücken der Linken, dann wird das Buch wieder vorgenommen und einträchtig gehalten.«

55 Die Ratte im Palais

Im Sommer einmal ging ich mit Ottla Wohnung suchen, an die Möglichkeit wirklicher Ruhe glaubte ich nicht mehr, immerhin ich ging suchen. Wir sahen einiges auf der Kleinseite an, immerfort dachte ich, wenn doch in einem der alten Palais irgendwo in einem Bodenwinkel ein stilles Loch wäre, um sich dort endlich in Frieden auszustrecken. Nichts, wir fanden nichts Eigentliches. Zum Spass fragten wir in dem kleinen Gässchen nach. Ja, ein Häuschen wäre im November zu vermieten. Ottla, die auch, aber in ihrer Art, Ruhe sucht, verliebte sich in den Gedanken, das Haus zu mieten. Ich in meiner eingeborenen Schwäche riet ab. Dass auch ich dort sein könnte, daran dachte ich kaum. So klein, so schmutzig, so unbewohnbar, mit allen möglichen Mängeln. Sie bestand aber darauf, liess es, als es von der grossen Familie, die drin gewohnt hatte, ausgeräumt war, ausmalen, kaufte paar Rohrmöbel (ich kenne keinen bequemeren Stuhl als diesen), hielt es und hält es als Geheimnis vor der übrigen Familie.

Ab Ende November 1916 und den ganzen folgenden Winter nutzte Kafka das winzige von Ottla gemietete Häuschen in der Alchimistengasse auf dem Hradschin als Schreibstube. Dennoch suchte er weiter nach einer eigenen Wohnung und erhielt noch im November das Angebot, im Palais Schönborn auf der Kleinseite eine Zwei-Zimmer-Wohnung mit Bad zu übernehmen. Zunächst erschien ihm das als »die Erfüllung eines Traumes«, doch dann waren ihm die »überhohen kalten Zimmer zu prachtvoll« – es herrschte

DAS URTEIL

EINE GESCHICHTE

VON

FRANZ KAFKA

Meiner Hausherrin
die Ratte vom Palais Schönborn

24/XII 16

LEIPZIG

KURT WOLFF VERLAG

1916

Kohlennot –, und er war auch nicht bereit, den geforderten Abstand von mehr als einer Jahresmiete zu zahlen. Im Frühjahr 1917 bezog er dann im selben Palais eine etwas weniger prächtige Wohnung, zu der allerdings ein wiederum »riesenhaft großes« Zimmer gehörte.

Als Kafka seiner Schwester Ottla gleichsam zum Einstand ein Exemplar von *Das Urteil* auf dem Tischchen in der Alchimistengasse hinterließ, stand er noch ganz unter dem Eindruck der Räume im Palais Schönborn. Ottla war mit diesem Umstand natürlich vertraut, als sie die selbstironische Widmung las: »Meiner Hausherrin. Die Ratte vom Palais Schönborn. 24./XI 16«. Als sie stolz ihrem Geliebten davon berichtete, unterschlug sie jedoch die Ratte, die den gestrengen Josef David sicherlich befremdet hätte.

Der Vorgang ist ein charakteristisches Beispiel dafür, wie sich in Kafkas Wahrnehmung Metaphern verselbständigen. Gewiss lag es nahe, dass er sich in den Palastzimmern, die ihm anmuteten »wie etwa in Versailles«, mit seiner Vorliebe für Tiervergleiche als Ratte imaginierte, als ungebetener Besucher, dessen Körper nicht zur Behausung passt. Doch als er im Februar 1917 in einem Brief an Felice Bauer die Geschichte der Wohnungssuche ausführlich erzählte, da schien es ihm, als habe er von vornherein schon »in einem der alten Palais irgendwo in einem Bodenwinkel ein stilles Loch« gesucht. Und schließlich gefunden.

56 Kafka hat Angst vor Mäusen

[an Felix Weltsch]

Lieber Felix, der erste grosse Fehler von Zürau: eine Mäusenacht, ein schreckliches Erlebnis. Ich selbst bin ja unangetastet und mein Haar ist nicht weisser als gestern, aber es war doch das Grauen der Welt. Schon früher hatte ich es hie und da (ich muss jeden Augenblick das Schreiben unterbrechen, Du wirst den Grund noch erfahren) hie und da in der Nacht zart knabbern gehört, einmal war ich sogar zitternd aufgestanden und habe nachgesehn, es hörte dann gleich auf – diesmal aber war es ein Aufruhr. Was für ein schreckliches stummes lärmendes Volk das ist. Um 2 Uhr wurde ich durch ein Rascheln bei meinem Bett geweckt und von da an hörte es nicht auf bis zum Morgen. Auf die Kohlenkiste hinauf, von der Kohlenkiste hinunter, die Diagonale des Zimmers abgelaufen, Kreise gezogen, am Holz genagt, im Ruhen leise gepfiffen und dabei immer das Gefühl der Stille, der heimlichen Arbeit eines gedrückten proletarischen Volkes, dem die Nacht gehört. Um mich gedanklich zu retten, lokalisierte ich den Hauptlärm beim Ofen, den die Länge des Zimmers von mir trennt, aber es war überall, am schlimmsten, wenn einmal ein ganzer Haufen irgendwo gemeinsam hinuntersprang. Ich war gänzlich hilflos, nirgends in meinem ganzen Wesen ein Halt, aufstehn, anzünden wagte ich nicht, das Einzige waren einige Schreie, mit denen ich sie einzuschüchtern versuchte. So verging die Nacht, am Morgen konnte ich vor Ekel und Traurigkeit nicht aufstehn, blieb bis 1 Uhr im Bett und spannte das Gehör, um zu hören, was eine Unermüdliche den ganzen Vormittag über im Kasten zum Abschluss dieser Nacht oder zur Vorbereitung der nächsten arbeitete. Jetzt habe ich die Katze, die ich im Geheimen seit jeher hasse in mein Zimmer genommen, oft muss ich sie verjagen, wenn sie auf meinen

Schooss springen will (Schreibunterbrechung); verunreinigt sie sich, muss ich das Mädchen aus dem Erdgeschoss holen; ist sie brav (die Katze) liegt sie beim Ofen und beim Fenster kratzt unzweideutig eine vorzeitig erwachte Maus. Alles ist mir heute verdorben, selbst der gute dumpfe Geruch und Geschmack des Hausbrotes ist mäusig. […]

Meine Gesundheit ist recht gut, vorausgesetzt, dass die Mäusefurcht der Tuberkulose nicht zuvor kommt.

[an Max Brod]

Lieber Max nur Zufall, dass ich erst heute antworte und eben auch die Zimmer- Licht- und Mäuseverhältnisse. Aber mit Nervosität und einem Stadt-Dorf-Austausch hat das nichts zu tun. Das was ich gegenüber den Mäusen habe, ist platte Angst. Auszuforschen woher sie kommt, ist Sache der Psychoanalytiker, ich bin es nicht. Gewiss hängt sie wie auch die Ungezieferangst mit dem unerwarteten, ungebetenen, unvermeidbaren, gewissermassen stummen, verbissenen, geheimabsichtlichen Erscheinen dieser Tiere zusammen, mit dem Gefühl dass sie die Mauern ringsherum hundertfach durchgraben haben und dort lauern, dass sie sowohl durch die ihnen gehörige Nachtzeit als auch durch ihre Winzigkeit so fern uns und damit noch weniger angreifbar sind. Besonders die Kleinheit gibt einen wichtigen Angstbestandteil ab, die Vorstellung z. B. dass es ein Tier geben sollte, das genau so aussehn würde wie das Schwein, also an sich belustigend, aber so klein wäre wie eine Ratte und etwa aus einem Loch im Fussboden schnaufend herauskäme – das ist eine entsetzliche Vorstellung.

Seit paar Tagen habe ich einen recht guten wenn auch nur provisorischen Ausweg gefunden. Ich lasse die Katze während der Nacht im leeren Nebenzimmer, verhüte dadurch die Verunreinigung meines Zimmers (schwer ist sich in dieser Hinsicht mit einem Tier zu verständigen. Es scheinen lediglich Missverständnisse zu sein, denn die Katze weiss infolge von Schlägen und verschiedenen sonstigen Aufklärungen, dass die Verrichtung der Notdurft etwas unbeliebtes ist und der Ort dafür sorgfältig ausgesucht werden muss. Wie macht sie es also? Sie wählt z. B. einen Ort, der dunkel ist, der mir ferner ihre Anhänglichkeit beweist und ausserdem natürlich auch für sie Annehmlichkeiten hat. Von der Menschenseite aus gesehn ist dieser Ort zufällig das Innere meines Pantof-

fels. Also ein Missverständnis und solcher gibt es soviele als Nächte und Bedürfnisse) und die Möglichkeit des Bettsprungs, habe aber doch die Beruhigung, wenn es schlimm werden sollte, die Katze einlassen zu können. Diese letzten Nächte waren auch ruhig, wenigstens gab es keine ganz eindeutigen Mäuseanzeichen. Dem Schlaf nützt es allerdings nicht, wenn man einen Teil der Katzenaufgabe selbst übernimmt, mit gespitzten Ohren und Feueraugen aufrecht oder vorgebeugt im Bett horcht, aber so war es nur in der ersten Nacht, es wird schon besser.

Ich erinnere mich an die besonderen Fallen, von denen Du mir schon öfter erzählt hast; die sind aber wohl jetzt nicht zu haben, auch will ich sie eigentlich nicht. Fallen locken ja sogar noch an und rotten nur die Mäuse aus, die sie totschlagen. Katzen dagegen vertreiben die Mäuse schon durch die blosse Anwesenheit, vielleicht sogar schon durch die blossen Ablagerungen, weshalb auch diese nicht ganz zu verachten sind. Auffallend war es besonders in der ersten Katzennacht, welche auf die grosse Mäusenacht folgte. Es war zwar noch nicht ganz »mäuschenstill« aber keine lief mehr herum, die Katze sass, verdüstert wegen des ihr aufgezwungenen Lokalwechsels im Winkel beim Ofen und rührte sich nicht, aber es genügte, es war wie die Anwesenheit des Lehrers, nur noch geschwätzt wurde hie und da in den Löchern.

Du schreibst so wenig von Dir, ich räche mich mit den Mäusen.

57 Mensch und Schwein

Auf dem Bild ist er [Varieté-Direktor Ignaz Rolf Wagner] entwaffnend, selbst das vor sich Ausspeien übernimmt er noch, wie seine Lippenstellung in Bild und Wirklichkeit zeigt; Sie deuten das scheinbare Lächeln falsch. Übrigens ist er nicht ganz und gar einzig, wie Sie zu glauben scheinen. Ich will ihn durch den Vergleich mit einem Schwein gar nicht beschimpfen, aber an Merkwürdigkeit, Entschiedenheit, Selbstvergessenheit, Süssigkeit und was noch zu seinem Amt gehört, steht er in der Weltordnung vielleicht doch mit dem Schwein in einer Reihe. Haben Sie schon ein Schwein in der Nähe so genau angesehn, wie Wagner? Es ist erstaunlich. Das Gesicht, ein Menschengesicht, bei dem die Unterlippe über das Kinn hinunter, die Oberlippe, unbeschadet der Augen- und Nasenlöcher bis zur Stirn hinaufgestülpt ist. Und mit diesem Maul-Gesicht wühlt das Schwein tatsächlich in der Erde. Das ist ja an sich selbstverständlich und das Schwein wäre merkwürdig, welches das nicht täte, aber Sie müssen das mir, der es jetzt öfters neben sich gesehn hat, glauben: noch merkwürdiger ist es, das es das tut. Man sollte doch meinen, um irgendeine Feststellung vorzunehmen, genüge es, wenn man das Fragliche mit dem Fuss betastet oder dazu riecht oder im Notfall es in der Nähe beschnuppert – nein, das alles genügt ihm nicht, vielmehr, das Schwein hält sich damit gar nicht auf, sondern fährt gleich und kräftig mit dem Maul hinein und ist es in etwas Ekelhaftes hineingefahren – rings um mich liegen die Ablagerungen meiner Freunde, der Ziegen und Gänse – schnaufts vor Glück. Und – das vor allem erinnert mich irgendwie an Wagner – das Schwein ist am Körper nicht schmutzig, es ist sogar nett (ohne dass allerdings diese Nettigkeit appetitlich wäre) es hat elegante, zart auftretende Füsse und beherrscht seinen Körper irgendwie aus einem einzigen Schwung heraus, – nur eben sein edelster Teil, das Maul, ist unrettbar schweinisch.

Sie sehen liebe Frau Elsa auch wir in Zürau haben unser »Lucerna« und ich wäre glücklich, wenn ich Ihnen zum Dank für das Wagnerbild einen Schinken unseres Schweinchens schicken könnte, aber erstens gehört's mir nicht und zweitens nimmt es bei allem Wohlleben so langsam zu, dass es zu unserer (Ottlas und meiner) Freude noch lange nicht geschlachtet werden kann.

Kafka schrieb diesen Brief an Elsa Brod, die Ehefrau von Max Brod, Anfang Oktober 1917. Er lebte zu dieser Zeit – zum Unverständnis all seiner Freunde – auf einem kleinen Bauernhof im nordwestböhmischen Dorf Zürau (Siřem), den seine Schwester Ottla mühsam bewirtschaftete.

Elsa Brod hatte ihm in einem Brief sehr ausführlich von einem Abend im Prager Kabarett ›Lucerna‹ berichtet und auch ein Porträt des damaligen Direktors beigelegt, des Komikers Ignaz Rolf Wagner. In früheren Jahren hatte auch Kafka das ›Lucerna‹ regelmäßig besucht, und so diente die Schilderung des Unterhaltungsprogramms wohl insgeheim dem Zweck, Kafka an die Lockungen des Stadtlebens zu erinnern und ihn zur Rückkehr nach Prag zu bewegen. Die Komik seiner Antwort besteht also nicht nur im spielerischen Vergleich von Mensch und Schwein, sondern auch darin, dass er ausgerechnet einen Exponenten des städtischen Nachtlebens mit bäuerlichen Assoziationen ausstattet.

58 Gespräch unter Bauern

Eben habe ich vor meinem Balkon ein landwirtschaftliches Gespräch gehört, das auch den Vater interessiert hätte. Ein Bauer gräbt aus einer Grube Rübenschnitte aus. Ein Bekannter, der offenbar nicht sehr gesprächig ist, geht nebenan auf der Landstrasse vorüber. Der Bauer grüsst, der Bekannte in der Meinung, ungestört vorbeigehn zu können, antwortet freundlich: »Awua« Aber der Bauer ruft ihm nach, dass er hier feines Sauerkraut habe, der Bekannte versteht nicht genau, dreht sich um und fragt verdriesslich: »Awua?« Der Bauer wiederholt die Bemerkung. Jetzt verstehts der Bekannte, »Awua« sagt er und lächelt verdriesslich. Weiter hat er aber nichts zu sagen, grüsst noch mit »Awua!« und geht. – Es ist hier viel zu hören vom Balkon.

Als Kafka im Februar 1919 Zeuge dieses »Gesprächs« wurde, lag er – fest eingewickelt in Decken – auf einem Balkon der Pension Stüdl in Schelesen (Želízy), einem Dorf nördlich von Prag. Die Arbeiter-Unfall-Versicherungs-Anstalt, in der Kafka angestellt war, hatte ihm wegen seiner Tuberkuloseerkrankung einen neuerlichen mehrmonatigen Erholungsurlaub genehmigt.

Die Adressatin der Mitteilung, Kafkas jüngste Schwester Ottla, befand sich zu dieser Zeit im nordböhmischen Friedland, um eine landwirtschaftliche Ausbildung zu absolvieren. Es erging ihr dort nicht sonderlich gut: Zwar bewältigte sie den Unterrichtsstoff und bestand auch das abschließende Examen; doch sie litt unter der Mangelversorgung, die in den deutschböhmischen Grenzgebieten noch lange nach dem Krieg anhielt, und sie war dem Unverständnis und dem Drängen der Eltern ausgesetzt, die sie immer wieder zur Rückkehr nach Prag aufforderten. Vor allem litt sie darunter, dass ihr Vater auf jede Erwähnung landwirtschaftlicher Themen mit Verachtung reagierte; für ihn war es unbegreiflich, dass Ottla nicht dem Vorbild ihrer beiden Schwestern folgte, das heißt, sich auf eine städtische Existenz als Hausfrau und Mutter vorbereitete. Dass Hermann Kafka sich an dem belauschten Gespräch hätte erheitern können, ist daher zweifelhaft.

59 Versuch, Kafka in den Fluss zu werfen

Sie sind sehr sonderbar Frau Milena, Sie leben dort in Wien, müssen dies und jenes leiden und haben dazwischen noch Zeit sich zu wundern, dass es andern, etwa mir nicht besonders gut geht und dass ich eine Nacht ein wenig schlechter schlafe als die vorige. Da hatten meine hiesigen 3 Freundinnen (3 Schwestern, die älteste 5 Jahre alt) eine vernünftigere Auffassung, sie wollten mich bei jeder Gelegenheit ob wir beim Fluss waren oder nicht, ins Wasser werfen undzwar nicht etwa deshalb weil ich ihnen etwas Böses getan hatte, durchaus nicht. Wenn Erwachsene Kindern so drohen, so ist das natürlich Scherz und Liebe und bedeutet etwa: Jetzt wollen wir zum Spass einmal das Allerallerunmöglichste sagen. Aber Kinder sind ernst und kennen keine Unmöglichkeit, zehnmaliges Misslingen des Hinunterwerfens wird sie nicht überzeugen können, dass es nächstens nicht gelingen wird, ja sie wissen nicht einmal dass es in den zehn Fällen vorher nicht gelungen ist. Unheimlich sind Kinder, wenn man ihre Worte und Absichten ausfüllt mit dem Wissen des Erwachsenen. Wenn eine solche kleine Vierjährige, die zu nichts da zu sein scheint, als sie zu küssen und an sich zu drücken, dabei stark wie ein kleiner Bär, noch ein wenig bauchig aus den alten Säuglingszeiten her gegen einen losgeht und die zwei Schwestern helfen ihr rechts und links und hinter sich hat man nur schon das Geländer und der freundliche Kinder-Vater und die sanfte schöne dicke Mutter (beim Wägelchen ihres vierten) lächeln von der Ferne dem zu und wollen gar nicht helfen, dann ist es fast zu ende und es ist kaum möglich zu beschreiben wie man doch gerettet wurde. Vernünftige oder ahnungsvolle Kinder, wollten mich hinunterwerfen ohne besonderen Grund, vielleicht weil sie mich für überflüssig hielten und kannten doch nicht einmal Ihre Briefe und meine Antworten.

Die Passage stammt aus einem der ersten der zahlreichen Briefe, die Kafka aus Meran, wo er 1920 seine Tuberkulose zu kurieren versuchte, an seine in Wien lebende Übersetzerin Milena Jesenská schrieb. Ob sie die Episode kommentierte, ist nicht bekannt; ihre Antwortbriefe wurden entweder von Kafka vernichtet oder nach seinem Tod an die Adressatin zurückgegeben.

Meran, Passerpromenade

Illusionen

Wie Kafka und Brod beinahe zu Millionären wurden

60

Während einer gemeinsamen Ferienreise über Lugano und Mailand nach Paris (August/September 1911) verfielen Kafka und Max Brod auf die Idee, einen neuen Typ von Reiseführern zu schaffen. »Er sollte ›Billig‹ heißen«, erinnerte sich Brod. »Franz war unermüdlich und hatte eine kindische Freude daran, die Prinzipien dieses Typs, der uns zu Millionären machen und vor allem der scheußlichen Amtsarbeit entreißen sollte, bis in alle Feinheiten auszubauen. Ich habe dann allen Ernstes mit Verlegern über unsere ›Reform der Reisehandbücher‹ Korrespondenz gepflogen. Die Verhandlungen scheiterten daran, daß wir das kostbare Geheimnis ohne einen Riesenvorschuß nicht preisgeben wollten.«

Tatsächlich belegt ein Brief Kafkas an Brod, der fast ein Jahr später verfasst wurde, dass beide zu diesem Zeitpunkt noch immer an die Verwirklichung ihres Plans dachten. Nachdem Brod mit Ernst Rowohlt mündlich über verschiedene publizistische Projekte verhandelt und Kafka darüber berichtet hatte, monierte dieser: »vom Billig schreibst Du nichts.«

Vermutlich in den ersten Septembertagen 1911 entwarfen Kafka und Brod in Lugano das folgende Memo, das auf Briefpapier des Hotels Belvédère au Lac und in der Handschrift Brods überliefert ist:

Unser Millionenplan ›Billig‹

Ein Millionenunternehmen.

Billig durch Italien, Billig durch die Schweiz, Billig in Paris – Billig durch die Böhmischen Kurorte und in Prag.

In alle Sprachen übersetzbar.

Motto: Nur Mut.

*Unser demokratisches Zeitalter hat gewissermaßen unbemerkt alle Bedingungen für ein leichtes und allgemeines Reisen schon ausgebildet. Diese zu sammeln und systematisch bekannt zu machen ist unsere Aufgabe. – Bisher praktische Erkundigungen und praktische Ratschläge (Berliner Tageblatt) bei Freunden. Vereinzelt, zufällig, bald vergessen – das wenige sehr nützlich, wie sich jeder erinnern wird. In den Führern erstaunlich wenig hierüber. Ein schwacher Ansatz ist der * bei Bädeker und die Bemerkung »gelobt« – oft enttäuschend.*

Was heißt »billig«. – Viele Nüancen. Wir grenzen ab gegen die Palasthotels und den protzigen unbeholfenen Mittelstand. – Auch nach unten. – Wir wenden uns an die, die das Reisen irrtümlich oder, weil schlecht beraten, für zu kostspielig halten und in den (an sich schönen, aber schon bekannten) Umgebungen der Heimatstädte bleiben. Wir wollen so billige Aufenthalte wie diese Sommerfrischen in der ganzen Welt nachweisen – eventuell auch noch die Reise einkalkulieren.

Auch jene, die eine Reise wagen und denen das Rechnen, Kalkulieren das Reisen verdirbt – und (pardon!) jene, die hineinfallen. – Das zufällige Hineinfallen ist bisher als ständiger Faktor zu rechnen gewesen, dem Lande oft zugeschrieben. Italien, Paris. So heben wir auch den Ruf der Länder. – Verständigung der Nationen.

Erzieherisches Moment der Energie für die ganze Person.

Betrogen werden nur schlecht orientierte Reisende.

Derselbe Genuß um weniger Geld. Consommation im Monico.

II

Exaktheit, Begrenztheit. Die Wahl soll erspart werden. – Eine Route zu 400, 500 Francs u. s. f.

Prinzip der Gesellschaftsreisen, aber solo. Vergleich mit Selbstunterrichtsbriefen.

Keine Gesammtgeographie, sondern Routen.

Wir nennen nur ein *Hotel, falls dies besetzt in absteigender Reihenfolge andere.*

Falls Tramway, nennen wir nicht die Droschke.

Wir empfehlen eine präzise Zeit zur Reise.

Ebenso einfach: Ärzte, …

[Das Folgende von Kafkas Hand:] *Nicht rasch oder langsam Reisende, sondern eine bestimmte Mittelgruppe. Abweichungen sind leichter möglich, da immer an ein Praecises angeschlossen werden kann.*

Genaue Trinkgelder.

[Wieder von Brods Hand:] *Nicht pedantisch: wir raten z. B. zum Trinkgeld an Bademeister – Fernrohr auf dem Rigi –*

Zu den Routen: nichts wiederholt sich. Nur eine Drahtseilbahn, aber die Beste! –

Auszug aus dem Eisenbahnkourier.

Was auf die Reise mitnehmen?

III

Wir bringen mehr. Der kurze »Allgemeine Teil« in andern Führern.

Kleidung.

Bordelle. Vor Bauernfängern bewahrt. (N. B. Charakter der Offenheit in unserm Führer.)

Reiseandenken.

Billige Einkäufe z. B. Seide in Italien; Ananas, Madeleines, Austern in Paris.

Keine Angst vor falschem Geld.

Freikonzerte.

Einkalkulierung billiger Tage (Gemäldegallerie) nach teuren Fahrten.

Wo bekommt man Freikarten wie ein Einheimischer.

Dampfer zweiter Klasse.

Keine Angst vor der 3. Klasse in Italien. Volkscharakter.

Reform der Karten und Pläne?

Erklärung der Spielsäle, Verluste.

Gratis-Pläne der Verkehrsbüros, ihre Kritik in unserem Führer, das andere kann man glauben.

ad III.

Was an Regentagen zu machen ist. Eventuell am letzten Tag.

Bildergallerie, am billigen Tag. Nur wenige wichtige Bilder.

Diese aber gründlich (Kunstwart-Art) volkserzieherisch.

Billige gute Plätze in den Theatern, sonst nur den Habitués bekannt.

Aussteigen auf dem Dampfer.

IV

Controlle der empfohlenen Hotels durch eine Organisation.

Wir übernehmen die Instruktion der Autoren, die Durchsicht ihrer Elaborate, Stichproben.

N. B. Wie ist Baedeker organisiert?

Flugblätter zu 10 Pfennig, jedes 2. Jahr etwa, 5 Bons in den Büchern.

Warnung vor Ansichtskarten, Beschränkung auf die 12 beigelegten (?)

V

Sprachführer aus dem Grunde, weil durch die Kenntnis der Sprache viel Geld erspart wird.

Ausgabe mit und ohne Führer, für die, welche die Sprache kennen.

Unser Prinzip: es ist unmöglich, eine Sprache vollständig zu erlernen. Man muß sich daher mit derjenigen Stufe begnügen, welche am wenigs-

ten Mühe macht und doch genügt. Besser genügt als schlechtes Sprechen der gründlich studierten Sprache und Nachdenken über Regeln. – Nebeneinanderstellung der Infinitive. – 200 Vokabeln. – Eine Art Esperanto. – Zeichensprache in Italien. – Aussprache gründlich – Weiterlernen nicht behindert. – Französisch von uns. – Das Wichtigste über den Schweizer Dialekt.

Man kauft sich einen »Billig«.

VI

Ausstattung.

61 Kafka träumt vom Olympiasieg

Der grosse Schwimmer! Der grosse Schwimmer! riefen die Leute. Ich kam von der Olympiade in X, wo ich einen Weltrekord im Schwimmen erkämpft hatte. Ich stand auf der Freitreppe des Bahnhofes meiner Heimatsstadt – wo ist sie? – und blickte auf die in der Abenddämmerung undeutliche Menge. Ein Mädchen dem ich flüchtig über die Wange strich, hängte mir flink eine Schärpe um, auf der in einer fremden Sprache stand: Dem olympischen Sieger. Ein Automobil fuhr vor, einige Herren drängten mich hinein, zwei Herren fuhren auch mit, der Bürgermeister und noch jemand. Gleich waren wir in einem Festsaal, von der Gallerie herab sang ein Chor, als ich eintrat, alle Gäste, es waren hunderte, erhoben sich und riefen im Takt einen Spruch den ich nicht genau verstand. Links von mir sass ein Minister, ich weiss nicht warum mich das Wort bei der Vorstellung so erschreckte, ich mass ihn wild mit den Blicken, besann mich aber bald, rechts sass die Frau des Bürgermeisters, eine üppige Dame, alles an ihr, besonders in der Höhe der Brüste, erschien mir voll Rosen und Straussfedern. Mir gegenüber sass ein dicker Mann mit auffallend weissem Gesicht, seinen Namen hatte ich bei der Vorstellung überhört, er hatte die Elbogen auf den Tisch gelegt – es war ihm besonders viel Platz gemacht worden – sah vor sich hin und schwieg, rechts und links von ihm sassen zwei schöne blonde Mädchen, lustig waren sie, immerfort hatten sie etwas zu erzählen und ich sah von einer zur andern. Weiterhin konnte ich trotz der reichen Beleuchtung die Gäste nicht scharf erkennen, vielleicht weil alles in Bewegung war, die Diener umherliefen, die Speisen gereicht, die Gläser gehoben wurden, vielleicht war alles sogar allzusehr beleuchtet. Auch war eine gewisse Unordnung – die einzige übrigens – die darin bestand dass einige Gäste, besonders Damen, mit dem Rücken zum Tisch gekehrt sassen undzwar so, dass nicht etwa die Rückenlehne des Sessels dazwi-

schen war, sondern der Rücken den Tisch fast berührte. Ich machte die Mädchen mir gegenüber darauf aufmerksam, aber während sie sonst so gesprächig waren, sagten sie diesmal nichts, sondern lächelten mich nur mit langen Blicken an. Auf ein Glockenzeichen – die Diener erstarrten zwischen den Sitzreihen – erhob sich der Dicke gegenüber und hielt eine Rede. Warum nur der Mann so traurig war! Während der Rede betupfte er mit dem Taschentuch das Gesicht, das wäre ja hingegangen, bei seiner Dicke, der Hitze im Saal, der Anstrengung des Redens wäre das verständlich gewesen, aber ich merkte deutlich, dass das Ganze nur eine List war, die verbergen sollte, dass er sich die Tränen aus den Augen wischte. Nachdem er geendet hatte, stand natürlich ich auf und hielt auch eine Rede. Es drängte mich geradezu zu sprechen, denn manches schien mir hier und wahrscheinlich auch anderswo der öffentlichen und offenen Aufklärung bedürftig, darum begann ich:

Geehrte Festgäste! Ich habe zugegebener massen einen Weltrekord, wenn Sie mich aber fragen würden wie ich ihn erreicht habe, könnte ich Ihnen nicht befriedigend antworten. Eigentlich kann ich nämlich gar nicht schwimmen. Seitjeher wollte ich es lernen, aber es hat sich keine Gelegenheit dazu gefunden. Wie kam es nun aber, dass ich von meinem Vaterland zur Olympiade geschickt wurde? Das ist eben auch die Frage die mich beschäftigt. Zunächst muss ich feststellen, dass ich hier nicht in meinem Vaterland bin und trotz grosser Anstrengung kein Wort von dem verstehe was hier gesprochen wird. Das naheliegendste wäre nun an eine Verwechslung zu glauben, es liegt aber keine Verwechslung vor, ich habe den Rekord, bin in meine Heimat gefahren, heisse so wie Sie mich nennen, bis dahin stimmt alles, von da ab aber stimmt nichts mehr, ich bin nicht in meiner Heimat, ich kenne und verstehe Sie nicht. Nun aber noch etwas, was nicht genau, aber doch irgendwie der Möglichkeit einer Verwechslung widerspricht: es stört mich nicht sehr, dass ich Sie nicht verstehe und auch Sie scheint es nicht sehr zu stören, dass Sie mich nicht verstehen. Von der Rede meines geehrten Herrn Vorredners glaube ich nur zu wissen dass sie trostlos traurig war, aber dieses Wissen genügt mir nicht nur, es ist mir sogar noch zuviel. Und ähnlich verhält es sich mit allen Gesprächen, die ich seit meiner Ankunft hier geführt habe. Doch kehren wir zu meinem Weltrekord zurück

Entstanden ist dieses Fragment wahrscheinlich am 28. August 1920 in Prag. Es ist überliefert im sogenannten ›Konvolut 1920‹, das aus 51 losen Blättern besteht.

Bemerkenswert sind die von Kafka am Anfang des Textes vorgenommenen Korrekturen. Statt »Ich kam von der Olympiade in X, wo ich einen Weltrekord im Schwimmen« hieß es im Manuskript zunächst: »Ich kam von der Olympiade in Antwerpen, wo ich den Weltrekord im Schwimmen über 1500«.

Die Olympischen Sommerspiele des Jahres 1920 fanden tatsächlich in Antwerpen statt, die Finals der Schwimmwettbewerbe vom 24.–26. August. Das bedeutet, dass Kafka das Fragment wohl sofort nach Bekanntwerden der Resultate niederschrieb. Sieger über 1500 m sowie 400 m Freistil wurde der 24jährige US-Amerikaner Norman Ross, der anschließend über 100 m Freistil (siehe Abbildung) disqualifiziert wurde …

Das Vorbild: Norman Ross auf Bahn 3

62 Kafka lässt sich in den April schicken

Am 1. April 1921 erschien im Feuilleton der angesehenen Brünner Zeitung *Lidové Noviny* ein Artikel mit der Überschrift ›Léčení tuberkulosy Einsteinovým principem relativity?‹ (›Behandlung der Tuberkulose nach dem Einstein'schen Relativitätsprinzip?‹). Darin wurde berichtet, ein Berliner »Professor Dr. med. F. Wergeist« habe vorgeschlagen, die von Einstein bewiesene Veränderung der Längenmaße bei bewegten Körpern zur Heilung Tuberkulosekranker auszunutzen: Auf einem Schiff, das ständig nach Osten fährt, würden die Patienten zunehmen (was damals als wesentliche Voraussetzung der Heilung betrachtet wurde). Weiterhin sei es zu einer wissenschaftlichen Kontroverse mit einem Münchener »Professor Kropfmeier« gekommen, der eine andere Fahrtrichtung für bekömmlicher hielt. Wergeist habe daraufhin eine konkrete Route ausgearbeitet, die ein allmähliches Zu- und Abnehmen ermöglicht: Triest, Suez-Kanal, Indischer Ozean, Stiller Ozean, Panama-Kanal, Kanarische Inseln. In Prag sei bereits eine Firma gegründet worden, welche die entsprechenden Sanatoriumsschiffe in Betrieb nehmen wird. Es sei vorgesehen, Patienten, die sich die Anti-Tuberkulose-Fahrten nicht leisten können, mit Stipendien zu unterstützen.

Als dieser makabre Unsinn publiziert wurde, befand sich der tuberkulosekranke Kafka bereits seit mehreren Monaten im Kurort Matliary in der Hohen Tatra (Slowakei). Von dort berichtete er seiner Schwester Ottla über den Artikel; er selbst sei Anfang April von einem Darmkatarrh so geschwächt gewesen, »dass ich wirklich ein, zwei Stunden daran glaubte«. Ein Mitpatient sei sogar hoffnungsfroh mit der Zeitung zum Arzt gelaufen.

Kafka versuchte nun seinerseits, Ottlas Ehemann Josef (›Pepa‹) David mit diesem Artikel hereinzulegen: einen ehrgeizigen tschechischen Bankbeamten, der sich auf seine Bildung einiges zugutehielt. Ottla solle ihm das Feuilleton vorlegen; halte er die Sache für aussichtsreich, dann möge er sich bitte erkundigen, wo man Plätze auf den Sanatoriumsschiffen bekommt und wie teuer die Fahrt ist.

Obwohl Kafka in seinem Brief deutlich genug darauf hinwies, dass es sich um die Ausgabe vom 1. April handelte, war der Erfolg durchschlagend: Nicht nur Ottla und Josef David glaubten die Geschichte, sondern die gesamte Familie Kafka. Als sich die Aufregung nicht legen wollte, musste Kafka schließlich die Notbremse ziehen:

Die Mutter [...] schreibt mir heute wieder wegen der Schiffe. Beim Hereinfall in Aprilscherze seit Ihr wirklich sehr hartnäckig, dabei hatte ich es mehr auf Pepa abgesehn, aber Ihr wolltet ihn nicht allein lassen. Ich fürchte mich nur immerfort, dass Ihr Euch aus mir einen Spass macht.

63 Wie Kafka beinahe einen Literaturpreis bekam

Kafka hat zu seinen Lebzeiten keinen einzigen Literaturpreis erhalten. Einmal immerhin wurde ihm ein Preis indirekt zuerkannt, gleichsam über Bande.

Es war im Herbst 1915, als vom Schutzverband Deutscher Schriftsteller zum dritten Mal der ›Fontane-Preis für den besten modernen Erzähler‹ vergeben wurde. Alleiniger Juror war Franz Blei, der sich für eine ebenso raffinierte wie komplizierte Lösung entschied: Er sprach den Preis seinem wohlhabenden Freund Carl Sternheim zu, forderte diesen aber gleichzeitig auf, das Preisgeld in Höhe von 800 Mark öffentlich an Kafka weiterzureichen. Nachdem Sternheim die wenigen gedruckten Texte Kafkas gelesen hatte, erklärte er sich einverstanden.

Vermutlich war es der Zweck dieses Coups, gleich zwei Autoren des Kurt Wolff Verlags ins Gespräch zu bringen, und der Verlag nutzte die Gelegenheit, indem er, beinahe überstürzt, Kafkas Erzählung *Die Verwandlung* als Buch veröffentlichte. Da Kurt Wolff als Offizier Kriegsdienst leistete, musste er allerdings die Autorenkorrespondenz seinem Stellvertreter Georg Heinrich Meyer überlassen, und dieser verhielt sich gegenüber Kafka nicht eben taktvoll. Die 800 Mark werden weitergeleitet, schrieb Meyer, da »man einem Millionär nicht gut einen Geldpreis geben kann«. Und Kafka sei nun »der reine Hans im Glück«, bekomme er doch überdies 350 Mark für die Buchausgabe der *Verwandlung*.

Kafka indessen hatte sich seine erste öffentliche Anerkennung ein wenig anders vorgestellt. Ihn kränkte nicht nur

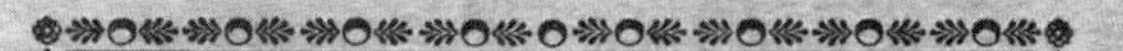

Der Fontane-Preis 1915

Carl Sternheim ist der Fontanepreis für seine drei Erzählungen „Busekow", „Napoleon" und „Schuhlin" verliehen worden. Der Dichter nahm die ihm durch die Preiserteilung zugedachte Ehrung an und gab die mit dem Preise verbundene Preissumme an den jungen Prager Erzähler Franz Kafka für dessen Bücher „Der Heizer" und „Die Verwandlung" weiter als ein Zeichen seiner Anerkennung.

Von Franz Kafka erschienen:

Der Heizer
Eine Erzählung. Geheftet M –.80, gebunden M 1.50

Die Verwandlung
Eine Novelle. Geheftet M 1.60, gebunden M 2.50

Betrachtung
Geheftet M 2.50, gebunden in Halbleder M 4.50

Aus einigen Besprechungen:

März, München: Ich könnte mir sehr gut einen denken, dem diese Bücher in die Hände fallen, und der von Stund an sein ganzes Leben ändert, ein neuer Mensch wird.

Berliner Tageblatt: Ein merkwürdig großes, merkwürdig feines Buch eines genial-zarten Dichters!

Neue Freie Presse, Wien: Die Vorgänge sind in einem Stil von solcher Reinheit, anmutiger Kadenz der Silben, Präzision und Reife dargestellt, daß man nur klassische Vorbilder heranziehen dürfte.

National-Zeitung: Über diesen fünfzig Seiten liegt eine Glut, eine sommerliche Fülle sondergleichen. Nichts ist nebensächlich, kein Satz, kaum ein Wort steht im Schatten.

Deutsche Montagszeitung, Berlin: Es ist schwer, ein Buch anzuzeigen, von dem man eben noch wie von einem Wunder getroffen worden ist.

Zu beziehen durch alle Buchhandlungen

Kurt Wolff Verlag / Leipzig

Poeschel & Trepte, Leipzig

Anzeige auf der letzten Seite der *Weißen Blätter*, Dezember 1915 die Mitteilung des Verlags, die ausschließlich mit finanziellen Vorteilen argumentierte, sondern vor allem auch die Tatsache, dass es nicht Sternheim selbst war, der ihn mit einem anerkennenden Schreiben unterrichtete. Kafka musste dazu überredet werden, das Geld anzunehmen; und seiner Pflicht, sich bei den Spendern zu bedanken, entledigte er sich mit hörbarem Widerwillen. An Meyer schrieb er: »es ist nicht ganz leicht jemandem zu schreiben, von dem man keine direkte Nachricht bekommen hat, und ihm zu danken, ohne genau zu wissen wofür.«

64 Kein Trinkgeld für Kafka

Nicht immer war mir in der letzten Zeit so schlecht, es war auch schon zeitweilig sehr gut, mein Hauptehrentag war aber etwa vor einer Woche. Ich mache in meiner ganzen Ohnmacht den endlosen Bassin-Rundspaziergang auf der Schwimmschule, es war schon gegen Abend, viele Leute waren nicht mehr dort, aber immerhin noch genug, da kommt der zweite Schwimmeister, der mich nicht kennt, mir entgegen, sieht sich um als ob er jemanden sucht, bemerkt dann mich, wählt mich offenbar und fragt: Chtěl byste si zajezdit? [Möchten Sie eine Fahrt machen?] Es war da nämlich ein Herr, der von der Sophieninsel heruntergekommen war und sich auf die Judeninsel hinüberfahren lassen wollte, irgendein grosser Bauunternehmer glaube ich; auf der Judeninsel werden grosse Bauten gemacht. Nun muss man ja die ganze Sache nicht übertreiben, der Schwimmeister sah mich armen Jungen und wollte mir die Freude einer geschenkten Bootfahrt machen, aber immerhin musste er doch mit Rücksicht auf den grossen Bauunternehmer einen Jungen aussuchen, der genügend zuverlässig war sowohl hinsichtlich seiner Kraft, als auch seiner Geschicklichkeit, als auch hinsichtlich dessen, dass er nach Erledigung des Auftrages das Boot nicht zu unerlaubten Spazierfahrten benutzt, sondern gleich zurückkommt. Das alles also glaubte er in mir zu finden. Der grosse Trnka (der Besitzer der Schwimmschule, von dem ich Dir noch erzählen muss) kam hinzu und fragte ob der Junge schwimmen könne. Der Schwimmeister, der mir wahrscheinlich alles ansah, beruhigte ihn. Ich hatte überhaupt kaum ein Wort gesprochen. Nun kam der Passagier und wir fuhren ab. Als artiger Junge sprach ich kaum. Er sagte, dass es ein schöner Abend sei, ich antwortete: ano [ja] dann sagte er, dass es aber schon kühl sei, ich sagte: ano, schliesslich sagte er, dass ich sehr rasch fahre, da konnte ich vor Dankbarkeit nichts mehr sagen. Natürlich fuhr ich in bestem Stil bei der Ju-

deninsel vor, er stieg aus, dankte schön, aber zu meiner Enttäuschung hatte er das Trinkgeld vergessen (ja, wenn man kein Mädchen ist) Ich fuhr schnurgerade zurück. Der grosse Trnka war erstaunt, dass ich so bald zurück war. – Nun, so aufgebläht vor Stolz war ich schon lange nicht wie an diesem Abend, ich kam mir Deiner um ein ganz winziges Stückchen, aber doch um ein Stückchen mehr wert vor als sonst. Seitdem warte ich jeden Abend auf der Schwimmschule ob nicht wieder ein Passagier kommt, aber es kommt keiner mehr.

Zum Zeitpunkt dieses anekdotischen Erlebnisses, im Sommer 1920, war Kafka bereits 37 Jahre alt, wurde jedoch wegen seines mageren, knabenhaften Körpers offenbar von gleich mehreren Personen für einen Jugendlichen gehalten. Als noch kurioser erscheint der Vorfall, bedenkt man, dass Kafka nicht nur promovierter Jurist und Abteilungsleiter, sondern auch ein sehr geübter Schwimmer und Ruderer war, der jahrelang sogar ein eigenes Boot auf der Moldau besaß – keineswegs selbstverständlich zu einer Zeit, da noch viele Erwachsene Nichtschwimmer waren und Rudern als unbürgerlich galt.

Allerdings hatte die Geschichte auch einen makabren Zug, wie der Adressatin des Briefs, Milena Jesenská, sicherlich bewusst war. Denn seit drei Jahren litt Kafka an Lungentuberkulose, und bereits beim schnellen Gehen machte sich diese Krankheit mit Atemnot bemerkbar. Das flotte Rudern muss für Kafka äußerst strapaziös gewesen sein, und dass er sich während der Überfahrt mit seinem Passagier nicht unterhalten konnte, ist daher nicht verwunderlich.

Die ›Schwimmschule‹ war eine von Kafka häufig aufgesuchte öffentliche Flussbadeanstalt an der Sophieninsel (heute Slovanský ostrov), die ›Judeninsel‹ (heute Dětský ostrov) liegt unmittelbar gegenüber am linken Ufer der Moldau. Der »Hauptehrentag« spielt darauf an, dass Milena Jesenská am Tag dieses Briefes 24 Jahre alt wurde; der kleine Seitenhieb wegen des Trinkgelds (»ja, wenn man kein Mädchen ist«) bezieht sich darauf, dass Milena als Gepäckträgerin am Wiener Westbahnhof gute Trinkgelder bekommen hatte.

65 Selbstgespräch des Onkel Franz

Selbstgespräch des Onkel Franz
Ist es nicht zu schade ein
gar so schönes Buch der Gerti
zum Geburtstag zu schenken?
Nein, denn erstens ist sie
ein ausgezeichnetes Mädchen und
zweitens wird sie das Buch einmal
hier vergessen und dann kann
man es sich wieder zurücknehmen

Widmung Kafkas an Gerti Hermann, das zweite Kind seiner Schwester Elli und deren Ehemann Karl Hermann.

Der Text wurde niedergeschrieben auf dem zweiten Vorsatzblatt eines Exemplars von: Ludwig Bechstein, *Ausgewählte Märchen.* Mit Bildern nach den Ludwig Richter'schen Originalholzschnitten im Erstdruck. I. Sammlung. München (Phoebus Verlag) 1919.

Gerti Hermann, die am 8. November 1912 geboren wurde, hat demnach dieses Geschenk von »Onkel Franz« frühestens zu ihrem 7. Geburtstag erhalten. Die Märchensammlung fand sich später in Kafkas kleiner Bibliothek, in die sie vermutlich erst nach seinem Tod geraten war. Gerti Hermann starb im Jahr 1972. – Siehe auch das Fundstück 93: ›Erinnerungen an Onkel Franz‹.

Selbstgespräch des Onkel Franz

Ist es nicht zu schade ein gar so schönes Buch der Gerti zum Geburtstag zu schenken?

Nein denn erstens ist sie ein ausgezeichnetes Mädchen und zweitens wird sie das Buch einmal hier vergessen und dann kann man es sich wieder zurücknehmen

66 Kafka erfindet den Anrufbeantworter

Es wird eine Verbindung zwischen dem Telephon und dem Parlographen erfunden, was doch wirklich nicht so schwer sein kann. Gewiss meldest Du mir schon übermorgen, dass es gelungen ist. Das hätte natürlich ungeheuere Bedeutung für Redaktionen, Korrespondenzbureaux u. s. w. Schwerer, aber wohl auch möglich, wäre eine Verbindung zwischen Grammophon und Telephon. Schwerer deshalb, weil man ja das Grammophon überhaupt nicht versteht und ein Parlograph nicht um deutliche Aussprache bitten kann. Eine Verbindung zwischen Grammophon und Telephon hätte ja auch keine so grosse allgemeine Bedeutung, nur für Leute, die, wie ich, vor dem Telephon Angst haben, wäre es eine Erleichterung. Allerdings haben Leute wie ich auch vor dem Grammophon Angst und es ist ihnen überhaupt nicht zu helfen. Übrigens ist die Vorstellung ganz hübsch, dass in Berlin ein Parlograph zum Telephon geht und in Prag ein Grammophon und diese zwei eine kleine Unterhaltung mit einander führen. Aber Liebste die Verbindung zwischen Parlograph und Telephon muss unbedingt erfunden werden.

Obwohl Kafka befangen und skeptisch im Umgang mit neuesten technischen Geräten blieb – vor allem dann, wenn sie sich in die soziale Kommunikation einmischten –, war er doch stets fasziniert von Menschen, die solche Geräte routiniert zu handhaben wussten. Dazu zählte auch seine Verlobte Felice Bauer, die in der Berliner Carl Lindström AG für den Vertrieb des ›Parlographen‹ zuständig war, eines Diktiergeräts. In einem wenige Sekunden dauernden Film, den Lindström zu Werbezwecken produzierte und als

›Daumenkino‹ verbreitete, ist zu sehen, wie Felice Bauer gleichzeitig mit Parlograph und Schreibmaschine arbeitet (siehe Abbildungen).

Kafkas Idee aus dem Jahr 1913, Telefon und Diktiergerät zu kombinieren, konnte Felice Bauer schon deshalb nicht verwerten, weil diese Verbindung bereits realisiert und patentiert war – inklusive der Funktionen des Anrufbeantworters. Seit 1900 gab es den von dem Ingenieur Ernest O. Kumberg erfundenen ›Telephonographen‹, und in Meyers Konversationslexikon von 1909 wird das in Dänemark hergestellte ›Telegraphon‹ beschrieben. Diese Geräte waren jedoch recht umständlich zu bedienen und fanden keine große Verbreitung. Der erste auch für private Haushalte geeignete Anrufbeantworter, das ›Isophon‹, kam erst in den fünfziger Jahren zum Einsatz.

67 Kafka fälscht eine Unterschrift (I)

Im Goethehaus zu Weimar, das er Anfang Juli 1912 gemeinsam mit Max Brod besichtigte, verliebte sich Kafka in Margarethe Kirchner, die 16jährige Tochter des Hausmeisters. Obwohl mehrere Rendezvous mit ihr nicht eben erfolgversprechend verlaufen waren, kam es nach Kafkas Abreise noch zum Austausch von Postkarten. – Aus Jungborn im Harz, wo Kafka sich anschließend zur Kur aufhielt, schrieb er an Brod:

Du hast das Fräulein Kirchner für dumm gehalten. Nun schreibt sie mir aber 2 Karten, die mindestens aus einem unteren Himmel der deutschen Sprache kommen. Ich schreibe sie wörtlich ab:

Sehr geehrter Herr Dr. Kafka!

Für die liebenswürdige Sendung der Karten und freundliches Gedenken, erlaube mir Ihnen besten Dank zu sagen. Auf dem Ball habe ich mich gut amüsiert, bin erst mit meinen Eltern morgens ½ 5 Uhr nach Hause gekommen. Auch war der Sonntag in Tiefurt ganz nett. Sie fragen, ob es mir Vergnügen macht, Karten von Ihnen zu erhalten; darauf kann ich nur erwidern, dass es mir und meinen Eltern eine große Freude sein wird, von Ihnen zu hören. Sitze so gern im Garten am Pavillon und gedenke Ihrer. Wie geht es Ihnen? Hoffentlich gut. Ein herzliches Lebewohl und freundliche Grüße von mir und meinen Eltern sendet

Margarethe Kirchner

Es ist bis auf die Unterschrift nachgebildet. Nun? Bedenke vor allem, dass diese Zeilen von Anfang bis zu Ende Litteratur sind. Denn wenn ich ihr nicht unangenehm bin, wie es mir sehr vorkam, so bin ich ihr doch gleichgültig wie ein Topf. Aber warum schreibt sie dann so, wie ich es wünsche? Wenn es wahr wäre, dass man Mädchen mit der Schrift binden kann!

Wie das Faksimile zeigt, versuchte Kafka die Unterschrift »Margarethe Kirchner« in der fremden Handschrift nachzuahmen.

Obwohl er ihre Karte für »Litteratur« hielt (und das heißt in diesem Kontext: Lüge, Verstellung, Maske), scheint er ihr nochmals geantwortet zu haben, denn noch vor seiner Abreise aus Jungborn sandte sie ihm einen Brief mit drei Fotografien (die leider nicht mehr auffindbar sind). Dennoch vermied es Kafka, auf der Rückreise nach Prag den Weg über Weimar zu nehmen: offenbar, um sich nicht der Versuchung auszusetzen, dort auszusteigen.

68 Kafka fälscht eine Unterschrift (II)

Seine Besuche im Weimarer Goethehaus, in Goethes Gartenhaus und im Goethe-Schiller-Archiv, die Kafka im Juli 1912 gemeinsam mit Max Brod absolvierte, nahm er auffallenderweise gleich zweimal zum Anlass, um Unterschriften nachzuahmen: einmal die Unterschrift Margarethe Kirchners, in die er sich verliebt hatte (siehe Fundstück 67), daneben aber auch die Unterschrift eines anderen, schon damals sehr prominenten Besuchers: Thomas Mann.

Kafkas Versuch findet sich auf einem Notizblock, den er während der Reise nach Weimar benutzte und auf dem er überwiegend Stichworte notierte, teilweise in stenographischer Schrift. Obwohl zu vermuten ist, dass er die Unterschrift Thomas Manns in einem der Gästebücher gesehen hatte, die an den Weimarer Goethe-Orten auslagen, konnte diese Originalunterschrift bisher nicht aufgefunden werden. Wahrscheinlich betrachtete Kafka jedoch seinen Versuch als misslungen, denn er strich den nachgeahmten Schriftzug wieder aus.

Die Abbildungen zeigen die von Kafka selbst durchgestrichene ›Fälschung‹ sowie den digital rekonstruierten Schriftzug Kafkas ohne die Streichung.

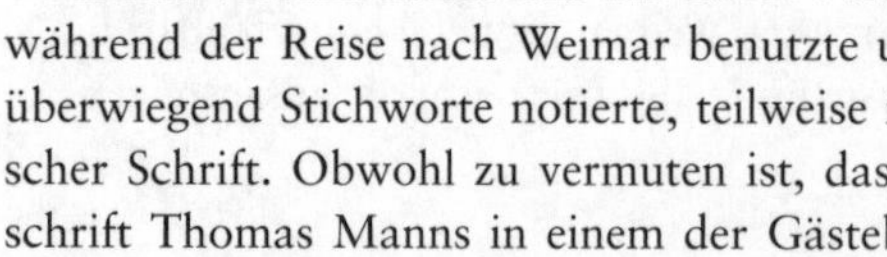

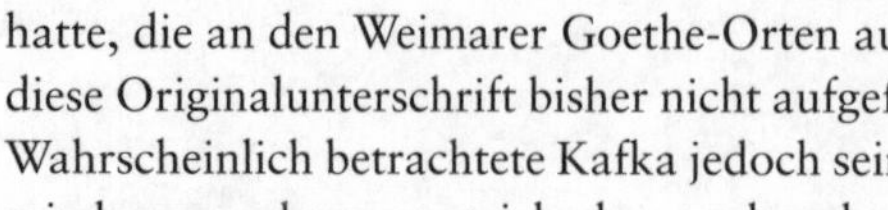

69 Das phantastische Stubenmädchen

Als Dank für das schöne Buch, das ich Ihrer gütigen Vergesslichkeit verdanke, erlaube ich mir Ihnen dieses vielleicht noch schönere Buch zu überreichen, das Sie gewiss zu seiner Zeit auch in irgendeinem passenden Hotelnachttisch liegen zu lassen belieben werden.

Mögen Sie, gutes Fräulein, so fortfahren, Freude zu verbreiten unter uns armen Stubenmädchen.

Die Anna vom Schützenhaus

Karlsbad
19.II 19

Eines der zahlreichen philologischen Rätsel, die Kafka hinterlassen hat, denn die Adressatin dieser Zeilen ist unbekannt. Es handelt sich um eine Widmung, unzweifelhaft in Kafkas Handschrift, eingetragen in einen schmalen Band: Ludwig Richter, *Beschauliches und Erbauliches*. Ausgewählt und eingeleitet von Georg Jacob Wolf. Mit 29 Bildern. Delphin-Verlag, München o. J. (1.-30. Tausend), erschienen 1918/19.

In Kafkas Umgebung kommen – soweit wir wissen – nur drei »Fräuleins« in Frage, für die eine solche vertraulich-humoristische Widmung bestimmt gewesen sein könnte: seine spätere Geliebte Julie Wohryzek, seine Schwester Ottla und seine 30jährige Cousine Irma, die mit Ottla eng befreundet war und die lange im Galanteriewarengeschäft Hermann Kafkas arbeitete.

Am angegebenen Datum 19. Februar 1919 hielten sich Kafka und Julie Wohryzek in einer Pension in Schelesen nördlich von Prag auf; dort hatten sie sich wenige Wochen zuvor kennengelernt. Doch gegen Julie als Adressatin spricht, dass das Buch im Nachlass Ottlas überliefert wurde.

Ottla selbst befand sich zu diesem Zeitpunkt im nordböhmischen Friedland, um an einer Landwirtschaftsschule einen Kursus zu absolvieren. Da sie sich mitten in Prüfungsvorbereitungen befand, kann sie Kafka nicht in Schelesen besucht haben. Denkbar wäre, dass ihr Kafka das kartonierte Bändchen, das bequem in einen Briefumschlag passte, nach Friedland schickte. Allerdings lässt sich für die Monate zuvor kein Aufenthalt Ottlas in Karlsbad nachweisen.

Ob Irma Kafka im fraglichen Zeitraum im ›Grand-Hotel Schützenhaus‹ in Karlsbad logierte, wissen wir ebenfalls nicht. Sollte sie die Adressatin gewesen sein, so wäre immerhin plausibel, warum das Buch in den Besitz Ottlas überging. Denn Irma starb bereits drei Monate später, am 29. Mai, an der Spanischen Grippe. Und Ottla bewahrte alles, was von der Hand ihres Bruders stammte.

70 Kafka als Ghostwriter

Als wir in Berlin waren, ging Kafka oft in den Steglitzer Park. Ich begleitete ihn manchmal. Eines Tages trafen wir ein kleines Mädchen, das weinte und ganz verzweifelt zu sein schien. Wir sprachen mit dem Mädchen. Franz fragte es nach seinem Kummer, und wir erfuhren, daß es seine Puppe verloren hatte. Sofort erfindet er eine plausible Geschichte, um dieses Verschwinden zu erklären: »Deine Puppe macht nur gerade eine Reise, ich weiß es, sie hat mir einen Brief geschickt.« Das kleine Mädchen ist etwas mißtrauisch: »Hast du ihn bei dir?« »Nein, ich habe ihn zu Haus liegen lassen, aber ich werde ihn dir morgen mitbringen.« Das neugierig gewordene Mädchen hatte seinen Kummer schon halb vergessen, und Franz kehrte sofort nach Hause zurück, um den Brief zu schreiben.

Er machte sich mit all dem Ernst an die Arbeit, als handelte es sich darum, ein Werk zu schaffen. Er war in demselben gespannten Zustand, in dem er sich immer befand, sobald er an seinem Schreibtisch saß, ob er nun einen Brief oder eine Postkarte schrieb. Es war übrigens eine wirkliche Arbeit, die ebenso wesentlich war wie die anderen, weil das Kind um jeden Preis vor der Enttäuschung bewahrt und wirklich zufriedengestellt werden wußte. Die Lüge mußte also durch die Wahrheit der Fiktion in Wahrheit verwandelt werden. Am nächsten Tag trug er den Brief zu dem kleinen Mädchen, das ihn im Park erwartete. Da die Kleine nicht lesen konnte, las er ihr den Brief laut vor. Die Puppe erklärte darin, daß sie genug davon hätte, immer in derselben Familie zu leben, sie drückte den Wunsch nach einer Luftveränderung aus, mit einem Wort, sie wolle sich von dem kleinen Mädchen, das sie sehr gern hätte, für einige Zeit trennen. Sie versprach, jeden Tag zu schreiben – und Kafka schrieb tatsächlich jeden Tag einen Brief, indem er immer wieder von neuen Abenteuern berichtete, die sich dem besonderen Le-

bensrhythmus der Puppen entsprechend sehr schnell entwickelten. Nach einigen Tagen hatte das Kind den wirklichen Verlust seines Spielzeugs vergessen und dachte nur noch an die Fiktion, die man ihm als Ersatz dafür angeboten hatte. Franz schrieb jeden Satz des Romans so ausführlich und so humorvoll genau, daß die Situation der Puppe völlig faßbar wurde: die Puppe war gewachsen, zur Schule gegangen, hatte andere Leute kennengelernt. Sie versicherte das Kind immer wieder ihrer Liebe, spielte dabei aber auf die Komplikationen ihres Lebens an, auf andere Pflichten und auf andere Interessen, die ihr im Augenblick nicht gestatteten, das gemeinsame Leben wieder aufzunehmen. Das kleine Mädchen wurde gebeten, darüber nachzudenken, und wurde so auf den unvermeidlichen Verzicht vorbereitet.

Das Spiel dauerte mindestens drei Wochen. Franz hatte eine furchtbare Angst bei dem Gedanken, wie er es zu Ende führen sollte. Denn dieses Ende mußte ein richtiges Ende sein, das heißt, es mußte der Ordnung ermöglichen, die durch den Verlust des Spielzeugs heraufbeschworene Unordnung abzulösen. Er suchte lange und entschied sich endlich dafür, die Puppe heiraten zu lassen. Er beschrieb zunächst den jungen Mann, die Verlobungsfeier, die Hochzeitsvorbereitungen, dann in allen Einzelheiten das Haus der Jungverheirateten: »Du wirst selbst einsehen, daß wir in Zukunft auf ein Wiedersehen verzichten müssen.« Franz hatte den kleinen Konflikt eines Kindes durch die Kunst gelöst, durch das wirksamste Mittel, über das er persönlich verfügte, um Ordnung in die Welt zu bringen.

Aus Dora Diamants Erinnerungen, die erstmals 1948 in englischer Sprache erschienen. Kafka lebte mit ihr in Berlin von Ende September 1923 bis Mitte März 1924.

Verschiedentliche Aufrufe in Berliner Tageszeitungen mit dem Ziel, jenes Mädchen und damit vielleicht auch Kafkas Briefe wiederzufinden, blieben ohne Erfolg.

71 An alle meine Hausgenossen

In unserm Haus, diesem ungeheuern Vorstadthaus, einer von unzerstörbaren mittelalterlichen Ruinen durchwachsenen Mietskaserne, wurde heute am nebligen eisigen Wintermorgen folgender Aufruf verbreitet.

An alle meine Hausgenossen.

Ich besitze fünf Kindergewehre, sie hängen in meinem Kasten, an jedem Haken eines. Das erste gehört mir, zu den andern kann sich melden wer will, melden sich mehr als vier, so müssen die überzähligen ihre eigenen Gewehre mitbringen und in meinem Kasten deponieren. Denn Einheitlichkeit muss sein, ohne Einheitlichkeit kommen wir nicht vorwärts. Übrigens habe ich nur Gewehre, die zu sonstiger Verwendung ganz unbrauchbar sind, der Mechanismus ist verdorben, der Pfropfen abgerissen, nur die Hähne knacken noch. Es wird also nicht schwer sein, nötigenfalls noch weitere solche Gewehre zu beschaffen. Aber im Grunde sind mir für die erste Zeit auch Leute ohne Gewehre recht, wir die wir Gewehre haben, werden im entscheidenden Augenblick die Unbewaffneten in die Mitte nehmen. Eine Kampfesweise die sich bei den ersten amerikanischen Farmern gegenüber den Indianern bewährt hat, warum sollte sie sich nicht auch hier bewähren, da doch die Verhältnisse ähnlich sind. Man kann also sogar für die Dauer auf die Gewehre verzichten. Und selbst die fünf Gewehre sind nicht unbedingt nötig und nur weil sie schon einmal vorhanden sind, sollen sie auch verwendet werden. Wollen sie aber die vier andern nicht tragen so sollen sie es bleiben lassen. Dann werde also ich allein als Führer eines tragen. Aber wir sollen keinen Führer haben und so werde auch ich mein Gewehr zerbrechen oder weglegen.

Das war der erste Aufruf. In unserm Haus hat man keine Zeit und Lust Aufrufe zu lesen oder gar zu überdenken. Bald schwammen die kleinen Papiere in dem Schmutzstrom der vom Dachboden ausgehend, von allen Korridoren genährt, die Treppe hinabspült und dort mit dem Gegenstrom kämpft der von unten hinaufschwillt. Aber nach einer Woche kam ein zweiter Aufruf.

Hausgenossen!

Es hat sich bisher niemand bei mir gemeldet. Ich war, soweit ich nicht meinen Lebensunterhalt verdienen muss, fortwährend zuhause und für die Zeit meiner Abwesenheit, während welcher meine Zimmertür stets offen war, lag auf meinem Tisch ein Blatt, auf dem sich jeder der wollte einschreiben konnte. Niemand hats getan.

72

Die besitzlose Arbeiterschaft

Pflichten: 1.) Kein Geld, keine Kostbarkeiten besitzen oder annehmen. Nur folgender Besitz ist erlaubt: einfachstes Kleid (im einzelnen festzusetzen), zur Arbeit Nötiges, Bücher, Lebensmittel für den eigenen Gebrauch. Alles andere gehört den Armen.

2.) Nur durch Arbeit den Lebensunterhalt erwerben. Vor keiner Arbeit sich scheuen, zu welcher die Kräfte ohne Schädigung der Gesundheit hinreichen. Entweder selbst die Arbeit wählen oder falls dies nicht möglich sich der Anordnung des Arbeitsrates fügen, welcher sich der Regierung unterstellt.

3.) Für keinen andern Lohn arbeiten als den Lebensunterhalt (im einzelnen nach den Gegenden festzusetzen) für zwei Tage

4.) Mässigstes Leben. Nur das unbedingt Notwendige essen, z. B. als Minimallöhnung, die in gewissem Sinn auch Maximallöhnung ist, Brot, Wasser, Datteln. Essen der Ärmsten, Lager der Ärmsten

5.) Das Verhältnis zum Arbeitgeber als Vertrauensverhältnis behandeln, niemals Vermittlung der Gerichte verlangen. Jede übernommene Arbeit zuendeführen unter allen Umständen, es wären denn schwere Gesundheitsrücksichten dem entgegen

Rechte 1.) Maximalarbeitszeit sechs Stunden, für körperliche Arbeit vier bis fünf

2.) Bei Krankheit und arbeitsunfähigem Alter Aufnahme in staatliche Altersheime und Krankenhäuser

Das Arbeitsleben als eine Angelegenheit des Gewissens und eine Angelegenheit des Glaubens an den Mitmenschen.

Mitgebrachten Besitz dem Staat schenken zur Errichtung von Krankenhäusern, Heimen.

Vorläufig wenigstens Ausschluss von Selbstständigen, Verheirateten und Frauen

Rat (schwere Pflicht) vermittelt mit der Regierung

Auch in kapitalistischen Betrieben, lieber Arme

dort wo man helfen kann, in verlassenen Gegenden, Armenhäusern Lehrer

Fünfhundert Männer Höchstgrenze

Ein Probejahr

Ob es einen unmittelbaren äußeren Anlass zu diesem im Frühjahr 1918 entstandenen sozialutopischen Entwurf gab, ist nicht bekannt. Zweifellos jedoch bezieht sich Kafka mit der *Besitzlosen Arbeiterschaft* (der Titel stammt von ihm selbst) auf die innerzionistischen Debatten über neue sozialökonomische Modelle bei der jüdischen Besiedelung Palästinas (siehe die Erwähnung von Datteln als Grundnahrungsmittel). Zur Frage von Arbeiter- und Siedlungsgenossenschaften erschienen in den Jahren 1917 und 1918 eine Fülle von Beiträgen, u. a. auch in Martin Bubers Zeitschrift *Der Jude*, die Kafka regelmäßig las.

Zu dem bemerkenswerten Ausschluss von Frauen, den kein Zionist ernsthaft forderte, entschied sich Kafka offenbar spontan. Denn wie das Manuskript zeigt, dachte er zunächst nur an den Ausschluss von Selbständigen und Verheirateten, korrigierte sich jedoch noch während der Niederschrift dieser Worte.

In der Kafka-Rezeption hat die politische Skizze kaum eine Rolle gespielt. Eine bemerkenswerte Ausnahme ist André Breton, der im Dezember 1948 in Paris bei einer vom Rassemblement Démocratique Révolutionnaire organisierten Veranstaltung zum Thema ›Internationalisme de l'Esprit‹ auf Kafka verwies. In seinem Redemanuskript heißt es:

»Franz Kafka, que nous sommes quelques-uns à tenir pour le plus grand voyant de ce siècle, souhaitait à la fin de sa vie l'existence de ›communautés ouvrières de non-possédants‹, réduites chacune à cinq cents hommes qui auraient accepté pour devoir de ne posséder ou accepter aucun argent ni objet de valeur, de mener la vie la plus simple, de ne travailler que pour un salaire assurant l'existence, à charge toutefois de mener ce travail à bien et de le rétablir, à la face du monde, comme acte de confiance et de foi en autrui. Ce qui est attendu ici de l'activité professionnelle en général, voila ce qu'il faudrait pouvoir exiger sans plus tarder de l'activité intellectuelle.«

[»Franz Kafka, den einige von uns für den größten Seher dieses Jahrhunderts halten, wünschte am Ende seines Lebens, dass es ›Arbeitergemeinschaften von Besitzlosen‹ gäbe, jede von ihnen auf fünfhundert Menschen beschränkt, die sich verpflichteten, kein Geld und keinen Wertgegenstand zu besitzen oder anzunehmen, das einfachste Leben zu führen, nur für einen lebenserhaltenden Lohn zu arbeiten, und doch mit dem Gebot, diese Arbeit gut zu vollenden und sie der Welt als Akt des Vertrauens und des Glaubens anderen gegenüber darzustellen. Was hier von der beruflichen Aktivität im Allgemeinen erwartet wird, das müsste man unverzüglich von der intellektuellen Aktivität fordern können.«]

Andernorts

73 Kafka kennt sich in Amerika nicht aus

Es ist charakteristisch für Kafkas erzählerische Prosa, dass örtliche und zeitliche Bestimmungen zumeist unscharf bleiben und der Leser daher unter dem Eindruck steht, alles spiele sich in einem gespenstischen Zwischenreich, einem Nirgendwo ab – wie im Traum. So wird niemals der Name der Stadt genannt, in der sich *Der Process* vollzieht, und auch das Dorf am Fuß des *Schlosses* bleibt namenlos.

Die einzige bedeutsame Ausnahme von dieser Regel ist der 1912/13 entstandene Roman *Der Verschollene*. Obwohl Kafka die USA nur aus Reisebüchern, Vorträgen und mündlichen Berichten kannte, hatte er sich dennoch vorgenommen, »das allermodernste New Jork« zu schildern, wie er gegenüber seinem Verleger Kurt Wolff bekannte. Daher sind viele Örtlichkeiten korrekt benannt, und bemerkenswerterweise ist *Der Verschollene* auch der einzige erzählerische Text Kafkas, in dem ausdrücklich von Prag die Rede ist.

Umso auffallender, dass Kafka im Manuskript dieses Romans einige sonderbare Irrtümer unterliefen. Offenbar machte er sich bei seinen Recherchen keine systematischen Notizen, sondern verließ sich auf sein Gedächtnis: So kam es, dass er etwa eine wiederholt falsche Schreibweise aus Arthur Holitschers sozialkritischer Reportage *Amerika – heute und morgen* ungeprüft übernahm und »Oklahama« anstelle von »Oklahoma« schrieb. Auch ist von einer Brücke die Rede, »die New York mit Boston verbindet« und »über den Hudson« führt – wobei Kafka natürlich die von zahlreichen Abbildungen bekannte Brooklyn Bridge über den East River vor Augen hatte. Schließlich verlegte er San Francisco auf die falsche Seite des Kontinents: Sein junger Protagonist Karl Rossmann wird zu einer Reise nach »Frisco« gedrängt, da für ihn »die Erwerbsmöglichkeiten im Osten viel bessere« seien.

Die erstaunlichste und offenbar gewollte Abweichung seiner Romanwelt von der Wirklichkeit findet sich indessen schon im ersten Absatz: Die Freiheitsstatue, die alle New York-Reisenden begrüßt, reckt bei Kafka keine Fackel, sondern ein Schwert in den Himmel. Da dieses Kapitel des *Verschollenen* separat unter dem Titel *Der Heizer* (1913) veröffentlicht wurde, fiel der krasse ›Fehler‹ auch Freunden und Kritikern auf, so dass Kafka Gelegenheit gehabt hätte, den Text in den späteren, neu gesetzten Auflagen zu korrigieren. Er unterließ es.

Brooklyn Bridge, 1909

74 Ein Autounfall in Paris

Auf dem Asphaltpflaster sind die Automobile leichter zu dirigieren aber auch schwerer einzuhalten. Besonders wenn ein einzelner Privatmann am Steuer sitzt, der die Grösse der Strassen, den schönen Tag, sein leichtes Automobil, seine Chauffeurkenntnisse für eine kleine Geschäftsfahrt ausnützt und dabei an Kreuzungsstellen sich mit dem Wagen so winden soll, wie die Fussgänger auf dem Trottoir. Darum fährt ein solches Automobil knapp vor der Einfahrt in eine kleine Gasse noch auf dem grossen Platz in ein Tricykle hinein, hält aber elegant, tut ihm nicht viel, tritt ihm förmlich nur auf den Fuss, aber während ein Fussgänger mit einem solchen Fusstritt desto rascher weiter eilt, bleibt das Tricykle stehn und hat das Vorderrad verkrümmt. Der Bäckergehilfe, der auf diesem der Firma —— gehörigen Wagen bisher vollständig sorglos mit jenem den Dreirädern eigentümlichen schwerfälligen Schwanken dahingefahren ist, steigt ab, trifft den Automobilisten, der ebenfalls absteigt und macht ihm Vorwürfe, die durch den Respekt vor einem Automobilbesitzer gedämpft und durch die Furcht vor seinem Chef angefeuert werden. Es handelt sich nun zuerst darum zu erklären, wie es zu dem Unfall gekommen. Der Automobilbesitzer stellt mit seinen erhobenen Handflächen das heranfahrende Automobil dar, da sieht er das Tricykle das ihm in die Quere kommt, die rechte Hand löst sich ab und warnt durch Hin- und Herfuchteln das Tricykle, das Gesicht ist besorgt, denn welches Automobil kann auf diese Entfernung bremsen. Wird es das Tricykle einsehn und dem Automobil den Vortritt lassen? Nein, es ist zu spät, die Linke lässt vom Warnen ab, beide Hände vereinigen sich zum Unglücksstoss, die Knie knicken ein, um den letzten Augenblick zu beobachten. Es ist geschehn und das still dastehende verkrümmte Tricykle kann schon bei der weitern Beschreibung mithelfen. Dagegen kann der Bäckergehilfe nicht gut aufkommen. Erstens ist der Automobilist ein ge-

bildeter lebhafter Mann, zweitens ist er bis jetzt im Automobil gesessen, hat sich ausgeruht, kann sich bald wieder hineinsetzen und weiter ausruhn und drittens hat er von der Höhe des Automobils den Vorgang wirklich besser gesehn. Einige Leute haben sich inzwischen angesammelt und stehen wie es die Darstellung des Automobilisten verdient nicht eigentlich im Kreis um ihn, sondern mehr vor ihm. Der Verkehr muss sich inzwischen ohne den Platz behelfen, den diese Gesellschaft einnimmt, die überdies nach den Einfällen des Automobilisten hin und her rückt. So ziehn z. B. einmal alle zum Tricykle um den Schaden von dem so viel gesprochen worden ist, einmal genauer anzusehn. Der Automobilist hält ihn nicht für arg (einige halten in mässig lauten Unterredungen zu ihm), trotzdem er sich nicht mit dem blossen Hinschauen begnügt sondern rund herumgeht, oben hinein und unten durch schaut. Einer, der schreien will, setzt sich, da der Automobilist Schreien nicht braucht, für das Tricykle ein; er bekommt aber sehr gute und sehr laute Antworten von einem neu auftretenden fremden Mann, der wenn man sich nicht beirren lässt, der Begleiter des Automobilisten gewesen ist. Einigemale müssen einige Zuhörer zusammen lachen, beruhigen sich aber immer mit neuen sachlichen Einfällen. Nun besteht eigentlich keine grosse Meinungsverschiedenheit zwischen Automobilist und Bäckerjunge, der Automobilist sieht sich von einer kleinen freundlichen Menschenmenge umgeben, die er überzeugt hat, der Bäckerjunge lässt von seinem einförmigen Armeausstrecken und Vorwürfemachen langsam ab, der Automobilist leugnet ja nicht dass er einen kleinen Schaden angerichtet hat, gibt auch durchaus dem Bäckerjungen nicht alle Schuld, beide haben Schuld, also keiner, solche Dinge kommen eben vor u. s. w. Kurz die Angelegenheit würde schliesslich in Verlegenheit ablaufen, die Stimmen der Zuschauer, die schon über den Preis der Reparatur beraten, müssten abverlangt werden, wenn man sich nicht daran erinnern würde, dass man einen Polizeimann holen könnte. Der Bäckerjunge, der in eine immer untergeordnetere Stellung zum Automobilisten geraten ist, wird von ihm einfach um einen Polizeimann geschickt, und vertraut sein Tricykle dem Schutz des Automobilisten. Nicht mit böser Absicht, denn er hat es nicht nötig, eine Partei für sich zu bilden, hört er auch in Abwesenheit des Gegners mit seinen Beschreibungen nicht auf. Weil man rauchend besser erzählt, dreht er sich eine Cigarette, in seiner Tasche hat er ein Tabaklager. Neu ankommende Uninformierte und wenn es auch nur Geschäftsdiener sind, werden systematisch zuerst zum Automobil, dann zum Tricykle geführt und dann erst über die Details unterrichtet. Hört er aus der Menge von einem weiter hinten Stehenden einen Einwand, beantwortet er ihn auf den Fussspitzen, um dem ins Gesicht sehn zu können. Es zeigt sich, dass es zu umständlich ist, die Leute zwischen Automobil und Tricykle hin und herzuführen, deshalb wird das Automobil mehr zum Trottoir in die Gasse hineingefahren. Ein ganzes Tricykle hält und der Fahrer sieht sich die Sache an. Wie zur Belehrung über die Schwierigkeiten des Automobilfahrens ist ein grosser Motoromnibus mitten auf dem Platz stehn geblieben. Man arbeitet vorn am Motor. Die ersten die sich um den Wagen niederbeugen sind seine ausgestiegenen Passagiere im richtigen Gefühl ihrer nähern Beziehung. Inzwischen hat der Automobilist ein wenig Ordnung gemacht und auch das Tricykle mehr zum Trottoir geschoben. Die Sache verliert ihr öffentliches Interesse. Neu Ankommende müssen schon erraten, was eigentlich geschehen ist. Der Automobilist hat sich mit einigen alten Zuschauern, die als Zeugen Wert haben, förmlich zurückgezogen und spricht mit ihnen leise. Wo wandert aber inzwischen der arme Junge herum? Endlich sieht man ihn in der Ferne, wie er mit dem Polizeimann den Platz zu durchqueren anfängt. Man war nicht ungeduldig aber das Interesse zeigt sich sogleich aufgefrischt. Viele neue Zuschauer treten auf, die auf billige Weise den äussersten Genuss der Protokollaufnahme haben werden. Der Automobilist löst sich von seiner Gruppe und geht dem Polizeimann entgegen, der die Angelegenheit sofort mit der gleichen Ruhe aufnimmt, welche die Beteiligten erst durch halbstündiges Warten sich verschafft haben. Die Protokollaufnahme beginnt ohne lange Untersuchung. Der Polizeimann zieht aus seinem Notizbuch mit der Schwerfälligkeit eines Bauarbeiters einen alten schmutzigen aber leeren Bogen Papier, notiert die Namen der Beteiligten, schreibt die Bäckerfirma auf und geht um dies genau zu machen schreibend um das Tricykle herum. Die unbewusste unverständige Hoffnung aller Anwesenden auf eine sofortige sachliche Beendigung der ganzen Angelegenheit durch den Polizeimann geht in eine Freude an den Einzelheiten der Protokollaufnahme über. Diese Protokollaufnahme stockt bisweilen. Der Polizeimann hat sein Protokoll etwas in Unordnung gebracht und in der Anstrengung es wieder herzustellen, hört und sieht er weilchenweise nichts anderes. Er hat nämlich den Bogen an einer Stelle zu beschreiben angefangen, wo er aus irgend einem Grunde nicht hätte anfangen dürfen. Nun ist es aber doch geschehn und sein Staunen darüber erneuert sich öfters. Er muss den Bogen immerfort wieder umdrehn, um den schlechten Protokollanfang zu glauben. Da er aber von diesem schlechten Anfang bald abgelassen und auch anderswo zu schreiben angefangen hat, kann er, wenn eine Spalte zu Ende ist, ohne grosses Auseinanderfalten und Untersuchen unmöglich wissen, wo er richtigerweise fortzusetzen hat. Die Ruhe die dadurch die Angelegenheit gewinnt, lässt sich mit jener frühern durch die Beteiligten allein erreichten gar nicht vergleichen.

Eintrag in Kafkas Reisetagebuch, datiert auf den 11. September 1911, während seiner zweiten Reise nach Paris, die er wiederum gemeinsam mit Max Brod unternahm. Brod gefiel Kafkas literarische Schilderung des Unfalls so gut, dass er sie im folgenden Monat bei einem gemeinsamen Treffen mit dem Schriftsteller Oskar Baum vorlas – in Gegenwart Kafkas, der davon gar nicht erbaut war und angesichts der mangelnden Qualität seiner »kleinen Automobilgeschichte« nur »Bitterkeit« empfand.

Tricycle porteur, Paris

75 Kafka und Brod verspielen die Reisekasse

[Tagebuch Max Brod:]

Die Heimkehrenden werden durch klingendes Geld aufgehalten. Wir erinnern uns daran, was uns die ganze Zeit über im Halbbewußten lag, daß in Luzern gespielt wird. – Man zahlt 1 Franc Entree und tritt in einen Raum, der in der Verlängerung der Tür breit leer ist, während zu beiden Seiten lange Gruppen von Leuten stehn. An den Wänden sitzen andere, warten, eine alte Dame schläft. Jede der zwei Menschengruppen drängt sich um einen Tisch, der eigentlich aus fünf Teilen besteht, in der Mittel Kugel oder Pferdchen, zu beiden Seiten je zwei Tische mit dieser Einteilung:

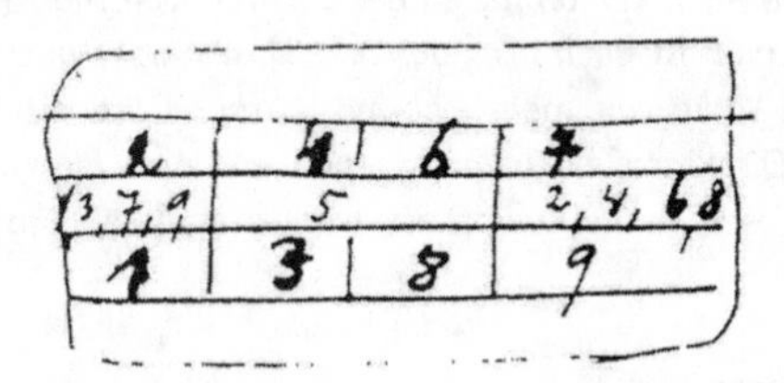

Die leeren Felder rechts und links bedeuten 2, 4, 6, 7 und 1, 3, 8, 9.

An der Wand Belehrung: daß durch ein Gesetz vom so und so vielten dieses Spiel gestattet ist. Höchsteinsatz 5 Frcs. »Da das Spiel zur Unterhaltung der Gäste bestimmt ist, werden die Einheimischen gebeten, den Fremden den Vortritt zu lassen.«

Die Spieler stehn. Croupiers sitzen im schwarzen Kaiserrock. Ein Spielleiter auf erhöhtem Sitz – zwei Hausknechte in Schwarz. Der Ausrufer:

Messieur faites votre jeu – marquez le jeu – les jeux sont faits – sont marqués – rien ne va plus – le trois. Betonung auf dem Le. Unablässig. Dabei wirft er leicht die Gummikugel, die sich spät auf einer der Ziffern unten festsetzt. Die Worte teilen die kurze Zeit gut ein. – Die Croupiers haben Metallrechen an schwarzen, im Handgriff schon abgewetzten Stangen. Sie ziehn das Geld an sich, oder sie werfen es auf die gewinnenden Felder, wobei sie es mit dem Rechen auffangen. Sie teilen es, sie zeigen auch damit.

Man darf die Hände nicht auf das grüne Spielfeld legen.

Wir beraten am kühlen offenen Fenster. Zuerst schlage ich vor, ich solle grad, Kafka immer ungrad setzen. Das scheint uns lächerlich, da wir die 5 übersehn. Erst im Spiel bemerken wir es. Wir wechseln an der Kassa jeder fünf Frank. Setzen abwechselnd nur immer auf ungrad. Kafka gewinnt, ich habe bald gar nichts mehr. – Dann verliert auch Kafka. Dabei haben wir immer die Empfindung, daß so ein Spiel ewig dauern müsse. Unser Irrtum. – Das Geld verliert sich wie auf einer sanft geneigten schiefen Ebene – oder wie das Wasser, das man in der Badewanne losläßt und das so langsam abrinnt, daß es immer noch dazusein scheint. Auch verstopft sich der Stöpsel noch manchen Augenblick. Zum Schluß ist doch alles dahin. – Unser Ärger nachher, da man einen solchen Verlust nie mehr einbringen kann. Ob uns bei Selbstmorddrohung der Direktor die 10 Francs geben würde? – Ein guter Gedanke, der sich an diesen Verlust knüpft, ist, wie wir jetzt sehn, in Verlust geraten.

Es war ein langer Tag!

[Tagebuch Franz Kafka:]

Entdeckung des Spielsaales in Luzern. 1 fr. Entrée. 2 lange Tische. Wirkliche Sehenswürdigkeiten sind hässlich zu beschreiben, weil es förmlich vor Wartenden geschehen muss. An jedem Tisch ein Ausrufer in der Mitte mit 2 Wächtern nach beiden Seiten hin.

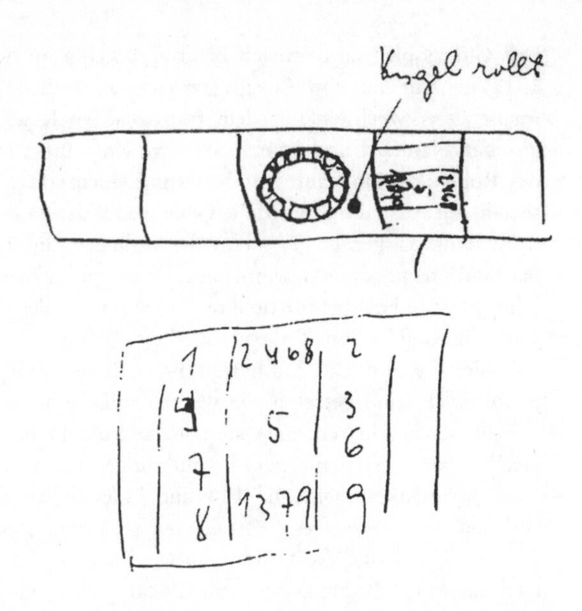

Höchsteinsatz 5 f. »Die Schweizer werden gebeten, den Fremden den Vortritt zu lassen, da das Spiel zur Unterhaltung der Gäste bestimmt ist.«

Ein Tisch mit Kugel, einer mit Pferdchen. Croupiers in Kaiserrock. Messieurs faites votre jeu – marquez le jeu – les jeux sont faits – sont marqués – rien ne va plus. Croupiers mit vernickelten Rechen an Holzstangen. Was sie damit können: Ziehn das Geld auf die richtigen Felder, sondern es, ziehn Geld an sich, fangen von ihnen auf die Gewinnfelder geworfenes Geld auf. Einfluss der verschiedenen Croupiers auf Gewinnchancen oder besser der Croupier, bei dem man gewinnt, gefällt einem. Aufregung vor dem gemeinsamen Entschluss zu spielen, man fühlt sich im Saal allein. Das Geld (10 fr) verschwindet auf einer sanft geneigten Ebene. Der Verlust von 10 fr. wird als eine zu schwache Verlockung zum Weiterspielen empfunden, aber doch als Verlockung. Wut über alles. Ausdehnung des Tages durch dieses Spiel.

Das Glücksspiel, an dem sich Brod und Kafka im August 1911 im Kursaal von Luzern versuchten, heißt ›Boule‹ (nicht zu verwechseln mit dem französischen Kugelsport gleichen Namens) und ist eine stark vereinfachte Variante des Roulette. Man kann lediglich auf Zahlen von 1 bis 9 setzen, mit Ausnahme der 5, die Gewinnzahl der Bank. Das heißt, langfristig geht ein Neuntel sämtlicher Einsätze an die Bank, so dass die Gewinnchancen der Spieler hier weit schlechter sind als beim Roulette. Außerdem ist der Kessel starr, die Kugel ist aus Kautschuk.

Weder Kafka noch Brod hatten bis zu diesem Zeitpunkt je ein Spielcasino betreten, sie waren völlig ahnungslos – nur so ist zu erklären, dass sie zunächst glaubten, durch gleichzeitiges Setzen auf ›gerade‹ und ›ungerade‹ ohne Verluste davonzukommen. Die 10 Francs, die sie schließlich verloren, waren etwa der Betrag, den sie gemeinsam pro Tag für Hotel und Restaurant aufwandten. Kafka hatte nach dieser Erfahrung genug vom Glücksspiel, Brod hingegen besuchte zwei Jahre später auch das Casino von Monaco.

Die von Brod und Kafka erwähnten »Pferdchen« weisen darauf hin, dass im Luzerner Kursaal auch ›Petits chevaux‹ gespielt wurde, der Vorgänger des Boule. Die Möglichkeiten des Setzens waren hier dieselben, die Gewinn-Nummer wurde jedoch durch ein Rennen mechanischer Pferdefiguren ermittelt. Ihren Spieltisch skizzierten Kafka und Brod aus dem Gedächtnis, die Anordnung der Zahlen ist nicht ganz korrekt.

76 Ist das Kafka? (I)

Am 11. September 1909 besuchte Kafka gemeinsam mit Max Brod und dessen Bruder Otto ein Flugmeeting in der Nähe von Brescia, auf dem Flugfeld von Montichiari. Was sie dort zu sehen bekamen, lässt sich sehr genau nachvollziehen, da sowohl Brod als auch Kafka ihre Eindrücke in Reisefeuilletons verarbeiteten. Kafkas Text *Die Aeroplane von Brescia* erschien noch im selben Monat in der Prager Tageszeitung *Bohemia*.

Es war das erste Mal, dass Kafka Flugmaschinen sah, denn eine vergleichbare Veranstaltung, bei der Piloten ihre Geräte vorführten und in Flugwettbewerben gegeneinander antraten, hatte es in Prag zuvor noch nicht gegeben. Gerade in diesem Sommer jedoch war die Aviatik in aller Munde, denn dem Franzosen Louis Blériot war es im Juli als Erstem gelungen, den Ärmelkanal zu überfliegen. Blériot war denn auch der Star von Brescia, und aus Kafkas Schilderung geht deutlich hervor, dass man vor allem seinetwegen gekommen war: »Und Blériot? fragen wir. Blériot, an den wir die ganze Zeit über dachten, wo ist Blériot?«

Zunächst schauen Kafka und Brod zu, wie Blériot und seine Mechaniker längere Zeit vergeblich versuchen, den Motor des Aeroplans anzuwerfen. Am Nachmittag gegen 16 Uhr ist es endlich so weit:

Nun aber kommt der Apparat, mit dem Blériot den Kanal überflogen hat; keiner hat es gesagt, alle wissen es. Eine lange Pause und Blériot ist in der Luft, man sieht seinen geraden Oberkörper über den Flügeln, seine Beine stecken tief als Teil der Maschinerie. Die Sonne hat sich geneigt und unter dem Baldachin der Tribünen durch beleuchtet sie die schwebenden Flügel. Hingegeben sehn alle zu ihm auf, in keinem Herzen ist für einen andern Platz. Er fliegt eine kleine Runde und zeigt sich dann fast senkrecht über uns. Und alles sieht mit gerecktem Hals, wie der Monoplan schwankt, von Blériot gepackt wird und sogar steigt. Was geschieht denn? Hier oben ist 20 M[eter] über der Erde ein Mensch in einem Holzgestell verfangen und wehrt sich gegen eine freiwillig übernommene unsichtbare Gefahr. Wir aber stehen unten ganz zurückgedrängt und wesenlos und sehen diesem Menschen zu.

Es gibt eine fotografische Aufnahme dieses Augenblicks, auf der mit hoher Wahrscheinlichkeit auch Kafka zu sehen ist. Er trägt einen hellen Sommeranzug und einen italienischen Strohhut (beide Kleidungsstücke sind auch auf anderen überlieferten Fotografien Kafkas zu sehen). Deutlich zu erkennen sind die etwas abstehenden Ohren, die schlanke Figur und die überdurchschnittliche Körpergröße. Weitere Aufnahmen des Flugmeetings zeigen, dass diejenigen Zuschauer, die sich die teuren Sitzplätze auf der Tribüne nicht leisten wollten – zu denen auch Kafka und Brod gehörten –, während der Darbietungen sämtlich auf Stühlen standen. (Brod schreibt: »man ist ans Geländer gestürmt, auf die Strohsessel«.) Das erklärt die eigentümliche Perspektive des Fotos: Auch der Fotograf stand offenbar auf einem Stuhl.

Das vorbeifliegende Aeroplan ist als Blériots Eindecker identifizierbar. Eine Maschine dieses Typs (›Blériot XI‹), mit der er auch den Kanal überquert hatte, stand ihm in Brescia zur Verfügung, außerdem ein Zweisitzer, mit dem er weitere Rundflüge unternahm.

77 Kafka fährt U-Bahn

Die Metro schien mir damals sehr leer, besonders wenn ich es mit jener Fahrt vergleiche, als ich krank und allein zum Rennen gefahren bin. Das Aussehn der Metro unterliegt auch abgesehn vom Besuch dem Einfluss des Sonntags. Die dunkle Stahlfarbe der Wände überwog. Die Arbeit der die Waggontüren auf- und zuschiebenden und dazwischen sich hinein und herausschwingenden Schaffner stellte sich als eine Sonntagnachmittagsarbeit heraus. Die langen Wege zur Correspondence [d. h. beim Umsteigen] wurden langsam gegangen. Die unnatürliche Gleichgültigkeit der Passagiere mit der sie die Fahrt in der Metro hinnehmen wurde deutlicher. Das sich gegen die Glastüre wenden, das Aussteigen einzelner an unbekannten Stationen weit von der Oper wird als launenhaft empfunden. Sicher ist in den Stationen trotz der elektr. Beleuchtung das wechselnde Tageslicht zu bemerken, besonders wenn man gerade heruntergestiegen ist, merkt man es, besonders dieses Nachmittagslicht, knapp vor der Verdunkelung. Die Einfahrt in die leere Endstation der porte Dauphine, Menge von sichtbar werdenden Röhren, Einblick in die Schleife, wo die Züge die einzige Kurve machen dürfen nach so langer geradliniger Fahrt. Tunnelfahrten in der Eisenbahn sind viel ärger, keine Spur von der Bedrückung, die der Passagier unter dem wenn auch zurückgehaltenen Druck der Bergmassen fühlt. Man ist auch nicht weit von den Menschen sondern eine städtische Einrichtung, wie z. B. das Wasser in den Leitungen. Das Zurückspringen beim Aussteigen, mit dem dann folgenden verstärkten Vorgehn. Dieses Aussteigen auf ein gleiches Niveau. Meist verlassene kleine Schreibzimmer mit Telephon und Läutewerk dirigieren den Betrieb. Max schaut gern hinein. Schrecklich war der Lärm der Metro, als ich mit ihr zum erstenmal im Leben vom Montmartre auf die großen Boulevards gefahren bin. Sonst ist er nicht arg, verstärkt sogar das angenehme ruhige Gefühl der Schnelligkeit. Die

Pariser Metrostation

Reklame von Dubonnet ist sehr geeignet von traurigen und unbeschäftigten Passagieren gelesen, erwartet und beobachtet zu werden. Ausschaltung der Sprache aus dem Verkehr, da man weder beim Zahlen, noch beim Ein- u. Aussteigen zu reden hat. Die Metro ist wegen ihrer leichten Verständlichkeit für einen erwartungsvollen und schwächlichen Fremden, die beste Gelegenheit, sich den Glauben zu verschaffen, richtig und rasch im ersten Anlauf in das Wesen von Paris eingedrungen zu sein.

Die Fremden erkennt man daran, dass sie oben schon auf dem letzten Absatz der Metrotreppe sich nicht mehr auskennen, sie verlieren sich nicht, wie die Pariser, aus der Metro übergangslos in das Strassenleben. Auch stimmt beim Herauskommen die Wirklichkeit erst langsam mit der Karte überein, da wir auf diesen Platz, wo wir jetzt nach dem Heraufkommen hingestellt sind, niemals zu Fuss oder zu Wagen gekommen wären, ohne Führung der Karte.

Gemeinsam mit Max Brod reiste Kafka zweimal nach Paris, jeweils für wenige Tage: vom 9. bis 17. Oktober 1910 und vom 8. bis 13. September 1911. Seine Notizen über die Pariser Metro stammen von 1911, beziehen sich jedoch – wie das anfängliche »damals« erkennen lässt – auf Eindrücke aus beiden Jahren.

Eine U-Bahn gab es in seiner Heimatstadt Prag nicht, das Berliner Verkehrsnetz erlebte Kafka erst im Dezember 1910. Seine Impressionen aus der Pariser Metro schildern also die Begegnung mit einem für ihn völlig neuen Verkehrsmittel. Auch die von Max Brod überlieferten Reiseaufzeichnungen belegen, dass die Freunde dabei weniger an technischen Einzelheiten interessiert waren als vielmehr an den charakteristischen sozialen und körperlichen Phänomenen, welche die neue Art der Fortbewegung begleiteten.

78 Kafka fährt Karussell

Der Tanzboden, zweigeteilt, in der Mitte abgeteilt in einem zweireihigen Verschlag die Musikkapelle. Vorläufig leer, kleine Mädchen lassen sich über die glatten Bretter gleiten. [...] Ich biete ihnen meine »Brause« an, sie trinken, die Älteste zuerst. Mangel einer wahren Verkehrssprache. Ich frage, ob sie schon genachtmahlt haben, vollständiges Unverständnis, Dr. Schiller fragt, ob sie schon Abendbrot gegessen haben, beginnende Ahnung, (er spricht nicht deutlich, atmet zu viel) erst bis der Friseur fragt, ob sie gefuttert haben, können sie antworten. Eine zweite Brause, die ich für sie bestelle, wollen sie nicht mehr, aber Karousselfahren wollen sie, ich mit den 6 Mädchen (von 6–13 Jahren) um mich fliege zum Karoussel. Am Weg rühmt sich die eine, die zum Karousselfahren geraten hat, dass das Karoussel ihren Eltern gehört. Wir setzen uns und drehn uns in einer Kutsche. Die Freundinnen um mich, eine auf meinen Knien. Sich hinzudrängende Mädchen, welche mein Geld mitgeniessen wollen, werden gegen meinen Willen von den Meinigen weggestossen. Die Besitzerstochter kontrolliert die Rechnung, damit ich nicht für die Fremden zahle. Ich bin bereit, wenn man Lust hat, noch einmal zu fahren, die Besitzerstochter selbst sagt aber, dass es genug ist, jedoch will sie ins Zuckerzeugzelt. Ich in meiner Dummheit und Neugierde führe sie zum Glücksrad. Sie gehn, soweit es möglich ist, sehr bescheiden mit meinem Geld um. Dann zum Zuckerzeug. Ein Zelt mit einem grossen Vorrat, der so rein und geordnet ist, wie in der Hauptstrasse einer Stadt. Dabei sind es billige Waren, wie auf unseren Märkten auch. Dann gehn wir zum Tanzboden zurück. Ich fühlte das Erlebnis der Mädchen stärker als mein Schenken. Jetzt trinken sie auch wieder die Brause und danken schön, die Älteste für alle und jede für sich. Bei Beginn des Tanzes müssen wir weg, es ist schon ¾ 10.

Auszug aus der Schilderung eines Ausflugs von der Kuranstalt Jungborn (Harz) zu einem Schützenfest im nahe gelegenen Stapelburg. Kafka unternahm diesen Spaziergang im Juli 1912 gemeinsam mit einem Friseur aus Berlin und einem Magistratsbeamten aus Breslau. Der Text findet sich in den Reisenotizen, die er regelmäßig an Max Brod schickte.

79 Ist das Kafka? (II)

Am 9. Mai 1920 trafen sich in Meran etwa 15 000 deutschsprachige Südtiroler zu einer großen ›Autonomiekundgebung‹, mit der sie ihren (letztendlich vergeblichen) Protest gegen die italienische Besatzung zum Ausdruck brachten. Musikkapellen zogen über den Bahnhofsvorplatz, gespielt und gesungen wurde unter anderem das später zur Tiroler Landeshymne erklärte Andreas-Hofer-Lied: »Zu Mantua in Banden …«

Kafka hielt sich zu diesem Zeitpunkt bereits seit mehr als fünf Wochen in Meran auf, in der Hoffnung, seine Lungenerkrankung auszukurieren. Er wohnte in der Pension ›Ottoburg‹ im Villenort Meran-Untermais, von wo aus er zahlreiche Spaziergänge und kleinere Ausflüge unternahm, häufig in Begleitung anderer Kurgäste, die er im Speiseraum der Pension kennengelernt hatte. Die politische Kundgebung erwähnt er in seinen Briefen nicht, doch ein historisches Foto des Ereignisses legt die Vermutung nahe, dass Kafka gemeinsam mit einem Begleiter zugegen war.

Auf dem Foto sind in der Mitte unten – in direkter Verlängerung des Laternenmasts – zwei auffällige Männer zu sehen, die in der ersten Reihe der Menge stehen und die durchziehenden Musikanten aus nächster Nähe beobachten. Im Gegensatz zu den bäuerlichen Demonstranten, die fast ausnahmslos dunkel gekleidet sind, tragen sie helle Sommeranzüge, wie auch Kafka einen besaß. Der linke der beiden zeigt Kafkas markante, sehr schlanke und über-

durchschnittlich große Statur und – soweit erkennbar – auch die für ihn charakteristischen jugendlichen Züge. Auch wenn die letzte Gewissheit fehlt, lässt sich mit einiger Wahrscheinlichkeit sagen: Er ist es.

Ohne Pass über die Grenze

80

Jetzt die Geschichte der Reise und dann sage noch dass Du kein Engel bist: Seit jeher wusste ich, dass mein österreichisches Visum eigentlich (und uneigentlich) schon vor 2 Monaten abgelaufen war, aber in Meran hatte man mir gesagt, dass es für die Durchfahrt überhaupt nicht nötig sei und tatsächlich machte man mir jetzt bei der Einreise in Österreich keine Aussetzung. Deshalb vergass ich auch in Wien diesen Fehler vollständig. In Gmünd aber bei der Passstelle fand der Beamte – ein junger Mann, hart – diesen Fehler gleich heraus. Der Pass wurde beiseite gelegt, alle durften weiter zur Zollrevision gehn, ich nicht, das war schon schlimm genug […] aber da fingst schon Du zu arbeiten an. Ein Grenzpolizist kommt – freundlich, offen, österreichisch, teilnehmend, herzlich – und führt mich über Treppen und Gänge ins Grenzinspektorat. Dort steht schon mit einem ähnlichen Passfehler eine rumänische Judenfrau, merkwürdigerweise auch Deine freundliche Abgesandte, Du Judenengel. Aber die Gegenkräfte sind noch viel stärker. Der grosse Inspektor und sein kleiner Adjunkt beide gelb mager verbissen, wenigstens jetzt, übernehmen den Pass. Der Inspektor ist gleich fertig: »Nach Wien zurückfahren und den Sichtvermerk bei der Polizeidirektion holen!« Ich kann nichts anderes sagen als mehrere Male: »Das ist für mich schrecklich.« Der Inspektor antwortet ebenfalls mehrere Male ironisch und böse: »Das kommt Ihnen nur so vor.« »Kann man nicht telegraphisch den Vermerk bekommen?« »Nein« »Wenn man alle Kosten trägt?« »Nein« »Gibt es hier keine höhere Instanz?« »Nein« Die Frau, die mein Leid sieht und grossartig ruhig ist, bittet den Inspektor, dass er wenigstens mich durchlassen soll. Zu schwache Mittel, Milena! So bringst Du mich nicht durch. Ich muss den langen Weg zur Passstelle wieder zurückgehn und mein Gepäck holen, mit der heutigen Abreise ist es also endgültig vorbei. Und nun sitzen wir in dem Grenzinspektoratszimmer beisammen, auch der Polizist weiss wenig Trost, nur dass die Gültigkeit der Fahrkarten sich verlängern lässt udgl., der Inspektor hat sein letztes Wort gesagt und sich in sein Privatbureau zurückgezogen, nur der kleine Adjunkt ist noch da. Ich rechne: der nächste Zug nach Wien fährt um 10 Uhr abends ab, kommt um ½ 3 nachts in Wien an. Von dem Riva-Ungeziefer bin ich noch zerbissen, wie wird mein Zimmer beim Franz Josefs Bahnhof aussehn? Aber ich bekomme ja überhaupt keines, nun dann fahre ich (ja, um ½ 3) in die Lerchenfelder Strasse und bitte um Unterkunft (ja, um 5 Uhr früh). Aber wie das auch sein wird, jedenfalls muss ich mir also Montag vormittag den Sichtvermerk holen (bekomme ich ihn aber gleich und nicht erst Dienstag?) und dann zu Dir gehn, Dich überraschen in der Tür, die Du öffnest. Lieber Himmel. Da macht das Denken eine Pause, dann aber geht es weiter: Aber in welchem Zustande werde ich sein nach der Nacht und der Fahrt und abend werde ich doch gleich wieder fortfahren müssen mit dem 16stündigen Zug, wie werde ich in Prag ankommen und was wird der Direktor sagen, den ich also jetzt wieder telegraphisch um Urlaubsverlängerung bitten muss? Das alles willst Du gewiss nicht, aber was willst Du denn dann eigentlich? Es geht doch nicht anders. Die einzige kleine Erleichterung wäre, fällt mir ein, in Gmünd zu übernachten und erst früh nach Wien zu fahren und ich frage schon ganz müde den stillen Adjunkten nach einem Morgenzug, der nach Wien fährt. Um ½ 6 und kommt um 11 Uhr vormittag an. Gut, mit dem werde ich also fahren und die Rumänin auch. Aber hier ergibt sich plötzlich eine Wendung im Gespräch, ich weiss nicht auf welche Weise, es blitzt jedenfalls auf, dass der kleine Adjunkt uns helfen will. Wenn wir in Gmünd übernachten, wird er uns früh, wo er allein im Bureau ist, im Geheimen nach Prag mit dem Personenzug durchlassen, wir kommen dann um 4 Uhr nachmittag nach Prag. Dem Inspektor gegenüber sollen wir sagen, dass wir mit dem Morgenzug nach Wien fahren werden. Wunderbar! Allerdings nur verhältnismässig wunderbar, denn nach Prag werde ich ja doch telegraphieren müssen. Immerhin. Der Inspektor kommt, wir spielen eine kleine Komödie den Wiener Morgenzug betreffend, dann schickt uns der Adjunkt fort, abend sollen wir ihn zur Besprechung des Weiteren im Geheimen besuchen. Ich in meiner Blindheit denke, das käme von Dir, während es in Wirklichkeit nur der letzte Angriff der Gegenkräfte ist. Nun gehn wir also, die Frau und ich, langsam aus dem Bahnhof (der

Bahnhof von Gmünd, um 1900

Schnellzug der uns hätte weiter bringen sollen, steht noch immer da, die Gepäckrevision dauert ja lange). Wie weit ist es in die Stadt? Eine Stunde. Auch das noch. Aber es zeigt sich, dass auch beim Bahnhof 2 Hotels stehn, in eines werden wir gehn. Ein Geleise führt nahe an den Hotels vorbei, das müssen wir noch überqueren, aber es kommt gerade ein Lastzug, ich will zwar noch rasch vorher hinübergehn, aber die Frau hält mich zurück, nun bleibt aber der Lastzug gerade vor uns stehn und wir müssen warten. Eine kleine Beigabe zum Unglück, denken wir. Aber gerade dieses Warten, ohne das ich Sonntag nicht mehr nach Prag gekommen wäre, ist die Wendung. Es ist, als hättest Du, so wie Du die Hotels am Westbahnhof abgelaufen hast, jetzt alle Tore des Himmels abgelaufen, um für mich zu bitten, denn jetzt kommt Dein Polizist den genug langen Weg vom Bahnhof atemlos uns nachgelaufen und schreit: »Schnell zurück, der Inspektor lässt Sie durch!« Ist es möglich? So ein Augenblick würgt an der Kehle. Zehnmal müssen wir den Polizisten bit-

ten, ehe er Geld von uns nimmt. Jetzt aber zurücklaufen, das Gepäck aus dem Inspektorat holen, damit zur Passstelle laufen, dann zur Zollrevision. Aber jetzt hast Du schon alles in Ordnung gebracht, ich kann mit dem Gepäck nicht weiter, da ist schon zufällig ein Gepäckträger neben mir, bei der Passstelle komme ich ins Gedränge, der Polizist macht mir den Weg frei, bei der Zollrevision verliere ich, ohne es zu wissen, das Etui mit den goldenen Hemdknöpfen, ein Beamter findet es und reicht es mir. Wir sind im Zug und fahren sofort, endlich kann ich mir den Schweiss von Gesicht und Brust wischen. Bleib immer bei mir!

Kafka schrieb diesen Brief an Milena Jesenská am 5. Juli 1920, einen Tag, nachdem er aus Wien in Prag eingetroffen war. Es war dies sein erster Tag im Büro nach mehr als drei Monaten. Denn bereits Anfang April war Kafka nach Meran gereist, um in dem dortigen milden Klima seine Tuberkulose zu kurieren. Von Meran aus hatte er die Korrespondenz mit Milena Jesenská begonnen, der Briefwechsel intensivierte sich sehr rasch, so dass sie Kafka dazu überreden konnte, bei seiner Heimreise den Umweg über Wien zu wählen, um sie zu treffen. Im Glück der vier gemeinsamen Tage vergaß jedoch Kafka, dass er in Österreich kein bloßer ›Durchreisender‹ mehr war und einen weiteren Stempel in seinem Visum benötigte, um das Land über die Grenzstation Gmünd wieder zu verlassen.

In der von Kafka erwähnten Lerchenfelderstraße befand sich die Wohnung Jesenskás; das »Riva-Ungeziefer« ist eine Erinnerung an das Hotel Riva am Wiener Südbahnhof. Die körperliche Erschöpfung, die er am Ende seines Berichts andeutet, ging natürlich auf seine Krankheit zurück: Das schnelle Gehen mit schwerem Gepäck verursachte ihm Atemnot und Schweißausbrüche. Denkbar ist sogar, dass Kafkas sichtlich schlechte körperliche Verfassung der Grund für die unverhoffte Nachgiebigkeit des Inspektors war. Darauf deutet auch die Bitte der rumänischen Jüdin hin, doch wenigstens Kafka durchzulassen.

Sein Abenteuer an der Grenze hatte aber auch noch eine politische Pointe, die Kafka als Zeitungsleser nicht entgangen sein kann. Aufgrund des Friedensvertrags von St. Germain (September 1919), der die Staatsgrenzen Österreichs neu festlegte, wurden die Gmünder Nachbargemeinden Unter-Wielands und Böhmzeil samt dem Gmünder Bahnhof der Tschechoslowakei zugeschlagen, die neue Grenze verlief demnach zwischen Bahnhof und Stadt. Der Vertrag trat am 16. Juli 1920 in Kraft, am 1. August wurde der Bahnhof von tschechischen Beamten übernommen. Da es nun im österreichischen Teil von Gmünd vorläufig keinen geeigneten Bahn-Haltepunkt gab, wurde die österreichische Pass- und Zollkontrolle weiterhin auf dem Bahnhofsgelände erledigt, auf tschechischem Gebiet. Das heißt: Bereits vier Wochen nach seinem Disput mit dem entnervten Kafka benötigte der österreichische Inspektor selbst einen Pass, um zu seinem Arbeitsplatz zu gelangen.

Ein Doppelgänger in Berlin

Im September 1923 übersiedelte Kafka von Prag nach Berlin-Steglitz, um dort gemeinsam mit Dora Diamant zu leben. Finanzielle Schwierigkeiten aufgrund der Hyperinflation nötigten ihn dazu, innerhalb weniger Monate zweimal umzuziehen, ehe er im März 1924 endgültig die Stadt verlassen musste. Sein gesundheitlicher Zustand hatte sich derart verschlechtert, dass ein Aufenthalt in einem Sanatorium, gegen den er sich bis zuletzt sträubte, unvermeidlich wurde.

Zufälligerweise kam offenbar fast zur selben Zeit ein weiterer Franz Kafka nach Berlin. Die Herkunft dieses Namensvetters ist unbekannt, im Berliner Adressbuch von 1923 ist er noch nicht verzeichnet, wohl aber in dem von 1924, und zwar als Eigentümer des Hauses, in dem er lebte: Bezirk Schöneberg, Würzburger Straße 4. Bereits 1926 verschwindet sein Name wieder.

Kafka selbst findet sich in den Berliner Adressbüchern nicht, da seine jeweiligen Aufenthalte – teilweise als Untermieter – zu kurz waren. (Zu einer von Kafkas Berliner Adressen siehe Fundstück 11.)

Kaffmitta, Paul, Magistr. Beamt., Charlottenbg., Lehmeyerstr. 9, 2. Gh. I
Kafft, Hermann, Kaufm., W 57, Elßholzstr. 16 I
— Paul, Schornsteinfegmstr., N 65, Müllerstr. 34a.
Hugo Kafka, Blusen- u. Kleiderfabrl., SW 19, Jerusalemer Str. 43 II. T. Ztr. 4568.
Kafka, Franz, Eigentüm., W 50, Würzburger Str. Nr. 4 E
— Georg, Handelsm., N 31, Bernauer Str. 48.
— Heinrich, Dipl. Ing., Lichterf., Steinäckerstr. 4.
— Otto, Kaufm., Neukölln, Berliner Str. 42 I.
— Edmund, Klempn., SO 36, Harzer Str. 3 III.
— [illegible]

Spiegelungen

82 Kafka bekommt Post von einem Leser

Charlottenburg, 10/4.17

Sehr geehrter Herr,

Sie haben mich unglücklich gemacht.

Ich habe Ihre Verwandlung gekauft und meiner Kusine geschenkt. Die weiß sich die Geschichte aber nicht zu erklären.

Meine Kusine hats ihrer Mutter gegeben, die weiß auch keine Erklärung.

Die Mutter hat das Buch meiner anderen Kusine gegeben und die hat auch keine Erklärung.

Nun haben sie an mich geschrieben. Ich soll Ihnen die Geschichte erklären. Weil ich der Doctor der Familie wäre. Aber ich bin ratlos.

Herr! Ich habe Monate hindurch im Schützengraben mich mit dem Russen herumgehauen und nicht mit der Wimper gezuckt. Wenn aber mein Renommee bei meinen Kusinen zum Teufel ginge, das ertrüg ich nicht.

Nur Sie können mir helfen. Sie müssen es; denn Sie haben mir die Suppe eingebrockt. Also bitte sagen Sie mir, was meine Kusine sich bei der Verwandlung zu denken hat.

Mit vorzüglicher Hochachtung
ergebenst Dr Siegfried Wolff

Dieser einzige überlieferte Leserbrief an Kafka ist keinesfalls, wie vielfach vermutet, ein Ulk eines Freundes oder Kollegen. Den Kafka-Leser Siegfried Wolff gab es tatsächlich, er wurde 1880 in Ilvesheim (Baden) geboren. Ab 1904 war er Wirtschaftsredakteur der *Frankfurter Zeitung*, er promovierte 1912 in Tübingen und war später im Vorstand mehrerer Berliner Banken tätig. Im Frühjahr 1915 wurde er verwundet – nach tatsächlich monatelangem Kampfeinsatz an der russischen Front. Er starb 1952 in Haifa.

Als Wolff den Brief an Kafka schickte, lebte er in Berlin-Charlottenburg im selben Haus wie die Unterhaltungsschriftstellerin Hedwig Courths-Mahler, und in eben diesem Jahr 1917 notierte sich Kafka die Adresse der Autorin, mit der ihn sonst überhaupt nichts verband: Knesebeckstraße 12. Das könnte darauf hindeuten, dass er hinter diese eigenartige Koinzidenz auch selbst schon gekommen war. Beweisen lässt es sich nicht, denn ein Kommentar Kafkas ist nicht überliefert, ebenso wenig ein Antwortschreiben.

Siegfried Wolff, 1915

83

Widmung eines blinden Dichters

Das Leben im Dunkeln

von Oscar Baum

MEINEM HELFER UND FREUND.

DEM LIEBEN DR. FRANZ KAFKA

OSKAR BAUM

Axel Juncker Verlag Stuttgart
Berlin-Charlottenburg., Sybelstraße Nr. 11
Stuttgart / Leipzig

Der heute nahezu vergessene Schriftsteller Oskar Baum (1883–1941) gehörte zu den wenigen engen Freunden Kafkas. In seiner Wohnung fanden regelmäßige Zusammenkünfte statt, bei denen Baum, Brod und Kafka einander aus ihren literarischen Arbeiten vorlasen. Daher kannte Kafka den 1909 erschienenen ersten Roman Baums, *Das Leben im Dunkeln*, bereits im Manuskript.

Da Oskar Baum seit seiner Kindheit durch einen Unfall erblindet war, behalf er sich mit Diktieren, mit Blindenschrift und – wie auch in diesem Fall – mit Buchstaben-Schablonen.

84 Kafka als Lebensberater

Kafkas Briefen und Tagebüchern ist zu entnehmen, dass er auffallend häufig zu privatesten Sorgen um Rat gefragt wurde, bisweilen auch von ferner stehenden oder sogar völlig fremden Menschen.

So wurde er Anfang 1914 von Albert Anzenbacher, einem etwa gleichaltrigen Kollegen in der Arbeiter-Unfall-Versicherungs-Anstalt, darum gebeten, an dessen prospektive Schwiegermutter einen Brief zu formulieren. Anzenbacher hatte den Verdacht, dass seine 20jährige Verlobte Elisabeth (›Liesl‹) ihm mit einem Lehrer untreu geworden war, und er unterrichtete Kafka genauestens über seine Nachforschungen zu diesem Vorfall. Am 24. Januar heißt es im Tagebuch:

Anzenbacher kann sich nicht beruhigen. Trotz des Vertrauens, das er zu mir hat und trotzdem er Rat von mir will, erfahre ich die schlimmsten Einzelheiten immer nur beiläufig während des Gespräches, wobei ich immer das plötzliche Staunen möglichst unterdrücken muss, nicht ohne das Gefühl, dass er meine Gleichgültigkeit gegenüber der schrecklichen Mitteilung entweder als Kälte empfinden muss, oder aber als grosse Beruhigung. So ist es auch gemeint. Die Kussgeschichte erfuhr ich in folgenden zum Teil durch Wochen getrennten Etappen: Ein Lehrer hat sie geküsst – sie war in seinem Zimmer – er hat sie mehrmals geküsst – sie war regelmässig in seinem Zimmer, weil sie eine Handarbeit für A.' Mutter machte und die Lampe des Lehrers gut war – sie hat sich willenlos küssen lassen – früher schon hat er ihr eine Liebeserklärung ge-

macht – sie geht trotz allem noch mit ihm spazieren – wollte ihm ein Weihnachtsgeschenk machen einmal hat sie geschrieben, es ist mir etwas unangenehmes passiert, aber nichts zurückgeblieben.

A. hat sie in folgender Weise ausgefragt: Wie war es? Ich will es ganz genau wissen? Hat er Dich nur geküsst? Wie oft? Wohin? Ist er nicht auf Dir gelegen? Hat er Dich betastet? Wollte er Deine Kleider ausziehn?

Antworten: Ich sass auf dem Kanapee mit der Handarbeit, er an der andern Seite des Tisches. Dann kam er herüber, setzte sich zu mir und küsste mich, ich rückte von ihm weg zum Kanapeepolster und wurde mit dem Kopf auf das Polster gedrückt. Ausser dem Küssen geschah nichts.

Während des Fragens sagte sie einmal: »Was denkst Du nur? Ich bin ein Mädchen.«

Anzenbacher gab sich damit jedoch nicht zufrieden; weder ein ausführlicher Briefwechsel mit der Verlobten noch die Argumente, die Kafka für die wahrscheinliche Treue der jungen Frau anführte, vermochten ihn zu beschwichtigen. Am 2. Februar notierte Kafka:

Gestern war A[nzenbacher] in Schluckenau. Sitzt den ganzen Tag mit ihr im Zimmer und hört, das Packet mit sämtlichen Briefen (sein einziges Gepäck) in der Hand, nicht auf, sie auszufragen. Erfährt nichts Neues, eine Stunde vor der Abfahrt fragt er: »war während des Küssens ausgelöscht?« und erfährt die ihn trostlos machende Neuigkeit, dass W. während des (zweiten) Küssens ausgelöscht hat. W. zeichnete an der einen Seite des Tisches, L. sass an der andern Seite (in W.'s Zimmer, um 11 Uhr abends) und las ›Asmus Semper‹ vor. Da steht W. auf, geht zum Kasten um etwas zu holen (L. glaubt einen Cirkel, A. glaubt ein Präservativ) löscht dann plötzlich aus, überfällt sie mit Küssen, sie sinkt gegen das Kanapee, er hält sie an den Armen, an den Schultern und sagt zwischendurch ›Küsse mich!‹ […] A: Ich muss doch Klarheit haben (er denkt daran, sie vom Arzt untersuchen zu lassen) wie wenn ich dann in der Hochzeitsnacht erfahre, dass sie gelogen hat. Vielleicht ist sie nur deshalb so ruhig, weil er ein Präs. benützt hat.

Ob diese Befürchtung sich bewahrheitete, ist nicht überliefert. Anzenbacher heiratete Elisabeth Rämisch im August 1914. Er wurde schon zu Beginn des Krieges eingezogen und diente als Offizier. 1916 wurde er bei Przemyśl (Galizien) von einem russischen Bajonett durchbohrt.

Elisabeth Rämisch heiratete 1924 ein zweites Mal – einen Lehrer. Sie starb bereits 1931, im Alter von 37 Jahren.

Elisabeth Rämisch

85 Kafka als Teufel

Vor der Auslage von Casinelli drückten sich 2 Kinder herum, ein etwa 6 Jahre alter Junge, ein 7 Jahre altes Mädchen, reich angezogen, sprachen von Gott und von Sünden. Ich blieb hinter ihnen stehn. Das Mädchen vielleicht katholisch hielt nur das Belügen Gottes für eine eigentliche Sünde. Kindlich hartnäckig fragte der Junge, vielleicht ein Protestant, was das Belügen des Menschen oder das Stehlen sei. »Auch eine sehr grosse Sünde« sagte das Mädchen »aber nicht die grösste, nur die Sünden an Gott sind die grössten, für die Sünden an Menschen haben wir die Beichte. Wenn ich beichte steht gleich wieder der Engel hinter mir; wenn ich nämlich eine Sünde begehe, kommt der Teufel hinter mich, nur sieht man ihn nicht.« Und des halben Ernstes müde, drehte sie sich zum Spasse auf den Haken um und sagte: »Siehst Du niemand ist hinter mir.« Ebenso drehte sich der Junge um und sah dort mich. »Siehst Du« sagte er ohne Rücksicht darauf, dass ich es hören musste, aber auch ohne daran zu denken »hinter mir steht der Teufel.« »Den sehe ich auch« sagte das Mädchen »aber den meine ich nicht«

86 Georg Langers Erinnerungen an Kafka

Sehr geehrter Herausgeber, gerne habe ich Ihren Vorschlag, meine Erinnerungen an meinen verstorbenen Freund Franz Kafka aufzuschreiben, angenommen. Doch sobald ich zur Feder griff, um dies zu tun, wandelte sich meine Freude in Leid, und ich sann nach und suchte lange in meinen Erinnerungen. Trotz der vielen Jahre, die ich in seiner Nähe verbringen durfte, finde ich fast gar nichts, um Ihren Durst und den Durst Ihrer Leser zu stillen und einige Informationen über diesen erstaunlichen Menschen hinzuzufügen. Vielleicht, werden Sie sagen, ist dies eine Folge des Vergessens? Eher nicht, denn es vergeht kaum ein Tag, an dem ich mich nicht an ihn erinnere, das heißt an die Stärke seiner außerordentlichen Persönlichkeit. Aber ich kann mich an kein konkretes Detail und an nichts Ungewöhnliches erinnern. Womit könnte man dies vergleichen? Mit der Geschichte jenes Schülers des Baal-Schem-Tov, der durch die Welt reiste, um die großen Taten seines Meisters zu verbreiten, und wenn es so weit war, konnte er gar nichts sagen. Genauso verhält es sich mit Franz Kafka. Es hängt mit seiner Natur und seinem Wesen zusammen: Er, Kafka, wollte sich einfach nicht »offenbaren«, das heißt, er wollte es und wollte es nicht, und beides gelang ihm, wie sich im folgenden zeigen wird.

Kafka war ein absolut origineller Mensch. Ein Dichter, dessen Eigenart es war, seine Originalität so gut wie möglich zu verbergen und sich den Leuten gerade als ein ganz gewöhnlicher Mensch und als einer von ihnen zu zeigen. Auf diese Art, wie um uns zu ärgern, hat er mir nichts hinterlassen, an das ich mich beim Schreiben dieser Erinnerungen halten könnte. Ich erinnere mich zwar noch gut an sein trockenes Lachen, an seine behutsamen Bewegungen, an seinen eleganten Stil zu sprechen – übrigens habe ich den Ausdruck »eleganter Stil« von ihm gelernt –, aber was hat dies alles mit dem Schreiben von Erinnerungen zu tun? Nur eines weiß ich gewiß: daß er einen großen Einfluß auf mich hatte, daß ich viel von ihm gelernt habe und ihm zu großem Dank für vieles verpflichtet bin. Von ihm habe ich zum Beispiel gelernt, daß der Mensch jeden Tag ein Gedicht lesen muß. Eines und nicht zwei, so hat er es mir immer wieder geboten, und die Worte des Weisen sind immer lieblich. Mehr könne kein Kopf aushalten. Als meine ersten Gedichte in Elieser Steinmanns Zeitschrift »Kolot« erschienen, sagte Kafka mir, sie hätten eine gewisse Ähnlichkeit mit der chinesischen Lvrik. Ich ging und kaufte mir eine Sammlung chinesischer Lyrik in der französischen Übersetzung von Franz Toussaint, und seitdem liegt dieses schöne Buch immer auf meinem Tisch. Ich sagte, Kafka habe meine Gedichte gelesen. Das bedeutet, daß er Ivrith konnte, und daß diejenigen, die ihre Erinnerungen über ihn niederschrieben, dieses Detail nicht aufgeschrieben haben. Ja. Kafka sprach Ivrith. In seinen letzten Jahren haben wir die ganze Zeit Ivrith gesprochen. Er, der immer wieder beteuerte, er sei kein Zionist, hat unsere Sprache in erwachsenem Alter und mit großem Fleiß gelernt. Und anders als die Prager Zionisten, sprach er fließend Hebräisch, was ihm eine besondere Befriedigung bereitete, und ich glaube, ich übertreibe nicht, wenn ich sage, daß er insgeheim stolz darauf war. Zum Beispiel einmal, als wir in der Straßenbahn fuhren und uns über die Flugzeuge unterhielten, die in diesem Moment über uns am Himmel Prags kreisten, da fragten uns die Tschechen, die mit uns fuhren, als sie die Klänge unserer Sprache hörten, die sie wohl als wohlklingend empfanden, was für eine Sprache wir denn sprechen würden. Und als wir ihnen antworteten, welche Sprache das sei und worüber wir gerade geredet hätten, staunten sie sehr, daß man auf Ivrith sogar über Flugzeuge sprechen könne… Wie sehr leuchtete da Kafkas Gesicht vor Freude und Stolz! Und so freute er sich über jedes Wort Hebräisch, das er von mir lernte, wie einer, der große Beute gemacht hat. Ich nehme an, daß er zu seinem eigenen Vergnügen auch Ivrith gelesen hat, doch er mochte nicht die verquatschten Dichter, die viele Worte machen und absichtlich seltene Wörter benutzen. Über die hat er mir einmal gesagt: Sie wollen zeigen, daß sie sich gut im hebräischen Lexikon auskennen. Er war kein Zionist, aber er beneidete zutiefst jene, die den großen Grundsatz des Zionismus selbst verwirklichten, was schlicht bedeutet, nach Erez Israel einzuwandern. Er war kein Zionist, aber alles, was in unserem Land passierte, bewegte ihn sehr. Besonders interessierte er sich für das Wirken der erez-israelischen Jugend und für ihre Erziehung. Einmal fand er den Brief eines erez-israelischen Jugendlichen in einer Zeitung abgedruckt, der einen Ausflug irgendwo dort in jene Wüsten beschrieb, mit denen unser Land gesegnet ist, und diese Beschreibung war nicht gerade ermutigend, man erfuhr fast gar nichts, außer von Müdigkeit, Durst, Schweiß, aber gerade dies, die Schilderung gerade der negativen, abstoßenden Seiten – genau das gefiel Kafka…

Er war wirklich ein sonderbarer Mensch.

Einmal offenbarte er mir seinen Wunsch, alle seine noch nicht veröffentlichen Schriften zu verbrennen. »Wenn dem wirklich so ist«, fragte ich ihn, »warum schreibst und veröffentlichst du dann überhaupt?« »Das weiß ich nicht genau«, antwortete Kafka mir, »irgend etwas drängt mich, eine Erinnerung zu hinterlassen, trotz allem…« Und tatsächlich verbrannte er danach einen Großteil seiner Schriften. Schade, wie schade, daß sie untergegangen sind.

Kafkas besonderer Humor, der mit Bitterkeit und Trockenheit einherging, blieb ihm bis in seine letzte Stunde erhalten. Als diese gekommen war, wollte der Arzt, der ihn behandelte, die Türe aufmachen. Damit der Kranke aber nicht den Verdacht schöpfte, er wolle ihn alleine lassen, stand er auf und sagte: »Ich gehe hier nicht weg.« »Aber ich gehe hier weg«, antwortete Kafka und hauchte seine Seele aus.

Dies ist vielleicht der Ort, eine merkwürdige Begebenheit zu berichten, die zwar in keinerlei Zusammenhang mit Kafka selbst steht – wir sind doch alle aufgeklärte Leute, ohne jeden Makel von Aberglauben –, und trotzdem führe ich sie allein zu dem Zwecke an, um etwas zu illustrieren. Denn wenn er dies bewirkt hätte, so würden wir zu recht sagen, daß diese Sache charakteristischer für ihn ist als hundert andere Taten. Es begab sich lange nach seinem Tod, im Hause unseres gemeinsamen Freundes Max Brod. Der hatte es auf sich genommen, die wenigen übriggebliebenen Texte des verstorbenen Kafka zu ordnen und zu veröffentlichen. Unnötig zu sagen, daß er mit diesen Schriften vertrauenswürdig umging, sie hoch schätzte und sie wie seinen Augapfel hütete. Und siehe, eines Abends besuchte ihn ein bekannter Schriftsteller, und Brod wollte ihm die Handschriften Kafkas zeigen, in die er niemandem so leicht Einblick gewährte, außer diesem Mann, einfach weil das Anschauen ihnen Schaden zufügen könne. Er war bereits dabei, die Schriften aus ihren Mappen zu holen und wollte sie gerade dem Gast zeigen.

Doch in diesem Moment verlosch das Licht im ganzen Haus und ebenso in den Nachbarhäusern aufgrund eines Zwischenfalls in der Stromversorgung, und der ehrenwerte Gast ging enttäuscht nach Hause; er hatte auch nicht einen Buchstaben gesehen.

Wie gesagt, man muß dieser Tatsache keinerlei Bedeutung beimessen, und ich erwähne es nur als ein Beispiel. In jedem Fall enden hiermit meine gegenwärtigen Erinnerungen an Kafka. Sollte mir noch etwas einfallen, werde ich natürlich nicht zögern, es für Sie und für Ihre Leser sogleich aufzuschreiben.

Hochachtungsvoll
Mordechai Georgo Langer
Tel Aviv, 17. Schewat 5701 (14. Februar 1941)

Georg Langer

Georg (Jiří) Mordechai Langer (1894–1943), der jüngere Bruder des jüdisch-tschechischen Arztes und Schriftstellers Frantisek Langer, lernte Kafka vermutlich im Sommer 1915 kennen. Zu diesem Zeitpunkt war er Anhänger des Chassidismus und hatte – zum Schrecken seiner assimilierten Familie – auch schon einige Monate am ›Hof‹ des ›Wunderrabbi von Belz‹ (Galizien) verbracht. Das daraus resultierende Insider-Wissen, aber auch Langers Hebräischkenntnisse waren für Kafka und seine engeren Freunde äußerst verlockend. Dass es Kafka durch Hebräischlektionen – unter anderem bei Langer – und Selbststudium tatsächlich zu einer flüssigen Beherrschung des Neuhebräischen brachte, lässt sich durch Erinnerungen anderer Zeitzeugen allerdings nicht bestätigen (siehe auch Fundstück 48). Langers Äußerungen über Kafkas Tod stammen aus dritter Quelle und sind ungenau wiedergegeben.

87 Kafka als Prager Stadtgespräch

Zu den ältesten Legenden, die schon bald nach Kafkas Tod aufkamen, gehört die seiner verborgenen dichterischen Existenz. Noch heute ist gelegentlich zu hören, Kafka sei ein zu Lebzeiten »völlig unbekannter« Autor gewesen. Das ist weder wahr, noch wäre Kafka – was ihm ebenfalls unterstellt wurde – über diesen Zustand sehr glücklich gewesen. Zwar fanden seine Publikationen bei weitem nicht so viele Leser und Rezensenten, wie vor dem Hintergrund seines heutigen Weltruhms zu erwarten wäre. Doch wer sich während des Ersten Weltkriegs und in den Jahren danach für avancierte deutschsprachige Literatur interessierte, dem war der Name Kafka geläufig: als eines der vielversprechenden Talente, die vom Lichtkegel der Kritik gelegentlich erfasst wurden. Bereits 1917 wurde Kafka in *Kürschners Deutschen Literatur-Kalender* aufgenommen, und 1918 erschien er erstmals in dem von Adolf Bartels verfassten und fortlaufend erweiterten Kompendium *Die deutsche Dichtung der Gegenwart.*

Erst recht kein Unbekannter war der Schriftsteller Franz Kafka in seiner Heimatstadt Prag. Spätestens, seit er mit dem Fontanepreis in Zusammenhang gebracht wurde (siehe Fundstück 63), gelangte sein Ruf über den Kreis der Freunde und Kollegen weit hinaus, und wer am reichen kulturellen Leben Prags interessiert war, kannte den Namen Kafka – zumindest innerhalb der deutschen Minorität. So wurden etwa in einer kunstgeschichtlichen Vorlesung an der Deutschen Technischen Hochschule (Wintersemester 1919/20) Texte Kafkas herangezogen, um den Begriff ›Expressionismus‹ zu erläutern.

Ein anderer augenfälliger Beleg findet sich in der Morgenausgabe des *Prager Tagblatt* vom 11. Juni 1918, wo auf ein und derselben Seite Kafkas Name dreimal genannt wird. In einer Rezension von Max Brods Bühnenwerk *Die Höhe des Gefühls* schreibt Berthold Viertel:

Der neuprager Ton, der, wie die »Blätter der Kammerspiele« richtig vermerken, von Laforgue über Brod zu Werfel führte (aber der reinste Dichter des Kreises ist Franz Kafka), mischt Schiller mit Alltagsjargon, Pathetik (bis zu den Sternen) mit Rührung (über die Gewöhnlichkeit) und mit Erbarmen (mit dem Menschenherzen).

In einem weiteren Feuilleton von Richard Katz mit dem Titel ›Im Prager Literaten-Café‹ heißt es zunächst:

Von Salus und Adler, den Ältesten, führt eine komplette zeitgenössische Literaturgeschichte über Brod, Werfel, Kafka (mit Abzweigungen zu Meyrink, Lepin, Oskar Baum und einigen Dutzend anderen) zu Schulz, Feigl, Fuchs, Urzidil usw. den Jüngeren und von ihnen wieder zu den Allerjüngsten, die Werfel schon in der Quarta »überwunden« haben.

Gegen Ende dieses Textes kommt dann Katz nochmals auf Kafka zu sprechen:

… Franz Kafka, der für seine Erzählungen »Der Heizer« und »Die Verwandlung« den Fontane-Preis erhielt, zog sich sensitiv zurück, kaufte irgendwo in Deutschböhmen einen Garten, in dem er – vegetarisch dem Essen und der Beschäftigung nach – Rückkehr zur Natur sucht …

Es war zwar nicht viel Wahres an diesen Kaffeehaus-Gerüchten, doch offensichtlich ist, dass Katz den Namen Kafka bei den Lesern des Feuilletons als bekannt voraussetzt. Und das, noch ehe von den *Landarzt*-Erzählungen und von Kafkas Romanen auch nur eine Zeile veröffentlicht war.

88 Gegen Doktor Kafka liegt nichts vor

An das K. k. Polizei-Präsidium in Prag.

In Angelegenheit der Anträge betreffend Auszeichnungen wegen Verdiensten auf dem Gebiete der Kriegsbeschädigten-Fürsorge ersuchen wir in die Reihe derselben auch Herrn Dr. Franz Kafka, Vizesekretär der Arbeiter-Unfall-Versicherungs-Anstalt für das Königreich Böhmen in Prag aufnehmen zu wollen.

Dr. Franz Kafka besorgt neben der Agenda der Versicherungstechnischen Abteilung die Vorbereitung und die Erledigung der Agenda des Ausschusses für Heilbehandlung seit dem Jahre 1915. Er erledigt die Korrespondenz betreffend die Gründung und den Betrieb der Heilstätten. Insbesondere obliegen ihm die Angelegenheiten, betreffend die von der Staatlichen Landeszentrale geführten Krieger-Nervenheilanstalt in Frankenstein.

Eine Auszeichnung für Kafka, für kriegswichtige Tätigkeiten beantragt von der ›Staatlichen Landeszentrale zur Fürsorge für heimkehrende Krieger‹ am 9. Oktober 1918. Um diese Auszeichnung vornehmen zu können, musste vonseiten der Polizei zunächst einmal festgestellt werden, ob gegen den Aspiranten irgendwelche Beschwerden vorlagen, und zur Feststellung dessen hatten sämtliche österreichischen Kommissariate die entsprechenden Karteikästen zu durchblättern und das Ergebnis telegrafisch nach Prag zu übermitteln. Nachdem dieser landesweite Datenabgleich ein günstiges Resultat gezeitigt hatte, konnte das Prager Polizeipräsidium bereits am 20. Oktober eine uneingeschränkte Empfehlung aussprechen:

Gegen JuDr. Franz Kafka, Vicesekretär der Arbeiterunfallversicherungsanstalt liegt weder in staatsbürgerlicher noch in sittlicher Hinsicht etwas Nachteiliges vor.

Damit stand der Verleihung eines kleinen Ordens an Kafka eigentlich nichts mehr im Weg. Doch er hatte Pech. Denn der Staat, dem er nach Kräften gedient hatte und der ihn nun auszeichnen wollte, existierte bereits drei Wochen später nicht mehr.

89 Letzter Gruß aus der Monarchie

Sehr geehrter Verlag!

Gleichzeitig schicke ich Ihnen express-rekommando das Manuscript der »Strafkolonie« mit einem Brief. Meine Adresse ist: Prag, Poříč 7

Hochachtungsvoll
ergeben
Dr Kafka II XI 18

Kafkas Postkarte an den Kurt Wolff Verlag in Leipzig ist bemerkenswert schon wegen des Datums: Am 11. November 1918 endete der Erste Weltkrieg mit einem von Deutschland unterzeichneten Waffenstillstand, nachdem tags zuvor Wilhelm II. nach Holland geflohen war; gleichzeitig trat der österreichisch-ungarische Kaiser Karl I. zurück, was das Ende der k. u. k. Monarchie bedeutete.

Obwohl also Kafka Postkarte wie Manuskript »express-rekommando« nach Deutschland schickte (das heißt als Eilsendungen und per Einschreiben), gingen diese Sendungen ins Ungewisse: Sowohl das Land des Absenders als auch das des Empfängers existierten in ihrer bisherigen Form nicht mehr. In Prag hatte zwar der Tschechische Nationalausschuss bereits Ende Oktober die Verantwortung für die Post übernommen, doch war noch unklar, welche praktischen Auswirkungen dies haben würde.

Wie der Eingangsstempel auf der abgebildeten Postkarte zeigt, traf sie nach zwei Tagen in Leipzig ein. Manuskript und Brief jedoch waren etliche Wochen unterwegs; noch kurz vor Weihnachten bemühte sich der Postbeamte Max Brod um die verschollene Sendung.

Die Erzählung *In der Strafkolonie* entstand im Oktober 1914; am 10. November 1916 las Kafka sie öffentlich in München vor (siehe Fundstück 40). Kurt Wolff erhielt eine Abschrift spätestens im Sommer 1916, konnte sich jedoch wegen des abschreckenden Stoffs zunächst nicht dazu entschließen, die Geschichte in einem separaten Band zu veröffentlichen. Erst im Herbst 1918 wurden die Verhandlungen mit dem Autor wieder aufgenommen, am 11. November, dem Tag der Postkarte, nahm Kafka noch eine kleine Kürzung des Textes vor. Wegen herstellungstechnischer Probleme, Versäumnissen im Verlag sowie eines Streiks der Buchhändler verzögerte sich die Auslieferung bis Oktober 1919. Bis Mitte 1920 wurde etwa 600 Exemplare verkauft.

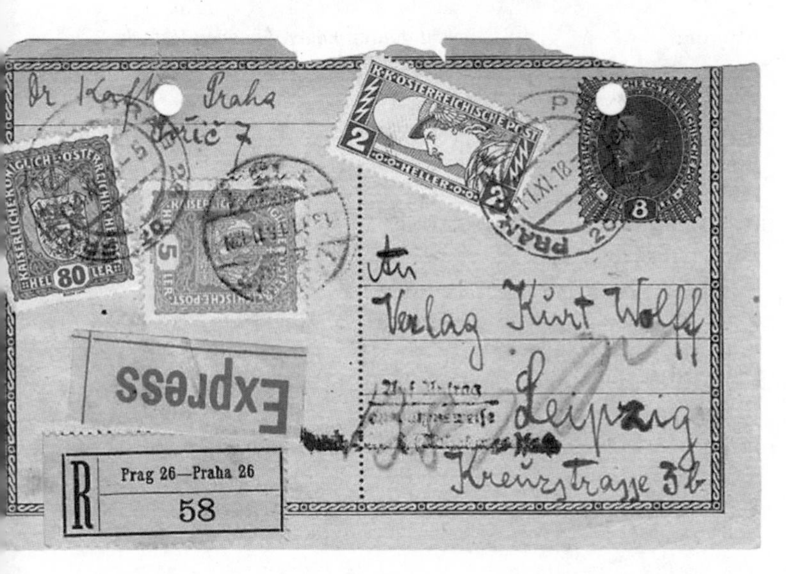

90 Ein Fragebogen unter Freunden

Fragebogen

Gewichtszunahme?	*8 kg*
Totalgewicht?	*über 65 kg*
objektiver Lungenbefund?	*Geheimnis des Arztes, angeblich günstig*
Temperaturen?	*im allgemeinen fieberfrei*
Atmung?	*nicht gut, an kalten Abenden fast wie im Winter*
Unterschrift:	*Die einzige Frage die mich in Verlegenheit bringt*

Fragebogen

Gewichtszunahme? 8 kg

Totalgewicht? über 65 kg

Objektiver Lungenbefund? Geheimnis des Arztes, angeblich günstig

Temperaturen? im allgemeinen fieberfrei

Atmung? nicht gut an kalten Abenden fast wie im Winter

Unterschrift: Die einzige Frage die mich in Verlegenheit bringt

Kafka war nur schwer dazu zu bewegen, über den Stand seiner Tuberkuloseerkrankung Verlässliches preiszugeben. Sosehr er zum Klagen neigte, wenn es um psychische Probleme ging, so einsilbig und unklar blieb er, wenn Freunde ihn nach Krankheitssymptomen oder nach den Ergebnissen ärztlicher Untersuchungen fragten. Da sie wussten, wie wenig Kafka von der Schulmedizin hielt (siehe Fundstück 27), und da er häufig ironische Antworten gab, hegten sie einen doppelten Verdacht: Zum einen schien es, als verkenne Kafka den Ernst seiner Situation (darin irrten sie), zum anderen schöpfte er offenkundig die gegebenen Möglichkeiten nicht aus, die Krankheit aufzuhalten (womit sie wohl recht hatten).

Um Kafka endlich einmal zu einer klaren Auskunft zu veranlassen, schickte ihm Max Brod am 12. Juni 1921 in seinen Kurort Tatranské Matliary einen »amtlichen Fragebogen zur ehebaldigsten Ausfüllung und Berichterstattung« – ein Scherz unter Beamten. Kafka ging auf das Spiel zwar ein, doch seine Antworten, die das Entscheidende, den Befund der Lunge, wiederum offenließen, dürften Brod kaum beruhigt haben.

Kafka blieb auch weiterhin diskret. Als er etwa zwei Monate später – noch immer in Matliary – erneut heftiges Fieber bekam, erfuhr Brod dies nicht von Kafka selbst, sondern mündlich von dessen Vater.

91 Karl Kraus will keinen Brief von Kafka

Kafka hat vermutlich mehrere Lesungen von Karl Kraus besucht, zu einer persönlichen Begegnung oder zum Austausch von Briefen ist es jedoch nie gekommen. Auch hat Kraus in seiner Zeitschrift *Die Fackel* Kafka kein einziges Mal erwähnt, obwohl er sein Werk zweifellos zur Kenntnis nahm und ihn in einem privaten Brief ausdrücklich als »Dichter« bezeichnete – aus seinem Mund die höchste Anerkennung. Der einzige Versuch, Kontakt aufzunehmen, ging von Kafka aus – unter sonderbaren Umständen und ohne Erfolg.

Am 18. November 1917 hielt Karl Kraus in Wien eine Gedenkrede für den befreundeten Lyriker Franz Janowitz, der zwei Wochen zuvor im Alter von nur 25 Jahren an der italienischen Front getötet worden war. Am Ende dieser Rede sagte Kraus: »Ich wartete auf sein Buch und musste mich mit der Feldpost begnügen. Aus einem bescheidenen Heftchen, das er im Jahre 1913 nur widerwillig einer fragwürdigen Anthologie einverleiben ließ, ertöne nun seine Stimme, so leise, so tief.« Den vollständigen Text dieser Gedenkrede veröffentlichte Kraus im Mai 1918 in der *Fackel*.

Bei jener »fragwürdigen Anthologie« handelte es sich um den von Max Brod herausgegebenen Band *Arkadia. Ein Jahrbuch für Dichtkunst* (Kurt Wolff Verlag), in dem 16 Gedichte des noch völlig unbekannten Janowitz abgedruckt worden waren. Dass der Autor ihm diese Stücke nur »widerwillig« überlassen habe, wollte Brod, der sich als Entdecker von Janowitz empfand, natürlich nicht auf sich sitzen lassen. Er besprach sich während eines langen Spaziergangs mit Kafka, was zu tun sei.

Da eine direkte Intervention zwecklos gewesen wäre – Kraus war ein aggressiver Gegner von Brod –, schlug Kafka vor, als Vermittler Franz Janowitz' älteren Bruder Hans einzuschalten, der ebenfalls zum Kreis von Karl Kraus gehörte. Mehrere Tage lang war Kafka damit beschäftigt, einen diplomatischen Brief an Hans Janowitz zu formulieren: Max Brod liege nichts an Polemik oder öffentlicher Richtigstellung, schrieb Kafka, doch habe er damals, 1913, einen Brief von Franz Janowitz erhalten, dessen Ton die Dankbarkeit für Brods Engagement eindeutig bezeuge. Diesen Brief schrieb nun Kafka eigenhändig ab und legte ihn dem Schreiben an Hans Janowitz bei – mit der Bitte, ihn an Kraus zur persönlichen Kenntnisnahme weiterzuleiten.

Es dauerte mehrere Monate, ehe die Antwort von Hans Janowitz eintraf. Nach den Erinnerungen Brods hatte sie folgenden Wortlaut:

Sehr geehrter Herr Kafka! Ich bin nicht in der Lage, Ihren Brief an Herrn Karl Kraus weiterzuleiten. Herr Kraus würde auch keinesfalls eine Erklärung von Herrn Brod entgegennehmen.

92 Frank und Milena

Ob Kafka von einer der Frauen, mit denen er befreundet war, je mit Kosenamen angesprochen wurde, wissen wir nicht. Überliefert ist jedoch, dass Milena Jesenská sich mit Kafkas Namen einen besonderen Spaß erlaubte. Nachdem er mehrere seiner frühen Briefe an sie mit »FranzK.« unterzeichnet hatte, was man auf den ersten Blick – siehe die Abbildung – leicht als »Frank« lesen kann, nannte sie ihn fortan konsequent Frank, mündlich wie schriftlich. Wie ihre Briefe an Max Brod belegen, blieb sie bei dieser Gewohnheit sogar gegenüber Dritten.

Kafka scheint den neuen Namen wie einen Ehrentitel getragen zu haben: »Franz« repräsentierte die Vergangenheit, »Frank« die neuen Lebenschancen, die sich durch die Beziehung zu Milena entwickelten. Als Milena Jesenská in ihrer tschechischen Übersetzung von *Das Unglück des Junggesellen* den Protagonisten etwas zu vital zeichnete, kommentierte Kafka: »Mit Deiner Übersetzung bin ich natürlich ganz einverstanden. Nur verhält sie sich eben zum Text wie Frank zu Franz …«

Bemerkenswert ist, dass Jesenská nach Kafkas Tod sofort zu dessen wirklichem Vornamen zurückkehrte. Mitte Juli 1924 schrieb sie an Max Brod: »Ich glaube kaum, dass ich über Franz jetzt sprechen könnte …«

93 Erinnerungen an Onkel Franz

Ich war ein Kind, als der Onkel starb, und ich habe also keine direkten Erinnerungen an Gespräche mit ihm oder gar an seine Handlungen. Trotzdem kann ich mich sehr genau an ihn erinnern, denn er warf seinen Schatten auf unsere Kindheit. Seine drei Schwestern standen ganz unter seinem Einfluss, sie liebten und verehrten ihn als eine Art höheres Wesen. Wir Kinder liebten ihn nicht sehr, er schien uns unnahbar und etwas unheimlich und wir wichen ihm gewöhnlich aus. Ich sehe ihn klar vor mir, wie ich einmal in der Mikulášská třída an ihm vorüberging, eine große dunkle Gestalt mit einem Taschentuch vor dem Mund – er war damals schon krank und sehr darauf bedacht, niemanden anzustecken. Er wurde von seiner Umgebung sehr verwöhnt, bekam immer ganz besondere Speisen, so kann ich mich zum Beispiel erinnern, dass er ganze Teller voll geschälter Mandeln und Nüsse bekam, die ich natürlich viel lieber selbst gegessen hätte. Die zwei älteren Schwestern heirateten Geschäftsleute, die jüngere einen Dr. juris und sie blieben auch nachher, als wir Kinder aufwuchsen, sehr unter dem Einfluss des Bruders. Meine Mutter hat mir erzählt, dass, als sie noch alle Kinder waren, sie sehr von dem Onkel tyrannisiert wurden, so wie es ja natürlich ist für einen Bruder mit drei jüngeren Schwestern. Diese – ich möchte fast sagen – Anbetung hat sich erst in den späteren Jahren herausgebildet. Die Menschen in seiner Umgebung spürten seine Persönlichkeit auch ohne seine Bücher zu lesen und er wurde von den meisten Menschen sehr geliebt und geschätzt. Gewöhnlich reagierte er darauf gar nicht, denn er war ganz in seine eigene Welt versponnen.

Er konnte aber auch sehr liebevoll in Kleinigkeiten sein, so kann ich mich zum Beispiel erinnern, wie er einmal der Haushälterin meiner Großeltern einen Regenschirm zum Geburtstag schenkte. An der Spitze jedes Drahtes hingen, sorgfältig angebunden, Bonbons. Und plötzlich war das ein ganz besonderer Regenschirm. Der einzige in seiner Umge-

bung, der vollkommen negativ auf ihn reagierte, war sein Vater, dem wäre ein Sohn wie mein Vater viel lieber gewesen. Sein Sohn war ihm vollkommen fremd und eine große Enttäuschung. Er war ein Geschäftsmann, der sich von klein auf durch harte Arbeit, großen Fleiß und praktischen Sinn emporgearbeitet hatte. Er hätte sich gewünscht, dass sein einziger Sohn sein Geschäft übernehmen würde und in seinen Fußstapfen durch das Leben gehen würde. Mit einem Träumer, der unsichtbare Kämpfe führte und unverständliche Bücher schrieb, die damals kein Geld einbrachten, wusste er überhaupt nichts anzufangen. Der Onkel spürte das natürlich, und das Verhältnis zu seinem Vater wuchs zu einem enormen Hindernis, über das er in seinem ganzen Leben nicht hinwegkam. Der Onkel, der selbst nicht verheiratet war, interessierte sich sehr für Kindererziehung. Er beeinflusste auch in dieser Hinsicht seine Schwestern und nahm Anteil an uns Kindern. Er schenkte uns Bücher, riet den Schwestern zu welchen Vorträgen und Theaterstücken zu gehen usw. Ich kann mich erinnern, dass er meiner Mutter einmal den Rat gab, mich mit 10 oder 12 Jahren wegzugeben von zu Hause und mich in eine Tanzschule nach Hellerau zu geben. Aus diesem Experiment wurde nichts, weil meine Mutter davor zurückschreckte mich so bald von zu Hause wegzuschicken. Er muss wohl eine sehr unglückliche Kindheit gehabt haben, denn ich erinnere mich noch an den Ruf »weg von zu Hause mit den Kindern«, der von ihm stammte. Die Atmosphäre, die von ihm ausging und sich in seinen Schwestern widerspiegelte, war sehr eigenartig. Wir Kinder wuchsen auf in einem gutbürgerlichen, sehr geregelten Milieu, das aber doch sehr verschieden war von dem anderer Menschen in derselben sozialen Schicht, eben durch diesen Einfluss, der von Franz Kafka ausging und sich auf seine Schwestern übertrug. Meine Mutter war seine älteste Schwester. Aber alle drei Schwestern Kafkas waren sehr sensitiv und hatten eine große Einfühlungskraft. Im Leben meiner Mutter spielten wir Kinder, ihr Mann eine sehr positive Rolle, die sie ausfüllte, aber all das war ihr irgendwie sehr selbstverständlich. Tiefer als das ging der Einfluss ihres Bruders. Durch ihn war sie mit allem Kostbaren und Schönen und auch Schweren und Unerklärlichem verbunden, und sie konnte sich einfühlen in seine Welt. Aber eben durch ihre passive Veranlagung konnte sie ihm nie viel helfen, sondern immer nur verstehen, sich einfühlen. Die jüngste Schwester war viel energischer und aktiver, und sie stand meinem Onkel, glaube ich, am nächsten. Sie war ihm mehr ein Kamerad, und sie verbrachten oft Ferien zusammen. Der Tod ihres Bruders war der erste schwere Schlag, den das Leben den drei Schwestern versetzte. Die Zeit verwischte etwas sein Antlitz, aber nie ihre Liebe und Verehrung für ihn. Und das Schicksal versetzte ihnen bald viele andere Hiebe. – Die Nazis sind mit der Familie Franz Kafkas so verfahren wie mit tausenden anderen. Alle drei Schwestern wurden irgendwo, irgendwann in Polen vergast …

Die Autorin dieser Aufzeichnungen, Gerti Kaufmann (geb. Hermann, 1912–1972), war eine Tochter von Kafkas ältester Schwester Elli. Zumindest im Sommer 1923 muss sie ihren Onkel Franz Kafka aus größerer Nähe erlebt haben, als aus ihren Erinnerungen hervorgeht, denn sie verbrachte mit ihm, ihrer Mutter und den Geschwistern einen fünfwöchigen Urlaub im Ostseebad Müritz. Erhalten blieb auch ein Buchgeschenk Kafkas an Gerti, siehe das Fundstück 65: ›Selbstgespräch des Onkel Franz‹.

Gerti Hermann

94 Liebesgedicht für Kafka

Else Bergmann

Erinnerung
für F. K.

Ich habe vielerlei Männer genossen
Neugier des Leibes und heißer Drang
Doch einmal nur himmlischen Grund getroffen
In dieses Lebens jagender Zeit
Es war ein Hauch, kaum wars ein Kuss
Es traf ein leichter, goldner Strahl mein Herz
Ein einzig, winzig-kleiner Augenblick,
Hat meinem ganzen Leben Licht gebracht,
Und deine Worte: Freundschaft, Güte tragend
vielleicht – Unsterblichkeit.

Das undatierte Gedicht Else Bergmanns, der Ehefrau von Kafkas Schulfreund Hugo Bergmann, ist eine der wenigen überlieferten Äußerungen, in denen Frauen ihre Gefühle gegenüber Kafka bekennen. Dabei ist seinen Briefen und Tagebüchern sowie den Berichten von Zeitgenossen deutlich genug zu entnehmen, dass der charmante und gut aussehende Kafka bei Frauen – vor allem bei jüngeren – recht häufig schwärmerische Emotionen auslöste. Mehrere Frauen – darunter Felice Bauer, Milena Jesenská, Dora Diamant und deren Freundin Tile Rössler – haben Kafka nach dessen Tod idealisiert und verklärt.

Else Bergmann (1886–1969) war die Tochter von Berta Fanta, die im Haus ›Zum Einhorn‹ am Altstädter Ring einen literarischen Salon unterhielt. Hier verkehrte zeitweilig auch Kafka, und vermutlich war er mit Else Fanta schon bekannt, noch ehe sie ihren späteren Ehemann Hugo Bergmann (1883–1975) kennenlernte. Mit Bergmann, dem engagierten Zionisten, emigrierte sie 1919 nach Jerusalem. 1923, während eines Aufenthalts in Prag, versuchte sie Kafka dazu zu überreden, mit ihr nach Palästina zu reisen, doch die geplante Fahrt scheiterte letztlich an Kafkas schlechtem gesundheitlichen Zustand.

Else Bergmann hat noch einige weitere Gedichte verfasst, die sich auf Kafka beziehen, darunter ein ›Gebet am Grabe Kafkas‹. Ihr Nachlass befindet sich heute im Leo Baeck Institute, New York.

Else und Hugo Bergmann

Ende

95 Der Tod in Kafkas Klasse

Anfang der sechziger Jahre unternahm der Mediziner Hugo Hecht, ein langjähriger Mitschüler Kafkas, Recherchen über das Schicksal seiner Abiturklasse. Die vorläufigen Ergebnisse veröffentlichte er 1963 in der Monatsschrift *Prager Nachrichten*. Er hatte ermittelt, dass bereits zu Ende des Zweiten Weltkriegs, da seine einstigen Mitschüler 62 bis 64 Jahre alt waren, von insgesamt 24 Abiturienten wahrscheinlich nur noch fünf am Leben waren. »Die Bilanz ist grauenhaft«, schrieb Hecht, »mehr als ein Drittel der Klasse fiel einem gewaltsamen Tod zum Opfer.«

Diese Bilanz geht natürlich vor allem auf die Judenverfolgungen des Nazi-Regimes und auf damit verbundene Kriegsgeschehnisse zurück: Vermutlich fünf Mitschüler Kafkas wurden in Konzentrationslagern ermordet, einer kam bei der Bombardierung eines Schiffes ums Leben, ein weiterer starb an Herzschwäche nach einer strapaziösen Flucht. Besonders auffallend das Schicksal des Arztes Karl Steiner: Er wurde in Theresienstadt geboren und starb in Auschwitz.

Auch Kafka selbst, der ja nur knapp 41 Jahre alt wurde, überlebte bereits drei seiner Mitschüler. Zwei von ihnen begingen Selbstmord schon bald nach dem Abitur, ein weiterer, Kafkas naher Freund Oskar Pollak, wurde an der Insonzo-Front getötet. Wobei die Überlebenschancen ehemaliger Abiturienten im Ersten Weltkrieg noch überdurchschnittlich hoch waren. Denn viele von ihnen ergriffen Berufe, die ›kriegswichtig‹ waren und ihnen den Kampfeinsatz daher ersparten: insbesondere Mediziner (fünf in Kafkas Klasse),

Verzeichnis der approbierten Abiturienten.

Nr.	Name	Geburtsort	Geburts-Tag und Jahr	Dauer der Gymnasialstudien, Jahre	Grad der Reife	Gewählter Beruf
1	Becking Wilhelm	Prag	15. März 1882	9	reif	Militär
2	Bergmann Hugo	Prag	25. Dec. 1883	8	reif mit Auszeich.	Jurisprudenz
3	Ehrenfeld Samuel	Gnesen	25. Feber 1883	8	reif	Kaufmann
4	Fischer Paul	Prag	15. Sept. 1881	8	reif	Maschinenbau
5	Flammerschein Oskar	Prag	14. Juni 1883	8	reif	Handelswissenschaft
6	Gibian Camill	Karolinenthal	3. Sept. 1883	8	reif	Jurisprudenz
7	Hecht Hugo	Prag	23. Juli 1883	8	reif	Medicin
8	Heindl Alexander	Turnau	20. März 1881	9	reif	Handelswissenschaft
9	Jeiteles Alois	Neuern	17. April 1881	9	reif	Medicin
10	Kafka Franz	Prag	3. Juli 1883	8	reif	Philosophie
11	Kisch Paul	Prag	19. Nov. 1883	8	reif	Philosophie
12	Kraus Karl	Prag	12. Feber 1883	8	reif	Philosophie
13	Patz Victor	Hohenelbe	13. Juli 1882	8	reif	Medicin
14	Pollak Hugo	Prag	11. März 1882	8	reif	Jurisprudenz
15	Pollak Oskar	Prag	5. Sept. 1883	8	reif	Chemie
16	Přibram Ewald	Prag	11. Jan. 1883	8	reif	Chemie
17	Stein Victor	Zbirov	13. März 1881	9	reif	Bodencultur
18	Steiner Karl	Theresienstadt	15. Aug. 1881	8	reif mit Auszeich.	Eisenbahndienst
19	Steininger Anton	Nehasitz	13. Juni 1881	8	reif	Jurisprudenz
20	Steuer Otto	Prag	11. Jan. 1881	9	reif	Philosophie
21	Strauss Otto	Prag	17. Oct. 1883	8	reif	Philosophie
22	Utitz Emil	Prag	27. Mai 1883	8	reif mit Auszeich.	Philosophie

aber auch Juristen wie Kafka selbst, der von seiner Behörde als unabkömmlich reklamiert wurde.

Die Abbildung zeigt das Verzeichnis von Kafkas letzter Gymnasialklasse im Jahresbericht des Altstädter deutschen Gymnasiums (mit Ausnahme zweier Mitschüler, die bei der Abiturprüfung 1901 durchgefallen waren). Die aufgeführten »gewählten Berufe« sind häufig nicht identisch mit den später tatsächlich ausgeübten Berufen – so auch in Kafkas Fall. Wobei allerdings zu berücksichtigen ist, dass »Philosophie« hier nicht das Lehrfach meinte, sondern als Dachbegriff für alle Geisteswissenschaften verwendet wurde.

96

Kafkas Testamente

[I]

Liebster Max, meine letzte Bitte: alles was sich in meinem Nachlass (also im Bücherkasten, Wäscheschrank, Schreibtisch zuhause und im Bureau, oder wohin sonst irgendetwas vertragen worden sein sollte und Dir auffällt) an Tagebüchern, Manuscripten, Briefen, fremden und eigenen, Gezeichnetem u. s. w. findet restlos und ungelesen zu verbrennen, ebenso alles Geschriebene oder Gezeichnete, das Du oder andere, die Du in meinem Namen darum bitten sollst, haben. Briefe, die man Dir nicht übergeben will, soll man wenigstens selbst zu verbrennen sich verpflichten.

Dein
Franz Kafka

[II]

Lieber Max, vielleicht stehe ich diesmal doch nicht mehr auf, das Kommen der Lungenentzündung ist nach dem Monat Lungenfieber genug wahrscheinlich und nicht einmal dass ich es niederschreibe wird sie abwehren, trotzdem es eine gewisse Macht hat.

Für diesen Fall also mein letzter Wille hinsichtlich alles von mir Geschriebenem:

Von allem was ich geschrieben habe gelten nur die Bücher: Urteil, Heizer, Verwandlung, Strafkolonie, Landarzt und die Erzählung: Hungerkünstler. (Die paar Exemplare der »Betrachtung« mögen bleiben, ich will niemandem die Mühe des Einstampfens machen, aber neu gedruckt darf nichts daraus werden). Wenn ich sage, dass jene 5 Bücher und die Erzählung gelten, so meine ich damit nicht, dass ich den Wunsch habe, sie mögen neu gedruckt und künftigen Zeiten überliefert werden, im Gegenteil, sollten sie ganz verloren gehn, entspricht dieses meinem eigentlichen Wunsch. Nur hindere ich, da sie schon einmal da sind, niemanden daran, sie zu erhalten, wenn er dazu Lust hat.

Dagegen ist alles, was sonst an Geschriebenem von mir vorliegt (in Zeitschriften Gedrucktes, im Manuskript oder in Briefen) ausnahmslos soweit es erreichbar oder durch Bitten von den Adressaten zu erhalten ist (die meisten Adressaten kennst Du ja, in der Hauptsache handelt es sich um Frau Felice M, Frau Julie geb. Wohryzek und Frau Milena Pollak, vergiss besonders nicht paar Hefte, die Frau Pollak hat) – alles dieses ist ausnahmslos am liebsten ungelesen (doch wehre ich Dir nicht hineinzuschauen, am liebsten wäre es mir allerdings wenn Du es nicht tust, jedenfalls aber darf niemand anderer hineinschauen) – alles dieses ist ausnahmslos zu verbrennen und dies möglichst bald zu tun bitte ich Dich

Franz

Diese beiden testamentarischen Verfügungen – die erste wahrscheinlich vom Herbst/Winter 1921, die zweite vom 29. November 1922 – fand Max Brod nach dem Tod des Freundes unter dessen Papieren. Wie bekannt, hat sich Brod an die Verfügungen nicht gehalten, worin ihm die überwältigende Mehrzahl von Kritikern und Lesern recht gab. Allerdings waren ausgerechnet die beiden Testamente selbst die ersten Texte, die Brod nach dem Tod Kafkas aus dessen Nachlass veröffentlichte (in der *Weltbühne* am 17. Juli 1924).

Bereits früher gab es mindestens noch ein weiteres Testament Kafkas, dessen Inhalt zu erahnen ist. Als Brod Ende 1916 Kafka darum bat, im Fall seines Todes gewisse intime Dokumente zu sichern und zu vernichten, antwortete Kafka: »es wird, nicht besorgt, aber beachtet werden. Übrigens liegt in meiner Brieftasche schon seit längerer Zeit eine an Dich adressierte Visitkarte mit ähnlicher sehr einfacher Verfügung (allerdings auch in Geldsachen)«.

97 Der letzte Brief

[An Julie und Hermann Kafka in Prag
Kierling bei Wien, Sanatorium Dr. Hoffmann, 2. Juni 1924]

Liebste Eltern, also die Besuche, von denen Ihr manchmal schreibt. Ich überlege es jeden Tag, denn es ist für mich eine sehr wichtige Sache. So schön wäre es, so lange waren wir schon nicht beisammen, das Prager Beisammensein rechne ich nicht, das war eine Wohnungsstörung, aber friedlich paar Tage beisammenzusein, in einer schönen Gegend, allein, ich erinnere mich gar nicht, wann das eigentlich war, einmal paar Stunden in Franzensbad. Und dann ›ein gutes Glas Bier‹ zusammentrinken, wie Ihr schreibt, woraus ich sehe, dass der Vater vom Heurigen nicht viel hält, worin ich ihm hinsichtlich des Bieres auch zustimme. Übrigens sind wir, wie ich mich jetzt während der Hitzen öfters erinnere, schon einmal regelmässig gemeinsame Biertrinker gewesen, vor vielen Jahren, wenn der Vater auf die Civilschwimmschule mich mitnahm.

Das und vieles andere spricht für den Besuch, aber zu viel spricht dagegen. Nun erstens wird ja wahrscheinlich der Vater wegen der Passschwierigkeiten nicht kommen können. Das nimmt natürlich dem Besuch einen grossen Teil seines Sinnes, vor allem aber wird dadurch die Mutter, von wem immer sie auch sonst begleitet sei, allzusehr auf mich hingeleitet sein, auf mich verwiesen sein und ich bin noch immer nicht sehr schön, gar nicht sehenswert. Die Schwierigkeiten der ersten Zeit hier um und in Wien kennt Ihr, sie haben mich etwas heruntergebracht; sie verhinderten ein schnelles Hinuntergehn des Fiebers, das an meiner weitern Schwächung arbeitete; die Überraschung der Kehlkopfsache schwächte in der ersten Zeit mehr, als sachlich ihr zukam – erst jetzt arbeite ich mich mit der in der Ferne völlig unvorstellbaren Hilfe von Dora und Robert (was wäre ich ohne sie!) aus allen diesen Schwächungen

Liebste Eltern, also die Besuche, von denen Ihr manchmal schreibt. Ich überlege es jeden Tag, denn es ist für mich eine sehr wichtige Sache. So schön wäre es, so lange waren wir schon nicht beisammen, das Prager Beisammensein rechne ich nicht, das war eine Wohnungsstörung, aber friedlich paar Tage beisammensein, in einer schönen Gegend, allein, ich erinnere mich gar nicht, wann das eigentlich war, einmal paar Stunden in Franzensbad. Und dann „ein gutes Glas Bier" zusammentrinken, wie Ihr schreibt, woraus ich sehe, daß der Vater vom Heurigen nicht viel hält, worin ich ihm hinsichtlich des Bieres auch zustimme. Übrigens sind wir, wie ich mich jetzt während der Hitzen öfters erinnere, schon einmal regelmäßig gemeinsame Biertrinker gewesen, vor vielen Jahren, wenn der Vater auf die Civilschwimmschule mich mitnahm.

Das und vieles andere spricht für den Besuch, aber zu viel spricht dagegen. Nun erstens wird ja wahrscheinlich der Vater wegen der Paßschwierigkeiten nicht kommen können. Das nimmt natürlich dem Besuch einen großen Teil seines Sinnes, vor allem

letzter Brief, erste Seite

hinaus. Störungen gibt es auch jetzt, so z. B. ein noch nicht ganz überwundener Darmkathar aus den letzten Tagen. Das alles wirkt zusammen, dass ich trotz meiner wunderbaren Helfer, trotz guter Luft und Kost, fast täglichen Luftbades noch immer nicht recht erholt bin, ja im Ganzen nicht einmal so imstande, wie etwa letzthin in Prag. Rechnet Ihr noch hinzu, dass ich nur flüsternd sprechen darf und auch dies nicht zu oft, Ihr werdet gern auch den Besuch verschieben. Alles ist in den besten Anfängen – letzthin konstatierte ein Professor eine wesentliche Besserung des Kehlkopfes und wenn ich auch gerade diesem sehr liebenswürdigen und uneigennützigen Mann – er kommt wöchentlich einmal mit eigenem Automobil heraus und verlangt dafür fast nichts, so waren mir seine Worte doch ein grosser Trost – alles ist wie gesagt in den besten Anfängen, aber noch die besten Anfänge sind nichts; wenn man dem Besuch – und gar einem Besuch, wie Ihr es wäret – nicht grosse unleugbare, mit Laienaugen messbare Fortschritte zeigen kann, soll man es lieber bleiben lassen. Sollen wir es nicht also vorläufig bleiben lassen, meine lieben Eltern?

Dass Ihr etwa meine Behandlung hier verbessern oder bereichern könntet, müsst Ihr nicht glauben. Zwar ist der Besitzer des Sanatoriums ein alter kranker Herr, der sich mit der Sache nicht viel abgeben kann, und der Verkehr mit dem sehr angenehmen Assistenzarzt ist mehr freundschaftlich als medicinisch, aber ausser gelegentlichen Specialistenbesuchen ist vor allem Robert da, der sich von mir nicht rührt und statt an seine Prüfungen zu denken, mit allen seinen Kräften an mich denkt, dann ein junger Arzt, zu dem ich grosses Vertrauen habe (ich verdanke ihn wie auch den oben erwähnten Professor dem Arch. Ehrmann) und der 3 mal der Woche herauskommt.

Da ich mich so zu dem Besuch verhalte, [bricht ab, Fortsetzung auf der nächsten Briefseite]

allerdings noch nicht im Auto, sondern bescheiden mit Bahn und Autobus dreimal wöchentlich herauskommt.

[von Dora Diamants Hand:]

Ich nehme ihm den Brief aus d. Hand. Es war ohnehin eine Leistung. Nur noch ein paar Zeilen, die seinem Bitten nach, sehr wichtig zu sein scheinen: [bricht ab]

[von Ottla Kafkas Hand, mit Bleistift:]

Montag geschrieben
am 2. 6. 1924
gestorben 3. 6. 1924

allerdings noch nicht im Auto, sondern bescheiden mit Bahn und Autobus dreimal wöchentlich herauf kommt.

Ich nehme ihm den Brief aus d. Hand. Es war ohnehin eine Leistung. Nur noch ein paar Zeilen, die seinem Bitten nach, sehr wichtig zu sein scheinen:

Montag geschrieben
am 2. 6. 1924
gestorben 3. 6. 1924

letzter Brief, letzte Seite

Kafka konnte diesen letzten Brief, den er am Tag vor seinem Tod verfasste, aufgrund körperlicher Schwäche nicht mehr eigenhändig vollenden. Ob das aus zwei Doppelblättern bestehende Schreiben noch abgeschickt wurde, ist zweifelhaft; überliefert ist es mit einem Umschlag, auf dem Kafkas Mutter Julie notierte: »Der letzte Brief von unserem theueren Franz«.

Die »wunderbaren Helfer« seiner letzten Wochen, von denen Kafka spricht, waren Dora Diamant und der Medizinstudent Robert Klopstock. Mit der »Überraschung der Kehlkopfsache« spielt Kafka auf die Tatsache an, dass die Lungentuberkulose auf den Kehlkopf übergegriffen hatte und dort sehr schnell voranschritt. Wie ernst es um Kafka wirklich stand, wurde allerdings gegenüber seinen Eltern verschleiert, während die drei Schwestern informiert waren.

98 Die Grabinschrift

Dienstag, Beginn des Monats Siwan 5684. Der obengenannte, prachtvolle, unvermählte Mann, unser Lehrer und Meister Anschel, seligen Angedenkens, ist der Sohn des hochverehrten R. Henoch Kafka, sein Licht möge leuchten. Der Name seiner Mutter ist Jettl. Seine Seele möge eingebunden sein im Bund des ewigen Lebens.

Kafkas Grab, in dem auch seine Mutter Julie und sein Vater Hermann bestattet sind, befindet sich im Neuen jüdischen Friedhof im früheren Prag-Straschnitz. Das Begräbnis fand am 11. Juni 1924 statt, acht Tage nach Kafkas Tod in Kierling bei Wien.

Milenas Nachruf

Franz Kafka. *Vorgestern starb im Sanatorium Kierling in Klosterneuburg bei Wien Dr. Franz Kafka, ein deutscher Schriftsteller, der in Prag gelebt hat. Es kannten ihn hier nur wenige, denn er war ein Einsiedler, ein wissender, vom Leben erschreckter Mensch. Er litt bereits jahrelang an einer Lungenkrankheit, und obwohl er sie behandeln ließ, hat er sie doch auch bewusst gehegt und geistig gefördert. »Wenn die Seele und das Herz die Bürde nicht mehr ertragen, dann nimmt die Lunge die Hälfte auf sich, damit die Last wenigstens einigermaßen gleichmäßig verteilt sei«, schrieb er einmal in einem Brief, und so verhielt es sich auch mit seiner Krankheit. Sie verlieh ihm ein ans Wunderbare grenzendes Feingefühl und eine geistige Lauterkeit, die bis zum Grauenerregen kompromisslos war; und umgekehrt war er es, der Mensch, der seiner Krankheit die ganze Last seiner geistigen Lebensangst auflud. Er war scheu, ängstlich, sanft und gut, aber die Bücher, die er schrieb, waren grausam und schmerzhaft. Er sah die Welt voll von unsichtbaren Dämonen, die den schutzlosen Menschen bekämpfen und vernichten. Er war zu klarsichtig, zu weise, um leben zu können, und zu schwach, um zu kämpfen: aber das war die Schwachheit der edlen, schönen Menschen, die zum Kampf gegen die Angst, gegen Missverständnisse, Lieblosigkeit und geistig Unwahres nicht fähig sind, die von vornherein um ihre Ohnmacht wissen, sich unterwerfen und so den Sieger beschämen. Er verfügte über eine Menschenkenntnis, wie sie nur den einsam Lebenden gegeben ist, deren hochgradig empfindliche Nerven schon an einem bloßen Mienenspiel den ganzen Menschen hellseherisch erfassen. Seine Kenntnis der Welt war außergewöhnlich und tief. Er selbst war eine außergewöhnliche und tiefe Welt. Er schrieb die bedeutendsten Bücher der jungen deutschen Literatur. Sie enthalten, in untendenziöser Form, den Kampf der Generationen in der heutigen Zeit. Sie besitzen eine wahr-*

haftige Nacktheit, die sie auch dort noch naturalistisch erscheinen lässt, wo sie in Symbolen sprechen. Sie haben die trockene Ironie und das empfindsame Sehertum eines Menschen, der die Welt in einer so überdeutlichen Helle erschaute, dass er es nicht zu ertragen vermochte und sterben musste; denn er wollte keine Zugeständnisse machen, um sich wie die anderen in irgendwelche wenn auch noch so edle intellektuelle Irrtümer zu retten. Dr. Franz Kafka schrieb das Fragment »Der Heizer« (tschechisch erschienen in Neumanns »Červen«); es bildet das erste Kapitel eines schönen, bisher noch unveröffentlichten Romans. »Das Urteil«, in dem der Konflikt zweier Generationen gestaltet ist. »Die Verwandlung«, das stärkste Buch der modernen deutschen Literatur. »Die Strafkolonie« und die Skizzen »Betrachtung« und »Landarzt«. Der letzte Roman, »Vor dem Gericht«, liegt schon seit Jahren druckfertig im Manuskript vor; er gehört zu jenen Büchern, deren Lektüre einen dermaßen weltumfassenden Eindruck hinterlässt, dass jeder Kommentar überflüssig wird. Alle seine Werke schildern das Grauen geheimnisvoller Missverständnisse und unverschuldeter Schuld bei den Menschen. Er war ein Mensch und Künstler von so skrupulösem Gewissen, dass er auch dort noch wachsam blieb, wo die anderen, die Tauben, sich bereits sicher fühlten. Milena Jesenská.

Unmittelbar nach Kafkas Tod am 3. Juni 1924 wurde die Journalistin und Übersetzerin Milena Jesenská darum gebeten, für die in Prag erscheinende tschechische Tageszeitung *Národní Listy* einen Nachruf zu verfassen – offenbar wusste man dort um ihre besondere Beziehung zu Kafka. Ihr Text erschien bereits am 6. Juni als ›Notiz vom Tage‹. Dem deutschsprachigen Publikum wurde dieser Nachruf erst 1962 bekannt, als die Wiener Zeitschrift *Forum* eine (hier wiedergegebene) Übersetzung publizierte.

Da Jesenská für die Formulierung des Nachrufs nur wenige Stunden Zeit blieben, spiegelt der Text ihre damalige Kenntnis von Kafkas Schaffen. So ist *Der Heizer*, den sie selbst ins Tschechische übersetzt hatte, das erste Kapitel des

Romans *Der Verschollene*. Mit dem Roman »Vor dem Gericht« meinte sie den *Process*, wobei sie offensichtlich an die Parabel *Vor dem Gesetz* dachte, einen Binnentext innerhalb des Romans. Diese Parabel war ihr bekannt – sie war bereits in tschechischer Übersetzung veröffentlicht –, das Manuskript des *Process* jedoch, das sich schon seit Jahren im Schreibtisch Max Brods befand, kannte sie wahrscheinlich nicht.

Auch Kafkas briefliche Äußerung über die psychischen Ursachen seiner Lungenerkrankung musste Jesenská aus dem Gedächtnis zitieren. Tatsächlich hatte ihr Kafka vier Jahre zuvor geschrieben: »[ich] denke nur an die Erklärung, die ich mir damals für die Erkrankung in meinem Fall zurechtlegte und die für viele Fälle passt. Es war so, dass das Gehirn die ihm auferlegten Sorgen und Schmerzen nicht mehr ertragen konnte. Es sagte: ›ich gebe es auf; ist hier aber noch jemand, dem an der Erhaltung des Ganzen etwas liegt, dann möge er mir etwas von meiner Last abnehmen und es wird noch ein Weilchen gehn.‹ Da meldete sich die Lunge, viel zu verlieren hatte sie ja wohl nicht. Diese Verhandlungen zwischen Gehirn und Lunge, die ohne mein Wissen vor sich giengen, mögen schrecklich gewesen sein.«

Biografische Notizen

Bauer, Felice

Felice Bauer wurde am 18. November 1887 in Neustadt (Oberschlesien) geboren. Ihr Vater Carl Bauer (geb. um 1850, gest. 1914) war Versicherungskaufmann, ihre Mutter Anna, geb. Danziger (1849–1930), war die Tochter eines in Neustadt ansässigen Färbers. Im Jahr 1899 übersiedelte die Familie nach Berlin.

Felice hatte vier Geschwister: Else (1883–1952), Ferdinand (›Ferri‹, 1884–1952), Erna (1885–1978) und Antonie (›Toni‹, 1892–1918). Else lebte nach ihrer Heirat in Budapest; als Felice sie dort im Jahr 1912 erstmals besuchte, lernte sie bei einem Zwischenaufenthalt in Prag Franz Kafka kennen. Kafka korrespondierte später auch mit Erna, diese Briefe müssen jedoch als verloren gelten. Ein Cousin Felices, der Breslauer Kaufmann Max Friedmann, heiratete Sophie Brod, die Schwester Max Brods.

Felice Bauer schloss ihre Schulausbildung ohne Abitur ab. Sie wurde 1908 Stenotypistin bei der Schallplattenfirma Odeon, 1909 wechselte sie zur Carl Lindström A. G., die Parlographen herstellte, die damals modernsten Diktiergeräte. In kurzer Frist rückte sie in eine verantwortliche Position auf und hatte 1912 wahrscheinlich schon Prokura. Sie war zuständig für den Vertrieb und repräsentierte die Firma auch auf Verkaufsmessen. Im April 1915 trat sie eine Stelle bei der Technischen Werkstätte Berlin an. Auf Anregung Kafkas wurde sie 1916 auch ehrenamtliche Mitarbeiterin des Jüdischen Volksheims, wo sie eine Mädchenklasse mit überwiegend osteuropäischen Flüchtlingen unterrichtete.

Nach der endgültigen Trennung von Kafka heiratete Felice Bauer 1919 Moritz Marasse (1873–1950), den Teilhaber einer Berliner Privatbank. Das Paar hatte einen Sohn und eine Tochter, mit denen sie 1931 in die Schweiz, 1936 nach Kalifornien emigrierten. Da die Familie fast ihr gesamtes Vermögen verloren hatte, musste Felice in den USA wieder arbeiten. Sie eröffnete einen Laden, in dem sie von ihr und ihrer Schwester Else gefertigte Strickwaren verkaufte. Felice Bauer starb am 15. Oktober 1960 in Rye nördlich von New York.

Die Briefe, die sie von Kafka erhalten hatte, musste Felice Bauer in den fünfziger Jahren aus finanziellen Gründen an den Schocken Verlag, New York, verkaufen. 1987 wurden sie von einem bis heute unbekannt gebliebenen europäischen Händler oder Sammler ersteigert.

Baum, Oskar

Oskar Baum wurde am 21. Januar 1883 als Sohn eines jüdischen Tuchwarenhändlers in Pilsen geboren. Von Geburt an litt er unter einem sehschwachen Auge, das später fast völlig erblindete; im Alter von elf Jahren trug Baum bei einer Rauferei eine irreversible Verletzung auch des zweiten Auges davon. Er musste das Gymnasium in Pilsen verlassen und wurde nach Wien in die jüdische Blindenanstalt ›Hohe Warte‹ geschickt. Nach absolvierter Lehramtsprüfung verließ er 1902 die Anstalt als Lehrer für Klavier und Orgelspiel und zog nach Prag. Hier arbeitete er zunächst als Organist in einer Synagoge, dann als Klavierlehrer. Als Schriftsteller trat er ab 1908 mit Erzählungen und Romanen an die Öffentlichkeit; zu seinen bekanntesten Werken zählen *Uferdasein. Abenteuer und Erzählungen aus dem Blindenleben von heute* (1908), *Das Leben im Dunkeln* (1909) und *Die Tür ins Unmögliche* (1919).

Mit Kafka wurde Baum im Herbst 1904 durch Max Brod bekannt gemacht; aus der Begegnung entwickelte sich eine lebenslange Freundschaft. Nach Baums Heirat mit Margarete Schnabel (geb. 1874) im Dezember 1907 wurde die Wohnung des Ehepaares zum regelmäßigen Treffpunkt der Freunde Brod, Kafka und Felix Weltsch, bei denen aus selbst verfassten literarischen Texten vorgelesen wurde.

Ab 1922 war Baum festangestellter Musikkritiker der regierungsnahen deutschsprachigen Tageszeitung *Prager Presse*; aus dieser Position wurde er im Dezember 1938 im Vorfeld der deutschen Okkupation entlassen. Bemühungen, ihm die Ausreise nach Palästina zu ermöglichen, scheiterten an bürokratischen Hürden. Baum starb am 1. März 1941 im Prager jüdischen Krankenhaus an den Folgen einer Darmoperation; seine Frau Margarete wurde bald darauf deportiert und kam in Theresienstadt um. Der einzige Sohn Leo (geb. 1909) – der verschiedentlich von Kafka erwähnt wird – starb am 22. Juli 1946 beim Bombenanschlag einer jüdischen Widerstandsgruppe auf das King David Hotel in Jerusalem.

Brod, Max

Max Brod wurde am 27. Mai 1884 in Prag geboren. Der Vater, Adolf Brod, war Bankdirektor, die Mutter, Fanny Brod geb. Rosenfeld, stammte aus Nordböhmen. Brod hatte zwei Geschwister: Otto (1888–1944), der ein ausgezeichneter Pianist war, beteiligte sich an Ausflügen und Urlaubsreisen gemeinsam mit Kafka; er wurde in Auschwitz ermordet. Sophie (geb. nach 1884, gest. ca. 1953) heiratete den Breslauer Kaufmann Max Friedmann, einen Cousin von Kafkas Verlobter Felice Bauer. Die Familie Friedmann konnte sich durch Emigration in die USA retten.

Max Brod studierte Jura an der Deutschen Universität Prag und promovierte 1907. Bis 1924 war er Beamter der Postdirektion Prag, danach Literatur- und Kunstkritiker. Gemeinsam mit seiner Ehefrau Elsa Taussig (1883–1942) verließ er 1939 die Tschechoslowakei, bereits während des Einmarschs deutscher Truppen. Er emigrierte nach Tel Aviv, wo er bis zu seinem Tod als Dramaturg am israelischen Staatstheater tätig war. Er starb am 20. Dezember 1968.

Außerhalb Israels ist Max Brod heute vor allem als Freund und Nachlassverwalter Kafkas in Erinnerung. Die zeitweise sehr enge Bindung zwischen beiden begann im Oktober 1902. Zahlreiche Bekanntschaften und Freundschaften Kafkas, z. B. die zu den Prager Autoren Oskar Baum und Franz Werfel, wurden durch Brod initiiert. Während Brod bereits sehr früh literarisch in Erscheinung trat (*Tod den Toten*, Novellen, 1906), verschwieg ihm Kafka jahrelang sein eigenes »Schreiben«. Die erste Lektüre von Texten Kafkas überzeugte Brod von deren überragender Bedeutung; er versuchte nun beständig, Kafka zum Arbeiten und – nachdem er ihn an den Verleger Kurt Wolff vermittelt hatte – auch zur Publikation seiner Texte zu bewegen. Entgegen dem (allerdings uneindeutigen) Wunsch Kafkas hat Brod dessen Manuskripte nach 1924 nicht vernichtet, sondern publiziert. Er verantwortete auch die erste Kafka-Gesamtausgabe, die ab 1935 im Schocken Verlag erschien.

Neben diesem Verdienst um Kafkas Werk, das ohne Brods Initiative fast vollständig verloren wäre, war seine über zwei Jahrzehnte währende psychisch stützende Funktion für Kafka von größter Bedeutung. Der menschlich isolierte, phasenweise depressive und suizidgefährdete Kafka sah den geselligen und meist optimistisch gestimmten Brod bis zu dessen Heirat beinahe täglich. Aus dieser Vertrautheit hat Brod später einen Monopolanspruch auf das richtige Verständnis von Kafkas Werken abgeleitet. Gegenüber deren Vielschichtigkeit haben sich Brods religiöse Deutungen jedoch als unzulänglich erwiesen.

Brods eigenes Schaffen umfasst zahlreiche Romane, Erzählungen, Gedichte und Theaterwerke, die jedoch heute kaum noch präsent sind; am erfolgreichsten waren die Romane *Tycho Brahes Weg zu Gott* (1915) und *Rëubeni, Fürst der Juden* (1925) sowie eine Kafka-Biografie (1937). Die eigene Rolle als Schaltstelle der Prager Literatur schilderte Brod in mehreren Erinnerungsbüchern, u. a. *Streitbares Leben* (1960) und *Der Prager Kreis* (1966). Seit etwa 1910 war Brod in der zionistischen Bewegung engagiert; 1918 wurde er Vizepräsident des jüdischen Nationalrats. Außerdem machte er sich als Vermittler zwischen deutscher und tschechischer Kultur verdient; so sorgte er z. B. mit Nachdruck für die Anerkennung des tschechischen Komponisten Leos Janáček. Brods ausgedehnte Briefwechsel mit zahlreichen zeitgenössischen Autoren sind bis heute nicht erschlossen.

Diamant, Dora

Dora Diamant (jiddisch: Dymant) wurde am 4. März 1898 in Pabianice nahe Lodz (Polen) geboren. Ihr Vater war Hersch Aron Dymant (geb. 1874), ein gelehrter Anhänger des Chassidismus; ihre Mutter Friedel (geb. 1873) starb bereits, als Dora etwa acht Jahre alt war.

Nach dem Tod der Mutter übersiedelte die Familie ins schlesische Bedzin nahe der Grenze zu Deutschland, wo Hersch Aron mit einem Textilunternehmen zu Wohlstand gelangte. Dora besuchte eine polnische Schule und schloss sich nach Beginn des Weltkriegs einer zionistischen Vereinigung an, die sich vor allem der Vermittlung und Belebung der hebräischen Sprache widmete. Hier nahm sie auch an Theateraufführungen teil, gegen den Widerstand des orthodoxen Vaters.

Nach kurzer Ausbildung als Kindergärtnerin in Krakau trennte sich Dora von ihrer Familie und übersiedelte 1919 nach Breslau, ein Jahr später nach Berlin.

Dora Diamant lernte Kafka im Juli 1923 im Ostseebad Müritz kennen, wo sie als Betreuerin der Ferienkolonie des Berliner Jüdischen Volksheims arbeitete. Von Ende September 1923 bis März 1924 lebte sie mit ihm unter schwierigen Umständen in Berlin. Im April begleitete sie Kafka, der inzwischen unter Kehlkopftuberkulose litt, nach Wien. Auch während seiner letzten Wochen in einem Sanatorium in Kierling betreute sie ihn, gemeinsam mit Robert Klopstock.

Nach Kafkas Tod lebte Dora Diamant zunächst wieder in Berlin. Ab Ende 1926 nahm sie Unterricht am Schauspielhaus Düsseldorf, von 1927 bis 1930 trat sie in verschiedenen Produktionen auf, unter anderem in Düsseldorf, Neuss und Gladbach. 1930 kehrte sie abermals nach Berlin zurück und schloss sich dort einer Agitprop-Gruppe an. 1932 heiratete sie den Ökonomen und KPD-Funktionär Lutz Lask (1903–1973), im März 1934 wurde ihre Tochter Marianne geboren.

Nach einigen Monaten Gestapo-Haft floh Lask in die UdSSR, Dora folgte ihm 1936. Nachdem ihr Ehemann in Moskau wiederum verhaftet und nach Sibirien deportiert worden war, gelang Dora 1938 die Flucht ins westliche Ausland. 1940 erreichte sie England und wurde zunächst auf der Isle of Man interniert. Sie lebte in London von 1942 bis zu ihrem Tod am 15. August 1952.

Jesenská, Milena

Milena Jesenská wurde am 10. August 1896 in Prag geboren. Ihr Vater, Dr. Jan Jesenský (geb. 1870), war Professor für Zahnmedizin an der Karls-Universität, ihre Mutter Milena Jesenská, geb. Hejzlarová, starb bereits 1913.

Von 1907 bis 1915 besuchte Milena das fortschrittliche tschechische Mädchengymnasium ›Minerva‹, danach studierte sie vier Semester Medizin. Sie führte ein sehr selbständiges Bohème-Leben und war auch in der deutschsprachigen Prager Kaffeehausszene eine bekannte Erscheinung. Etwa 1916 lernte sie den Prager Literaten Ernst Pollak kennen; ihr Vater versuchte diese Beziehung mit allen Mitteln zu unterbinden, ließ sie 1917 sogar in eine psychiatrische Anstalt einweisen. Dennoch heiratete sie Pollak 1918 und übersiedelte mit ihm nach Wien. Die Ehe war jedoch unglücklich und von ständiger Geldnot überschattet.

Ende 1919 begann Milena Jesenská, Artikel und Feuilletons für tschechische Zeitungen zu schreiben, was ihr sehr bald einen Ruf als exzellente Journalistin einbrachte. Die kurze, aber intensive Beziehung zu Kafka, die 1920 durch Briefe angebahnt wurde, erwies sich als nicht tragfähig; Milena war noch nicht bereit, sich von Pollak zu trennen, Kafka wiederum schreckte vor Milenas leidenschaftlichem, fordernden Charakter zurück. In der Folge übersetzte sie einige seiner Erzählungen ins Tschechische.

1926 kehrte Jesenská nach Prag zurück, wo sie ihren zweiten Mann kennenlernte, den Architekten Jaromír Krejcar. Ihr gemeinsames Kind, die Tochter Honza, wurde 1928 geboren. In den folgenden Jahren litt Milena unter Morphiumsucht aufgrund einer verfehlten Medikation. Bis 1936 war sie eng mit der kommunistischen Partei verbunden, für die sie auch publizistisch tätig wurde; danach wurde sie Redakteurin der Zeitschrift *Přítomnost*, in der sie zahlreiche politische Reportagen publizierte. Nach der Besetzung der Tschechoslowakei durch das Nazi-Regime betätigte sich Jesenská als Fluchthelferin; im November 1939 wurde sie von der Gestapo festgenommen. 1940 wurde sie in das Konzentrationslager Ravensbrück deportiert. Dort starb sie am 17. Mai 1944 an den Folgen einer Nierenoperation. Sie wurde 48 Jahre alt.

Nachdem man Milena Jesenská jahrzehntelang nur noch als Empfängerin der *Briefe an Milena* kannte, ist ihr Leben und ihre bedeutende journalistische Arbeit inzwischen gut dokumentiert.

Kafka, Elli

Gabriele Kafka, genannt Ella oder Elli, wurde am 22. September 1889 als älteste Tochter von Julie und Hermann Kafka in Prag geboren. Sie besuchte die deutsche Mädchenschule in der Fleischergasse und später ein privates Fortbildungsinstitut für Mädchen. Am 27. November 1910 heiratete sie den Handelsagenten Karl Hermann (1883–1939), mit dem sie drei Kinder hatte: Felix (1911–1940), Gerti (1912–1972) und Hanna (1919–1942).

Ein Vertrauensverhältnis zu ihrem Bruder entwickelte Elli offenbar erst nach ihrer Heirat. Im Frühjahr 1915 begleitete Kafka sie bei einem Besuch ihres in Ungarn stationierten Mannes, und noch im Jahr vor seinem Tod reiste er mit Elli und deren Kindern während der Sommerferien nach Müritz an der Ostsee. An der Erziehung und Entwicklung der Kinder nahm Kafka intensiven Anteil, wie einige ausführliche Briefe an Elli bezeugen. Seinem dringlichen Ratschlag, die Kinder auf einer freien Schule in Hellerau erziehen zu lassen, folgte die Schwester jedoch nicht.

Mit der Weltwirtschaftskrise 1929 geriet die Familie Hermann in finanzielle Schwierigkeiten; der Bankrott des Familienunternehmens und der Tod von Karl Hermann führten dazu, dass Elli Hermann weitgehend auf die Unterstützung ihrer Schwestern angewiesen war. Zusammen mit ihrer Tochter Hanna wurde sie am 21. Oktober 1941 in das Ghetto von Lodz deportiert; im Frühjahr 1942 lebte sie dort zeitweilig mit ihrer Schwester Valli und deren Ehemann. Elli Hermann wurde vermutlich 1942 im Vernichtungslager Chelmno ermordet.

Kafka, Hermann

Hermann Kafka, der Vater Franz Kafkas, wurde am 14. September 1852 im Dorf Wossek in Südböhmen geboren. Sein Vater war Fleischhauer. Wie es im Milieu jüdischer Handwerker und Händler üblich war, wurden er und wahrscheinlich auch seine fünf Geschwister bereits als Kinder zur Arbeit herangezogen. Von 1872 bis 1875 leistete er Militärdienst, danach ging er nach Prag, wo er zunächst als Handlungsreisender tätig war. Während seiner Verlobungszeit mit Julie Löwy begann er mit den Vorbereitungen für eine Geschäftsgründung, und um die Zeit ihrer Heirat am 3. September 1882 eröffnete er ein Geschäft für Kurzwaren und Modeartikel (damals ›Galanteriewaren‹). Mehrere Umzüge innerhalb der Prager Altstadt und die allmähliche Vergrößerung des Geschäfts (mit bis zu 15 Angestellten) markierten den gesellschaftlichen Aufstieg.

Die Rolle, die Hermann Kafka im Leben seines Sohnes spielte, ist bis heute umstritten. Einerseits war er gewiss stolz auf dessen Bildungskarriere, die bis zur Promotion führte und seinen eigenen Horizont weit überschritt. Andererseits war er enttäuscht darüber, dass die offenkundige Begabung des Sohnes mit einem völligen Desinteresse an allem Geschäftlichen einherging. Hermann Kafka war kein rücksichtsloser Tyrann; auf seine Kinder übte er jedoch einen permanenten verbalen wie moralischen Druck aus, um sie dazu zu bewegen, ihre Lebenspläne seinen eigenen Vorstellungen anzupassen. Abweichungen wurden mit verständnislosen, häufig ironischen oder verächtlichen Bemerkungen bedacht – ein Verhalten, unter dem vor allem Franz, aber auch die jüngste Tochter Ottla zu leiden hatte.

Auch an der schriftstellerischen Arbeit des Sohnes war Hermann Kafka wenig interessiert, er betrachtete sie zunächst als Hobby, später als brotlose Kunst, die von einträglicheren Tätigkeiten abhielt. Offenkundig war die soziale Stufenleiter die Achse im Weltbild Hermann Kafkas: Er bewunderte jeden, der es zu Wohlstand gebracht hatte, und grenzte sich rigoros ab gegen alle, die er sozial überholt hatte. Dass dieser Opportunismus in einem gewissen Gegensatz zum vitalen und rechthaberischen Auftreten Hermanns stand, wurde von seinem Sohn schon früh wahrgenommen.

Im Juli 1918 verkaufte Hermann Kafka das Galanteriewarengeschäft an einen Verwandten. Nach dem Tod des Sohnes unterzeichnete er einen Vertrag, der Max Brod zum Herausgeber des Nachlasses bestimmte und Dora Diamant 45 Prozent der Einnahmen aus den Veröffentlichungen zusprach. In den letzten Lebensjahren war Hermann Kafka gebrechlich, ein Foto zeigt ihn im Rollstuhl. Er starb am 6. Juni 1931 in Prag.

Kafka, Julie

Julie Kafka, die Mutter Franz Kafkas, wurde als Julie Löwy am 23. März 1856 in Podiebrad (Poděbrady) an der Elbe geboren. Sie stammte aus einer jüdischen Unternehmerfamilie, die eine Stoffhandlung besaß und eine Brauerei gepachtet hatte. Julie hatte fünf Brüder; ihre Ausbildung beschränkte sich vermutlich auf häuslichen Privatunterricht. 1876 übersiedelte die Familie nach Prag. 1882 lernte sie – offenbar durch einen Heiratsvermittler – Hermann Kafka kennen, der zu diesem Zeitpunkt noch als Handlungsreisender angestellt war, aber bereits in Prag lebte. Fast gleichzeitig mit der Hochzeit im September 1882 wurde auch das Kafka'sche Galanteriewarengeschäft eröffnet, nicht zuletzt auf Grundlage von Julies Mitgift.

In diesem Geschäft trat zwar Hermann als unumschränkter Prinzipal auf, doch trotz der sechs Geburten und der zunehmenden Pflichten im Haushalt verbrachte Julie Kafka fast genauso viele Arbeitsstunden im Geschäft wie ihr Mann und war hier auch an allen wesentlichen Entscheidungen beteiligt.

Im Gegensatz zu ihrem polternden und ewig nörgelnden Ehemann war Julie eine ausgeglichene, pragmatische, dabei freundliche und weithin beliebte Persönlichkeit. Charakteristisch für sie war – und Kafka hat ihr dies auch vorgehalten –, dass sie die häufigen Konflikte zwischen ihren Kindern und ihrem Mann stets zu ersticken suchte, anstatt wirkliche Lösungen zu suchen: dies zumeist mit dem Argument, Hermann müsse ›geschont‹ werden. Da Julie keine Beziehung zur Literatur hatte, blieb sie gegenüber der intellektuellen Entwicklung ihres Sohnes indifferent; es ist nicht bekannt, ob sie je eines seiner Werke gelesen hat.

Mit dem Verkauf ihres Geschäfts im Jahr 1918 setzte sich das Ehepaar Kafka zur Ruhe. Nach dem Tod ihres Mannes am 6. Juni 1931 übersiedelte Julie Kafka vom Altstädter Ring in das 1918 erworbene Haus Bilekgasse 4, wo bereits die Töchter Ottla und Elli mit ihren Familien sowie

Julies Bruder Siegfried lebten. Dort starb sie am 27. September 1934.

Kafka, Ottla

Ottilie Kafka, genannt Ottla, geboren am 29. Oktober 1892 in Prag, war die jüngste Schwester Franz Kafkas. Nach dem Besuch der deutschen Mädchenschule in der Fleischergasse wechselte sie vermutlich wie ihre beiden älteren Schwestern auf ein privates Mädchenfortbildungsinstitut. Nach dem Ende ihrer Schulausbildung arbeitete sie als einzige der Geschwister im elterlichen Geschäft.

Von den drei Schwestern stand sie Kafka am nächsten, war seine »beste Prager Freundin«, wie die im Tagebuch des Bruders dokumentierten vertrauensvollen Gespräche belegen. Wohl unter dem Einfluss ihres Bruders interessierte auch sie sich für die zionistische Bewegung, trat dem Klub jüdischer Frauen und Mädchen bei und dachte mit Blick auf eine Auswanderung nach Palästina daran, eine landwirtschaftliche Ausbildung zu machen. Als sie sich während des Ersten Weltkriegs entschloss, ein kleines Gut in dem westböhmischen Dorf Zürau zu übernehmen, das der Familie ihres Schwagers Karl Hermann gehörte, unterstützte ihr Bruder sie dabei, diese Entscheidung auch gegen den heftigen Widerstand des Vaters durchzusetzen. Von Mitte April 1917 bis zum Herbst 1918 bewirtschaftete Ottla Kafka das Zürauer Gut, und von September 1917 bis April 1918 nahm sie auch ihren Bruder auf, der nach dem Ausbrechen seiner Lungenkrankheit Erholung auf dem Land suchte. Ab November 1918 besuchte sie die landwirtschaftliche Winterschule in Friedland, die ihr vom Bruder empfohlen worden war. Nachdem sie im März 1919 ihre Ausbildung in Friedland beendet hatte, kehrte Ottla Kafka nach Prag zurück; Versuche, eine Stellung in einem landwirtschaftlichen Betrieb zu finden, scheiterten.

Am 15. Juli 1920 heiratete Ottla Kafka den katholischen Tschechen Josef David. Die Beziehung zu David hatte bereits vor dem Krieg begonnen; ihre Eltern hatten davon allerdings erst nach seiner Entlassung aus dem Militärdienst erfahren. Hermann Kafka brachte bei aller Sympathie für den Bräutigam Bedenken insbesondere gegen die Nationalität und die andere Religionszugehörigkeit vor, aber wiederum setzte sich Ottla Kafka in zum Teil heftigen Auseinandersetzungen mit dem Vater durch.

Die Geburt der beiden Töchter Věra (1921) und Helene (1923) und ihre Entwicklung wurden von Franz Kafka mit großer Anteilnahme verfolgt; auch bemühte er sich um ein gutes Verhältnis zum Mann seiner Schwester. Im Sommer 1922 verbrachte er mit der Familie David drei Monate auf dem Land in Planá nad Lužnicí. Ottla Davidová war es auch, die in Kafkas letzten Jahren, während seiner krankheitsbedingten Abwesenheit von Prag, in seinem Auftrag die Unterhandlungen mit seinen Vorgesetzten in der Arbeiter-Unfall-Versicherungs-Anstalt führte, um Verlängerungen seiner Urlaube zu erwirken oder seine Pensionierung zu erreichen, und gemeinsam mit ihrem Mann übersetzte sie Kafkas Briefe an die Behörde (in der seit Proklamation der Tschechoslowakischen Republik die Zweisprachigkeit aufgehoben war) ins Tschechische. In Kafkas letztem Lebensjahr besuchte sie ihn in Berlin und hielt – wie ihre Schwestern und ihre Eltern – den Kontakt zu ihm brieflich aufrecht.

Ottla Davidová lebte mit ihrem Mann in keiner glücklichen Ehe; die lange Trennung durch den Krieg während der Brautzeit – bei seiner Rückkehr fand Josef David statt des jungen Mädchens eine reife, durch selbständige Landarbeit geprägte Frau vor –, mehr aber noch die konservative und tschechisch-nationale Haltung Davids, die der Erziehung und der Persönlichkeit seiner Frau entgegengesetzt war, hatte daran Anteil. Im August 1942 wurde die Ehe, die Ottla Davidová vor der Judenverfolgung schützte, geschieden, kurz darauf wurde sie nach Theresienstadt deportiert. Im Oktober 1943 begleitete sie als freiwillige Helferin einen Transport polnischer jüdischer Kinder nach

Auschwitz; kurz nach ihrer Ankunft wurde Ottla Davidová dort ermordet.

Kafka, Valli

Valerie Kafka, genannt Valli, wurde am 25. September 1890 als Tochter von Julie und Hermann Kafka in Prag geboren. Sie besuchte die deutsche Mädchenschule in der Fleischergasse und später ein privates Fortbildungsinstitut für Mädchen. Am 12. Januar 1913 heiratete sie den kaufmännischen Angestellten Josef (›Pepa‹) Pollak (1882–1942), mit dem sie zwei Töchter hatte: Marianne (1913–2000) und Lotte (1914–1931).

Über das Verhältnis Kafkas zu Valli ist wenig bekannt. Von allen Geschwistern war sie offenbar diejenige, die mit dem Vater am wenigsten Schwierigkeiten hatte. Sie wirkte äußerlich angepasst und zurückhaltend, war jedoch sprachlich begabt und offenbar auch belesen.

Ende Oktober 1941 wurden Valli und Josef Pollak in das Ghetto von Lodz deportiert; im Frühjahr 1942 lebten sie dort zeitweilig mit Elli und deren Tochter Hanna. Valli Pollak wurde vermutlich im Herbst 1942 im Vernichtungslager Chelmno ermordet.

Klopstock, Robert

Robert Klopstock wurde am 31. Oktober 1899 in der Kleinstadt Dombovár südlich des Plattensees geboren; die Eltern waren jüdischer Abstammung. Von 1912 bis 1917 besuchte er das Humanistische Gymnasium in Budapest, danach wurde er zum Kriegsdienst eingezogen und einem Sanitätskorps zugeteilt. Gleichzeitig war er an der Medizinischen Fakultät in Budapest eingeschrieben.

Während seines Dienstes an der Ostfront und in Italien zog sich Klopstock eine Tuberkulose zu, die ihn dazu zwang, das Medizinstudium abzubrechen und ein Sanatorium aufzusuchen. So lernte er Anfang 1921 im Sanatorium Matliary in der Hohen Tatra den Mitpatienten Franz Kafka kennen. Es entwickelte sich eine intensive Freundschaft, bei der Klopstock die Rolle des sozialen Mittlers einnahm, während Kafka bei der Immatrikulation an der Prager Universität behilflich war und gleichzeitig die literarischen Ambitionen Klopstocks förderte (insbesondere Übersetzungen aus dem Ungarischen ins Deutsche). In Prag wurde Klopstock eine Zeitlang von Kafkas Familie beherbergt.

Ob Klopstock Kafka in dessen letztem Lebensjahr in Berlin besuchte, ist unklar. Er betreute ihn jedoch – gemeinsam mit Dora Diamant – in den letzten Wochen, die er in einem Sanatorium in Kierling verbrachte. Sehr wahrscheinlich ist, dass Klopstock durch die Gabe von Morphium auch Kafkas Sterben erleichterte.

1928 schloss Klopstock sein Medizinstudium in Berlin ab und wurde Assistenzarzt in der chirurgischen Abteilung der Charité. 1929 wurde er Arzt in einer auf Tuberkulose spezialisierten Klinik in Sommerfeld, im selben Jahr heiratete er die ebenfalls aus Ungarn stammende Lehrerin Giselle Deutsch (geb. 1902). 1933 emigrierte das Paar von Berlin nach Budapest. 1938 gelang aufgrund der Vermittlung von Klaus und Thomas Mann auch die Emigration in die USA. 1945 wurden Giselle und Robert Klopstock amerikanische Staatsbürger.

Nach dem Krieg machte Klopstock Karriere als Spezialist für Lungenchirurgie; er lehrte in New York und hatte auch eine eigene Praxis. 1958 trat er zum Christentum über. Er starb am 15. Juni 1972.

Weiß, Ernst

Ernst Weiß wurde am 28. August 1882 in Brünn geboren. Seinen Vater, einen jüdischen Tuchhändler, verlor er bereits im Alter von vier Jahren; zusammen mit seinen drei Geschwistern wuchs er in der Obhut der Mutter und eines Vormunds in Brünn auf. Nach Abschluss des Gymnasiums studierte Weiß Medizin in Prag und Wien. Danach war er in Bern und Berlin als Assistenzarzt tätig, bevor er 1911 nach Wien zurückkehrte und in der chirurgischen Abteilung des Wiedener Spitals angestellt wurde. Wegen einer Lungenerkrankung nahm er 1912 eine Stelle als Schiffsarzt an, die ihn für mehrere Monate nach Ostindien führte. Sein erster Roman *Die Galeere* war kurz zuvor vom S. Fischer Verlag angenommen worden und lag bereits gedruckt vor, als Weiß Mitte 1913 zurückkehrte.

Im Juni 1913 traf Weiß in Prag erstmals mit Kafka zusammen, danach in Wien im September und in Berlin im November desselben Jahres. Unmittelbar nach der Auflösung von Kafkas Verlobung mit Felice Bauer am 12. Juli 1914 – der berühmte »Gerichtshof« im Hotel ›Askanischer Hof‹ in Berlin – verbrachte Kafka einige Urlaubstage mit Weiß und dessen Lebensgefährtin Johanna Bleschke (die sich später als Schauspielerin Rahel Sanzara nannte) im dänischen Ostseebad Marielyst.

Während des Ersten Weltkriegs diente Weiß als Regimentsarzt. Die freundschaftliche Verbindung mit Kafka kühlte bald ab, im April 1916 kam es sogar zu einem vorübergehenden Bruch, dessen Ursache wohl in dem – aus Kafkas Sicht – allzu fordernden und distanzlosen Verhalten Weiß' zu suchen ist. Erst nach dem Krieg, als Weiß sich für längere Zeit in Prag niederließ, kam es wieder zu einer vorsichtigen Annäherung.

Weiß arbeitete zunächst noch als Chirurg, widmete sich dann aber völlig der Literatur. 1916 erschien sein Roman *Der Kampf*, 1918 *Tiere in Ketten*; 1919 fand in Prag die erfolgreiche Premiere seines Dramas *Tanja* statt. Anfang 1921 übersiedelte Weiß erneut nach Berlin, wo es auch während des halbjährigen Aufenthalts Kafkas zu freundschaftlichem Verkehr der beiden Autoren kam. Sein im Oktober 1923 erschienener Roman *Die Feuerprobe* gehört zu den letzten von Kafka gelesenen Büchern.

Nach dem Reichstagsbrand am 27. Februar 1933 verließ Weiß Berlin, lebte bis zum Frühjahr 1934 wieder in Prag, ging dann nach Paris. Im Exil wurde Weiß u. a. von Stefan

Zweig und Thomas Mann finanziell unterstützt; Ersterem widmete er seinen Roman *Der arme Verschwender* (1936), Letzterem den Roman *Der Verführer* (1938). In Paris schrieb Weiß für Exilzeitschriften. Als am 14. Juni 1940 deutsche Truppen Paris besetzten, unternahm Ernst Weiß einen Selbstmordversuch; in der darauffolgenden Nacht erlag er seinen Verletzungen.

Weltsch, Felix

Felix Weltsch wurde am 6. Oktober 1884 in Prag geboren; er war das erste von vier Kindern des Tuchhändlers Heinrich Weltsch und seiner Frau Louise. Nach dem Besuch der Volksschule des Piaristenordens, wo er mit Max Brod Freundschaft schloss, wechselte Weltsch zum Altstädter Gymnasium, wo er die Klasse unter Kafkas Jahrgang besuchte.

Nach der Matura nahm Weltsch ein Jura-Studium an der Prager Karls-Universität auf und trat in die ›Lese- und Redehalle der deutschen Studenten‹ ein. Kafka lernte er vermutlich 1903 über ihren gemeinsamen Freund Max Brod kennen. Es entwickelte sich eine lebenslange Freundschaft, trotz der zunehmenden intellektuellen Entfernung: Während Kafka sich immer stärker der Literatur zuwandte, blieb Weltsch seinen philosophischen Interessen treu.

In späteren Jahren verband beide auch das gemeinsame Interesse an Fragen des Zionismus und der jüdischen Tradition. So wurde Kafka auch in die Familie des Rechtsanwalts Theodor Weltsch eingeführt, eines Onkels von Felix Weltsch, der in der Prager zionistischen Szene eine bedeutende Rolle spielte.

Felix Weltsch schloss sein Jura-Studium 1907 mit der Promotion ab; nach der obligatorischen Gerichts- und Advokaturspraxis begann er 1909 als Praktikant bei der National- und Universitätsbibliothek Prag, bei der er bis zu seiner Emigration 1939 beschäftigt blieb. Im November 1911 erwarb Weltsch an der Karls-Universität zusätzlich einen philosophischen Doktorgrad; er veröffentlichte Arbeiten zu (religions-)philosophischen Fragen (auch gemeinsam mit Max Brod) und hielt in Prag Vortragszyklen zu literaturhistorischen Themen. Im August 1914 heiratete er Irma Herz (1892 – 1969), mit der er, trotz starker Spannungen, bis zu seinem Tod beisammen blieb.

Neben seiner Tätigkeit in der Bibliothek leitete er zwischen Herbst 1919 und 1938 die Redaktion der jüdischen Wochenschrift *Selbstwehr*, deren Leser und Abonnent Kafka bis zu seinem Tod war. Am Tag des Einmarsches deutscher Truppen in Prag emigrierten Felix und Irma Weltsch mit ihrer Tochter Ruth (1920 – 1991) nach Palästina. Die Familie ließ sich in Jerusalem nieder, wo Weltsch eine Anstellung an der National- und Universitätsbibliothek erhielt. Er veröffentlichte weitere Arbeiten zu allgemeinen philosophischen Themen sowie über Kafka und dessen Werk. Felix Weltsch starb am 9. November 1964.

Wohryzek, Julie

Julie Wohryzek wurde am 28. Februar 1891 in Prag geboren. Ihr Vater Eduard Wohryzek (1864 – 1928) stammte aus einer Kaufmannsfamilie, führte ein Lebensmittelgeschäft und war später Kustos der Synagoge im Prager Vorort Königliche Weinberge. Die Mutter Mina geb. Reach (geb. 1869) stammte aus Pest. Julie Wohryzek hatte zwei Schwestern, Käthe (geb. vor 1891, deportiert 1942) und Růžena (1895 – 1939), sowie einen Bruder Wilhelm. Wahrscheinlich absolvierte Julie eine Handelsausbildung, denn in späteren Jahren war sie Prokuristin.

Franz Kafka, den sie in einer Pension in Schelesen nördlich von Prag kennenlernte, war Julie Wohryzeks zweiter Verlobter; der erste war im Weltkrieg gefallen. Von der Korrespondenz der Verlobten ist lediglich eine Nachricht Kafkas überliefert, hingegen ein langer Brief Kafkas an Julies Schwester Käthe, der die einzige authentische Quelle über diese Beziehung darstellt. Die bereits geplante Heirat wurde von Kafkas Eltern strikt abgelehnt. Kafka wandte sich von Julie 1920 ab, nachdem er Milena Jesenská kennengelernt hatte.

Eineinhalb Jahre nach der Trennung von Kafka heiratete Julie Wohryzek den Bankprokuristen Josef Werner, mit dem sie einige Jahre zunächst in Bukarest, dann erneut in Prag lebte. Obwohl ihr Ehemann Nichtjude war, wurde Julie Wohryzek von der deutschen Besatzungsmacht verhaftet und nach Auschwitz deportiert. Dort wurde sie am 26. August 1944 ermordet.

Chronik

1883

Am 3. **Juli** wird Franz Kafka in Prag geboren. Er ist das erste Kind von Hermann Kafka (1852 – 1931) und dessen Frau Julie, geb. Löwy (1856 – 1934). Die jüdischen Eltern führen ein Galanteriewarengeschäft. In der Familie wird überwiegend deutsch gesprochen, mit Bediensteten aber auch tschechisch.

1885 – 1888

Geburt zweier Brüder, die schon als Kleinkinder sterben.

1889 – 1892

Geburt der Schwestern Gabriele (Elli), Valerie (Valli) und Ottilie (Ottla).

1889 – 1893

Besuch der Deutschen Volks- und Bürgerschule.

1893 – 1901

Besuch des Altstädter Deutschen Gymnasiums. Matura (Abitur).

1901

Beginn des Jura-Studiums an der Prager Deutschen Universität.

1902

Oktober: Erste Begegnung mit Max Brod. Beginn der lebenslangen Freundschaft.

1904

Beginn der Arbeit an der 1. Fassung von BESCHREIBUNG EINES KAMPFES.

1906

Juni: Promotion. **Oktober:** Beginn des einjährigen Rechtspraktikums am Landes- und am Strafgericht.

1907

Beginn der Arbeit an der 1. Fassung von HOCHZEITSVORBEREITUNGEN AUF DEM LANDE. **Oktober:** Anstellung als Hilfskraft bei der Versicherungsgesellschaft ›Assicurazioni Generali‹.

1908

März: Erste Veröffentlichung: kleine Prosastücke unter dem Titel BETRACHTUNG in der Zeitschrift *Hyperion.* **30. Juli:** Eintritt in die ›Arbeiter-Unfall-Versicherungs-Anstalt für das Königreich Böhmen in Prag‹.

1909

Beginn der erhaltenen Tagebucheintragungen. Erste Begegnung mit Franz Werfel. **September:** Reise mit Max Brod und dessen Bruder Otto nach Norditalien. Ausflug zu einem Flugmeeting, das Kafka in seinem Text DIE AEROPLANE IN BRESCIA beschreibt. **Herbst:** Arbeit an der 2. Fassung von BESCHREIBUNG EINES KAMPFES.

1910

Oktober: Reise mit Otto und Max Brod nach Paris.

1911
August/September: Reise mit Max Brod in die Schweiz, nach Norditalien und Paris. Danach im Sanatorium Erlenbach bei Zürich. **Oktober:** Bekanntschaft mit einer ostjüdischen Theatertruppe, die Kafka stark beeindruckt. Besuch zahlreicher Vorstellungen, Freundschaft mit dem Schauspieler Jizchak Löwy. Kafka und sein Schwager Karl Hermann gründen die ›Erste Prager Asbest-Fabrik‹.

1912
Arbeit an der 1. Fassung des Romans DER VERSCHOLLENE, die Kafka später vernichtet. **Juni/Juli:** Reise mit Max Brod nach Leipzig und Weimar. Begegnung mit den Verlegern Kurt Wolff und Ernst Rowohlt, die Kafka zur Einsendung eines Manuskripts auffordern. In Weimar verliebt sich Kafka in die 17jährige Margarethe Kirchner. Aufenthalt im Naturheilsanatorium ›Jungborn‹ bei Stapelburg im Harz. **August:** Erste Begegnung mit Felice Bauer. **September:** Beginn des intensiven Briefwechsels mit Felice Bauer. DAS URTEIL entsteht. Tägliche Arbeit an der 2. Fassung von DER VERSCHOLLENE. **Dezember:** DIE VERWANDLUNG entsteht. Der Verleger Kurt Wolff veröffentlicht Betrachtung als Buch.

1913
Januar: Abbruch der Arbeit an DER VERSCHOLLENE. **März:** In Berlin erstes Wiedersehen mit Felice Bauer. **Mai:** DER HEIZER (das 1. Kapitel von DER VERSCHOLLENE) erscheint im Kurt Wolff Verlag. **Juni:** DAS URTEIL erscheint im Jahrbuch *Arkadia* (hrsg. von Max Brod). Beginn der Freundschaft mit dem Schriftsteller Ernst Weiß. **September/Oktober:** Reise allein nach Wien, Venedig, Gardasee. Sanatorium Dr. von Hartungen in Riva. **November:** Erste Zusammenkunft mit Grete Bloch, die zwischen Kafka und Felice Bauer vermitteln will. Beginn eines intensiven Briefwechsels mit ihr.

1914

1. Juni: Verlobung mit Felice Bauer. **12. Juli:** Bei einer von Kafka als »Gerichtshof« empfundenen Auseinandersetzung in Berlin wird die Verlobung aufgelöst. Reise über Lübeck nach Marielyst. **28. Juli:** Österreich-Ungarn erklärt Serbien den Krieg (Beginn des Ersten Weltkriegs). **August:** Beginn der Arbeit am Roman DER PROCESS. **Oktober:** IN DER STRAFKOLONIE entsteht. **Dezember:** Das Fragment DER DORFSCHULLEHRER entsteht.

1915

Januar: Kafka gibt die Arbeit an DER PROCESS auf. Erneute Annäherung an Felice Bauer. **April:** Reise nach Ungarn. **Juli:** Sanatorium Frankenstein bei Rumburg, Nordböhmen. **Oktober:** DIE VERWANDLUNG erscheint. Carl Sternheim gibt die Preissumme des ihm verliehenen Fontane-Preises an Kafka weiter.

1916

Juni: Kafka wird (gegen seinen Willen) aus beruflichen Gründen vom Militärdienst freigestellt. **Juli:** In Marienbad erster und einziger gemeinsamer Urlaub mit Felice Bauer. **November:** Kafka liest in München IN DER STRAFKOLONIE (einzige Lesung außerhalb Prags). Er beginnt, ein Häuschen in der Alchimistengasse auf dem Hradschin zum Schreiben zu nutzen. Im folgenden Winter entstehen dort zahlreiche kürzere Texte und Fragmente, darunter EIN LANDARZT, SCHAKALE UND ARABER, BEIM BAU DER CHINESISCHEN MAUER und AUF DER GALERIE.

1917

April: EIN BERICHT FÜR DIE AKADEMIE entsteht. **Juli:** Erneute Verlobung mit Felice Bauer. **Sommer:** Kafka beginnt, Hebräisch zu lernen. **10. August:** Lungenblutsturz. **September:** Kafka möchte wegen der diagnostizierten Tuberkulose pensioniert werden, was jedoch abgelehnt wird. Er übersiedelt zu seiner Schwester Ottla, die in Zürau (Nordwestböhmen) einen kleinen Hof bewirtschaftet. **Oktober:** Kafka beginnt, Aphorismen zu schreiben. **Ende Dezember:** Endgültige Trennung von Felice Bauer.

1918

Mai: Ende der Beurlaubung. **30. Oktober:** Sturz der österreichisch-ungarischen Monarchie. **November:** Proklamation der Tschechoslowakei als Republik. Die Amtssprache in Prag, auch in Kafkas Versicherungsanstalt, ist Tschechisch. Kafka fährt nach Schelesen, wo er (mit Unterbrechungen) bis März in einer Pension lebt.

1919

Januar: Begegnung mit Julie Wohryzek. **Mai:** In der Strafkolonie erscheint bei Kurt Wolff. **Sommer:** Verlobung mit Julie Wohryzek. **November:** In Schelesen schreibt Kafka den umfangreichen Brief an den Vater, der jedoch nie zu seinem Adressaten gelangt.

1920

März: Ernennung zum ›Anstaltssekretär‹. **April:** Kafka fährt für drei Monate zur Kur nach Meran. Beginn des Briefwechsels mit Milena Jesenská. **Mai:** Bei Kurt Wolff erscheint Ein Landarzt. Kleine Erzählungen. **Juli:** Kafka verbringt in Wien einige Tage mit Milena. Nach seiner Rückkehr nach Prag löst er die Verlobung mit Julie Wohryzek. **Dezember:** Beginn eines achtmonatigen Kuraufenthalts in Matliary in der Hohen Tatra.

1921

Februar: Beginn der Freundschaft mit dem Medizinstudenten Robert Klopstock. **August:** Kafka tritt zum letzten Mal seinen Bürodienst an; nach acht Wochen wird er wieder krankgeschrieben.

1922

Januar: Beginn der Arbeit an dem Roman DAS SCHLOSS. **Februar**: Kuraufenthalt in Spindlermühle im Riesengebirge. **Frühjahr**: EIN HUNGERKÜNSTLER entsteht. **Juni**: FORSCHUNGEN EINES HUNDES entsteht. Kafka fährt für etwa drei Monate nach Planá in Südböhmen. **1. Juli**: »Vorübergehende« Pensionierung. **August**: Abbruch der Arbeit an DAS SCHLOSS. **Oktober**: EIN HUNGERKÜNSTLER erscheint.

1923

Juni: Letzter erhaltener Tagebucheintrag. **Juli**: Kafka fährt für etwa vier Wochen nach Müritz an der Ostsee, wo er Dora Diamant kennenlernt. **August**: Für vier Wochen nach Schelesen. **September**: Kafka übersiedelt nach Berlin, wo er mit Dora Diamant lebt. Sie leiden unter der Hyperinflation. **Herbst**: EINE KLEINE FRAU entsteht. **Winter**: DER BAU entsteht. Vernichtung zahlreicher Manuskripte. Rapide Verschlechterung von Kafkas Gesundheitszustand.

1924

März: Kurzzeitige Rückkehr nach Prag. JOSEFINE DIE SÄNGERIN entsteht. **April**: Sanatorium ›Wiener Wald‹ in Ortmann, Niederösterreich. Diagnose der Kehlkopftuberkulose. Begleitet von Dora Diamant wird Kafka in die Universitätsklinik Wien, dann in das Sanatorium Dr. Hugo Hoffmann in Kierling bei Klosterneuburg gebracht. Dora Diamant und Robert Klopstock pflegen Kafka, der starke Schmerzen leidet und kaum mehr schlucken kann. **3. Juni**: Kafka stirbt gegen Mittag. **11. Juni**: Bestattung auf dem jüdischen Friedhof in Prag-Straschnitz.

Siglen

Kafkas Werke und Tagebücher werden nach den von Hans-Gerd Koch herausgegebenen und im Jahr 2008 im Fischer Taschenbuch Verlag erschienenen *Gesammelten Werken in zwölf Bänden* zitiert. Diese Edition beruht auf der Kritischen Ausgabe und gibt somit den Text in der Fassung der Handschrift wieder. Dass Kafka den Buchstaben »ß« durchgängig als »ss« schreibt, wurde im vorliegenden Band berücksichtigt.

B1 Franz Kafka, *Briefe 1900–1912*, hrsg. von Hans-Gerd Koch, Frankfurt am Main (S. Fischer) 1999

B2 Franz Kafka, *Briefe 1913–März 1914*, hrsg. von Hans-Gerd Koch, Frankfurt am Main (S. Fischer) 1999

B3 Franz Kafka, *Briefe April 1914–1917,* hrsg. von Hans-Gerd Koch, Frankfurt am Main (S. Fischer) 2005

BaE Franz Kafka, *Briefe an die Eltern aus den Jahren 1922–1924,* hrsg. von Josef Čermák und Martin Svatos, Frankfurt am Main (S. Fischer) 1990.

BChM Franz Kafka, *Beim Bau der Chinesischen Mauer und andere Schriften aus dem Nachlaß*

BeK Franz Kafka, *Beschreibung eines Kampfes und andere Schriften aus dem Nachlaß*

BKB Max Brod, Franz Kafka, *Eine Freundschaft. Briefwechsel*, hrsg. von Malcolm Pasley, Frankfurt am Main (S. Fischer) 1989

BKR Max Brod, Franz Kafka, *Eine Freundschaft. Reiseaufzeichnungen*, hrsg. von Malcolm Pasley, Frankfurt am Main (S. Fischer) 1987

FdG	Franz Kafka, *Zur Frage der Gesetze und andere Schriften aus dem Nachlaß*
L	Franz Kafka, *Ein Landarzt und andere Drucke zu Lebzeiten*
M	Franz Kafka, *Briefe an Milena*, hrsg. von Jürgen Born und Michael Müller, Frankfurt am Main (S. Fischer) 1983
O	Franz Kafka, *Briefe an Ottla und die Familie*, hrsg. von Hartmut Binder und Klaus Wagenbach, Frankfurt am Main (S. Fischer) 1974.
P	Franz Kafka, *Der Proceß*
R	Franz Kafka, *Reisetagebücher*
T1	Franz Kafka, *Tagebücher.* Band 1: 1909 – 1912
T2	Franz Kafka, *Tagebücher.* Band 2: 1912 – 1914
T3	Franz Kafka, *Tagebücher.* Band 3: 1914 – 1923
V	Franz Kafka, *Der Verschollene*
Koch	*»Als Kafka mir entgegenkam …« Erinnerungen an Franz Kafka,* hrsg. von Hans-Gerd Koch, erweiterte Neuausgabe, Berlin 2005.

Quellen und Anmerkungen

Die vorangestellten Zahlen beziehen sich auf die Nummern der Fundstücke.

1 Brief an Milena Jesenská, 18. Juli 1920 (*M* 127). Brief an Felice Bauer, 25. Juli 1913 (*B2* 242). Brief Milena Jesenskás an Max Brod, Anfang August 1920 (*M* 364).

2 Franz Kafka, ›Brief an den Vater‹ (*FdG* 51). Hugo Hecht, *Franz Kafkas Tragödie – Zeiten, Zustände und Zeitgenossen, nebst autobiographischen Bemerkungen des Verfassers* (unpubliziert), zitiert nach: Hartmut Binder, *Kafkas Welt*, Reinbek 2008, S. 68. – Siehe auch Hugo Hecht, ›Zwölf Jahre in der Schule mit Franz Kafka‹ (*Koch* 32–43).

3 Bis 1908 lautete die Stufenleiter der Schulnoten in Österreich-Ungarn: *vorzüglich, lobenswert, befriedigend, genügend, nicht genügend, ganz ungenügend.*

Kafkas Maturitätszeugnis blieb im Nachlass Hélène Zylberbergs erhalten, einer französischen Literaturwissenschaftlerin und Übersetzerin polnisch-jüdischer Herkunft, die Ende der dreißiger Jahre Kontakt zu Kafkas Schwestern und Freunden aufnahm. Die von ihr in Prag aufgefundenen, doch niemals wissenschaftlich ausgewerteten Dokumente sind heute als ›Kafka-Sammlung Hélène Zylberberg‹ im Deutschen Literaturarchiv in Marbach zugänglich.

4 Briefe an Felice Bauer, 27. Oktober und 9./10. Dezember 1912 (*B1* 197, 314). Jaroslaus Schaller, *Beschreibung der königl. Haupt- und Residenzstadt Prag*, Bd. 4, Prag 1797. *Schematismus des Königreiches Böhmen für das Jahr 1825*, Prag o. J. Franz Klutschak, *Der Führer durch Prag*, 3. Aufl., Prag 1843.

5 Brief an Felice Bauer, 11./12. Februar 1913 (*B2* 87). Tagebuch, 2. Oktober 1911 (*T1* 44). – Siehe auch *›Einmal ein großer Zeichner‹. Franz Kafka als bildender Künstler*, hrsg. von Niels Bokhove und Marijke van Dorst, Prag 2006.

Wann und bei wem Kafka Zeichenunterricht nahm, ist nicht überliefert. Auch ist nicht bekannt, ob Kafka tatsächlich, wie angekündigt, alte Zeichnungen an Felice Bauer schickte.

7 Briefe an Felice Bauer, 18. Januar, 8., 20. und 22. Dezember 1916 (*B3* 150f., 278, 280, 281).

Gerda ›Muzzi‹ Fahrni, geb. Braun, starb am 19. August 2003 in Genf.

8 Visitenkarte an Eugen Pfohl in der Arbeiter-Unfall-Versicherungs-Anstalt Prag, 23. September 1912 (*B1* 172). Postkarte an Ottla Kafka, 6. September 1917 (*B3* 315). Briefe an Milena Jesenská, 31. Juli und 2./3. August 1920 (*M* 163, 179). – Vgl. Milena Jesenskás Schilderung dieses Vorfalls in einem Brief an Max Brod, in: dies., *»Ich hätte zu antworten tage- und nächtelang«. Die Briefe von Milena*, hrsg. von Alena Wagnerová, Mannheim 1996, S. 42. (Die Datierung dieses Briefs auf »Anfang August 1920« erscheint zweifelhaft: Zu diesem Zeitpunkt war über Kafkas Reise nach Wien noch gar nicht endgültig entschieden, Jesenská aber schreibt: »Es war mir *damals* sehr notwendig.«)

9 *B1* 53, *R* 41, *R* 199, *R* 81f., *B2* 50f., *FdG* 15, *O* 87, *O* 91, *M* 197, *BaE* 126f., *BaE* 79f., *O* 216, *O* 157, *BaE* 80f.; Max Brod, *Über Franz Kafka,* Frankfurt am Main 1974, S. 180.

10 *B1* 164, 243. – Franz Kafka, *Tagebücher*, hrsg. von Hans-Gerd Koch, Michael Müller und Malcolm Pasley, Frankfurt am Main 1990, Apparatband, S. 64.

11 *Die Zeit*, Heft 02/2001. Gemeindeblatt der Evangelischen Kirchengemeinde Zur Heimat, April 2009. Mark Harman, ›Missing Persons: Two Little Riddles About Kafka and Berlin‹, www.kafka.org.

12 Ernst Weiß an Rahel Sanzara, 10. Januar 1917 (Original im Deutschen Literaturarchiv, Marbach a. N.). Soma Morgenstern an Peter Engel, 22. April 1975; abgedruckt in: ders., *Kritiken, Berichte, Tagebücher*, hrsg. von Ingolf Schulte, Lüneburg 2001, S. 564f. Ernst Weiß, ›Bemerkungen zu den Tagebüchern und Briefen Franz Kafkas‹, in: *Mass und Wert*, 1 (1937/38), S. 319–325; wiederabgedruckt in: *Franz Kafka. Kritik und Rezeption 1924–1938*, hrsg. von Jürgen Born, Frankfurt am Main 1983, S. 439–451. In Weiß' Aufsatz finden sich mehrere auf Kafkas Selbstbezüglichkeit abzielende kritische Bemerkungen. – Zu weiteren Einzelheiten um Kafkas Zerwürfnis mit Weiß siehe Peter Engel, ›Ernst Weiß und Franz Kafka. Neue Aspekte zu ihrer Beziehung‹, in: *text + kritik*, Bd. 76, S. 67–78, sowie Reiner Stach, *Kafka. Die Jahre der Erkenntnis,* Frankfurt am Main 2008, S. 101–104.

14 Briefe an Felice Bauer, 28. November 1912, 6. November 1913, 28. Oktober 1916 (*B1* 278, *B2* 295, *B3* 268f.). Brief an Ottla Kafka, 28. Dezember 1917 (*B3* 390). Tagebuch, 2. Juli und 20. November 1913 (*T2* 180, 204). – Max Brod, *Über Franz Kafka*, Frankfurt am Main 1974, S. 147. – *Prager Tagblatt*, Abend-Ausgabe vom 2. Juli 1913, S. 3.

15 Brief an Felice Bauer, 12./13. Februar 1913 (*B2* 88). – Hartmut Binder, ›Else Lasker-Schüler in Prag‹, in: *Wirkendes Wort* 3 (1994), S. 405–438. – *Bohemia*, Abend-Ausgabe, Prag, 5. April 1913, S. 2.

Der Journalist Leopold B. Kreitner berichtet, Kafka habe den Vorfall auf dem Altstädter Ring beobachtet und das Auftreten Lasker-Schülers so kommentiert: »Sie ist nicht der Prinz von Theben, sondern eine Kuh vom Kurfürstendamm.« (*Koch* 57) Da Kreitners Erinnerungen erst Jahrzehnte später verfasst wurden und etliche sachliche Ungenauigkeiten enthalten, ist die kolportierte – und für Kafka sehr untypische – Äußerung nicht unbedingt authentisch.

16 *B1* 32.

17 *B3* 113f.

18 Tagebuch, 15. Oktober 1913 (*T2* 195). – *Die k. k. Deutsche Technische Hochschule in Prag 1806–1906. Festschrift zur Hundertjahrfeier*, hrsg. von Franz Stark, Prag 1906.

19 *T1* 211 ff., *T2* 158 f.

20 *B1* 45, *B1* 82, *B1* 87, *T1* 14, *R* 70 f., *T1* 41, *T2* 203 f., *T3* 200, *T3* 202.

21 *T1* 67, 70, 74.

22 Tagebuch, 2. Oktober 1911 (*T1* 42 f.).

23 Tagebuch, 3. November 1915 (*T3* 111).

24 Frantisek Kautman, *Kafka a Julie. K prezentaci neznámého dopisu Franze Kafky jeho druhé snoubence Julii Wohryzkové, zaslaného potrubní poštou v Praze dne 18 června 1919*, Památník národního písemnictví 2008 [Kafka und Julie. Zur Präsentation eines unbekannten Briefs Franz Kafkas an seine zweite Verlobte Julie Wohryzek, per Rohrpost in Prag übersandt am 18. Juni 1919]. Friedrich Thieberger, ›Kafka und die Thiebergers‹ (Koch 128–134). Brief an Max Brod, 8. Februar 1919 (*BKB* 263 f.).

25 *T3* 178 f.

26 Franz Kafka, *Brief an den Vater*, hrsg. von Joachim Unseld, Frankfurt am Main 1994, S. 207 ff.

27 *T2* 49, *B1* 212, *B1* 345, *T2* 178, *B2* 250, *B3* 60, *B3* 61, *B3* 312, *M* 19, *O* 116, *BKB* 341.

28 Max Brod, *Über Franz Kafka*, Frankfurt am Main 1974, S. 97.

29 Tagebuch, 24./25. Dezember 1910 (*T1* 108 f.). Hartmut Binder, *Kafkas Welt. Eine Lebenschronik in Bildern*, Reinbek 2008, S. 151.

30 *B1* 9.

31 *L* 30. – Klara Thein hielt ihre Erinnerungen an Kafka in privaten Briefen an den Literaturwissenschaftler Hartmut Binder fest. Dieser zitiert sie in seinem Aufsatz ›Frauen in Kafkas Lebenskreis‹, in: *Sudetenland*, 39 (1997), H. 4, sowie 40 (1998), H. 1 (hier S. 25 und Anm. 206).

32 Max Brod, *Über Franz Kafka*, Frankfurt am Main 1974, S. 231. – Vgl. die Schilderung derselben Episode in: Max

Brod, *Streitbares Leben, Autobiographie 1884–1968*, Frankfurt am Main 1979, S. 188: »Er sah mich groß an, als wolle er sagen: ›Siehst du, siehst du – so muß es sein, so muß der Geist über einen kommen‹, und noch mehrmals kehrte er bei seinem Rundgang zu der passionierten Darstellung zurück, immer aufs neue entzückt.«

33 *BeK* 143. Tagebuch, 26. November 1911 (*T1* 213). – Franz Kafka, *Nachgelassene Schriften und Fragmente*, Band II, hrsg. von Jost Schillemeit, Apparatband, Frankfurt am Main 1992, S. 46.

34 *L* 297f.

36 Hartmut Binder, *Kafkas »Verwandlung«. Entstehung, Deutung, Wirkung*, Frankfurt am Main 2004 (die Abbildung hier S. 118).

38 Brief an Max Brod, Ende März 1918 (*BKB* 246).

Insgesamt handelte es sich um 12 ½ datierte Korrekturbögen, von denen 9 ½ im Jahr 1995 bei einer Auktion in Berlin angeboten wurden. Ein namentlich nicht bekannter Käufer ersteigerte die Bögen für 42 000 DM.

39 Brief an Milena Jesenská, 26./27. August 1920 (*M* 232).

40 Max Pulver, ›Spaziergang mit Franz Kafka‹ (*Koch* 141–146). Brief an Gottfried Kölwel, 3. Januar 1917 (*B3* 283). Max Brod, *Über Franz Kafka*, Frankfurt am Main 1974, S. 211f. – Die Besprechungen der Lesung in der Münchner Presse sind abgedruckt in: *Franz Kafka. Kritik und Rezeption zu seinen Lebzeiten. 1912–1924*, hrsg. von Jürgen Born, Frankfurt am Main 1979, S. 120–123. – Zu den genaueren Umständen von Kafkas Lesung und zur Unzuverlässigkeit von Pulvers Erinnerungen siehe Reiner Stach, *Kafka. Die Jahre der Erkenntnis*, Frankfurt am Main 2008, S. 149 ff. und S. 638, Anm. 9.

41 Oskar Baum, ›Rückblick auf eine Freundschaft‹ (*Koch* 75).

42 Die Browska-Skizze wurde bisher erst zweimal veröffentlicht: Zunächst 1962 innerhalb eines Aufsatzes von Malcolm Pasley (›Franz Kafka Mss: Description and Selected Inedita‹, *Modern Language Review*, Bd. 57, S. 55); dann im

Jahr 2007 in der Zeitschrift *Edit* (Heft 42, S. 28), versehen mit einem Vorwort von Hans-Gerd Koch sowie den Stellungnahmen der vier Lektoren, denen der Text ohne Angabe des Verfassers vorgelegt worden war.

43 *T3* 32–34.

44 *BChM* 119–121.

45 *FdG* 176f.

46 Franz Kafka, *Das Schloß*, hrsg. von Malcolm Pasley, 2. Aufl., Apparatband, Frankfurt am Main 1983, S. 115–117. Zur Datierung des Fragments hier S. 63.

47 Franz Kafka, *Topič [Der Heizer]*, in: *Kmen*, IV. Jg., Nr. 6, S. 61–72. Brief an Milena Jesenská, 9. Mai 1920 (*M* 8f., Datierung hier fehlerhaft). Karte an Ottla Kafka, 8. Mai 1920 (*O* 87). – Zur Qualität von Milena Jesenskás Übersetzungen siehe Marek Nekula, *Franz Kafkas Sprachen*, Tübingen 2003, S. 243 ff.

48 Puah Menczel-Ben-Tovim, ›Ich war Kafkas Hebräischlehrerin‹ (*Koch* 177–179). Hartmut Binder, ›Die Hebräischlehrerin Kafkas – Puah Ben-Tovim‹, in: *Leben und Wirken. Unser erzieherisches Werk.* In memoriam Dr. Josef Schlomo Menczel 1903–1953, hrsg. von Puah Menczel-Ben-Tovim, Jerusalem 1983, S. 48–50. – Die deutsche Übersetzung von Kafkas Briefentwurf ist dem Aufsatz von Hartmut Binder entnommen.

49 Das Faksimile ist einer Publikation des Deutschen Literaturarchivs entnommen: *Franz Kafka. Der Proceß. Die Handschrift redet* (Marbacher Magazin 52), bearbeitet von Malcolm Pasley, Marbach am Neckar 1990, S. 6.

50 *Prager Tagblatt,* 31. Dezember 1899, S. 7. Max Brod, *Über Franz Kafka,* Frankfurt am Main 1974, S. 76.

51 Brief an Felice Bauer, 8./9. Januar 1913 (*B2* 26–29).

52 Tagebuch, 27. November 1910 (*T1* 100f.).

53 *P* 125f.

54 *BChM* 104f.

55 Brief an Felice Bauer, vermutlich Februar 1917 (*B2* 287–291).

56 Brief an Felix Weltsch, Zürau, 15. November 1917 (*B3* 365f.). Brief an Max Brod, Zürau, 3. Dezember 1917 (*B3* 373f.).

57 Brief an Elsa und Max Brod, 2./3. Oktober 1917 (*B3* 339f.). Brief von Elsa und Max Brod an Kafka, 29. September 1917 (*B3* 751).

58 Brief an Ottla Kafka, 20. Februar 1919 (*O* 67f.).

59 Brief an Milena Jesenská, ca. 20. Mai 1920 (*M* 13f.).

60 Max Brod, *Über Franz Kafka*, Frankfurt am Main 1974, S. 106f. Brief an Max Brod, 10. Juli 1912 (*B1* 158). – Das Memorandum wurde erstmals abgedruckt in *BKR* 189–192.

61 *FdG* 94–96. Zur Frage der Datierung siehe Franz Kafka, *Nachgelassene Schriften und Fragmente II*, hrsg. von Jost Schillemeit, Apparatband, Frankfurt am Main 1992, S. 68 ff.

62 Briefe an Ottla Kafka, April und 6. Mai 1921 (*O* 118, 122). – Hartmut Binder, ›Kafkas Briefscherze. Sein Verhältnis zu Josef David‹, in: *Jahrbuch der deutschen Schillergesellschaft*, 13 (1969), S. 536–559.

63 Georg Heinrich Meyer an Kafka, 11. Oktober 1915 (*B3* 739f.). Brief an Georg Heinrich Meyer, 20. Oktober 1915 (*B3* 144). – Weitere Einzelheiten siehe Joachim Unseld, *Franz Kafka. Ein Schriftstellerleben*, Frankfurt am Main 1984, S. 103–107.

64 Brief an Milena Jesenská, 10. August 1920 (*M* 204–206).

65 Jürgen Born, *Kafkas Bibliothek. Ein beschreibendes Verzeichnis*, Frankfurt am Main 1990, S. 81–83.

66 Brief an Felice Bauer, 22./23. Januar 1913 (*B2* 58f.).

67 Brief an Max Brod, 13. Juli 1912 (*B2* 159f.).

68 Franz Kafka, *Tagebücher*, hrsg. von Hans-Gerd Koch, Michael Müller und Malcolm Pasley, Frankfurt am Main 1990: Apparatband, S. 68, sowie Kommentarband, S. 259.

70 Dora Diamant, ›Mein Leben mit Franz Kafka‹ (*Koch* 174–185).

71 *BChM* 58f. Aus dem ›Oktavheft B‹, entstanden Anfang 1917. In der Handschrift ohne Titel.

72 *BChM* 221f. – Die Redepassage André Bretons ist abgedruckt in: *Autographen, Handschriften, Widmungsexemplare.* Auktionskatalog der Moirandat Company AG, Basel (Auktion in Basel, 23./24. Februar 2006).

73 *V* 9, 98, 113, 295. Brief an Kurt Wolff, 25. Mai 1913 (*B2* 196f.).

74 *R* 75–78, *T1* 177. – Siehe auch Max Brods kurze Notizen zum selben Ereignis: *R* 191.

Kafka hat bei der Niederschrift etliche Kürzel verwandt, so etwa »Pol.« für »Polizist« und »Au.« oder »Aut.« für »Automobilist«. Der Text ist hier mit aufgelösten Abkürzungen wiedergegeben.

75 *BKR* 81f., 148f. – Hartmut Binder, *Mit Kafka in den Süden. Eine historische Bilderreise in die Schweiz und zu den oberitalienischen Seen*, Prag/Furth im Wald 2007, S. 200–204.

76 Franz Kafka, ›Die Aeroplane in Brescia‹ (*L* 312–320 und *BKR* 17–26), zuerst mit Kürzungen veröffentlicht in: *Bohemia* (Prag), 29. September 1909, Morgen-Ausgabe. Max Brod, ›Flugwoche in Brescia‹ (*BKR* 9–16), veröffentlicht Mitte Oktober 1909 in der Münchener Halbmonatsschrift *März*.

Zur Flugwoche in Brescia und zur Zeugenschaft Kafkas und Brods gibt es sehr dataillierte Darstellungen; siehe insbesondere Hartmut Binder, *Mit Kafka in den Süden. Eine historische Bilderreise in die Schweiz und zu den oberitalienischen Seen,* Prag/Furth im Wald 2007, S. 39–84; sowie Peter Demetz, *Die Flugschau von Brescia. Kafka, d'Annunzio und die Männer, die vom Himmel fielen,* Wien 2002.

Der Autor dankt Roland Templin (Berlin), der das Foto entdeckte, für die großzügige Genehmigung zur Publikation. Weiterführende Informationen zum Flugmeeting sind einem noch unveröffentlichten Manuskript Roland Templins entnommen: ›Kafka über die Schulter geschaut. Bei der Flugwoche von Brescia 1909‹.

77 *BKR* 71–73 (Kafka) und 184–187 (Brod).

78 Reisetagebuch, 16. Juli 1912 (*R* 103f.).

79 Wolfgang Duschek/Florian Pichler, *Meran wie es war. 1900–1930*, Meran 1983.

80 Brief an Milena Jesenská, 5. Juli 1920 (*M* 86–90).

82 *B3* 744. – Weitere Einzelheiten siehe Jochen Meyer, ›Diese Suppe hat ihm Kafka eingebrockt. Was haben ‚Die Verwandlung', ein Berliner Bankdirektor und Hedwig Courths-Mahler miteinander zu tun? Eine Spurensuche‹, in: *Frankfurter Allgemeine Zeitung*, 8. Juli 2006, S. 53.

83 Jürgen Born, *Kafkas Bibliothek. Ein beschreibendes Verzeichnis*, Frankfurt am Main 1990, S. 20. – Die Erinnerungen Oskar Baums an Kafka bei *Koch* 71–75.

84 *T2* 229, 231f. Überliefert ist auch eine Feldpostkarte Anzenbachers an Kafka (*B3* 738). – Der Autor dankt Reinhard Pabst (Bad Camberg) für Informationen aus der Familie Elisabeth Rämischs.

85 Tagebuch, 18. Februar 1920 (*T3* 181f.). – Hermann Cassinellis Buchhandlung und Leihbücherei befand sich in der Husgasse 4.

86 *Koch* 135–138. Aus dem Hebräischen von Anne Birkenhauer. Der Originaltext erschien erstmals in *Hege* (Tel Aviv), 23. Februar 1941, S. 256.

Zu Langers Biografie siehe Walter Koschmal, *Der Dichternomade: Jiří Mordechai Langer – ein tschechisch-jüdischer Autor*, Köln u. a. 2009.

88 Brief der Staatlichen Landeszentrale zur Fürsorge für heimkehrende Krieger in Prag an das Polizeipräsidium, 9. Oktober 1918. Telegramm des Polizeipräsidiums an die auswärtigen Kommissariate, 16. Oktober 1918. Brief des Polizeipräsidiums an die Prager Statthalterei, 22. Oktober 1918. In: Franz Kafka, *Amtliche Schriften,* hrsg. von Klaus Hermsdorf und Benno Wagner, Frankfurt am Main (S. Fischer) 2004, Materialien auf CD-ROM, S. 864f.

89 Franz Kafka, *Drucke zu Lebzeiten*, Frankfurt am Main (S. Fischer) 1996, Apparatband, S. 272ff. Max Brod an Franz Kafka, 20. Dezember 1918 (*BKB* 256). – Die Postkarte befindet sich heute in der Collection of German Lite-

rature, Beinecke Rare Book and Manuscript Library, Yale University, New Haven.

90 *BKB* 361f., 364.

91 Karl Kraus, ›In memoriam Franz Janowitz (Gesprochen am 18. November 1917)‹, in: *Die Fackel*, Heft 474–483 (23. Mai 1918), S. 69–70. – Max Brod, *Streitbares Leben. Autobiographie 1884–1968*, Frankfurt am Main 1979, S. 73–80. – Christian Wagenknecht, ›Über Karl Kraus über Kafka‹, in: *Brücken*, N. F. 4 (1996), S. 33–46.

Der Brief Kafkas an Hans Janowitz ist nicht erhalten, ebenso wenig dessen Antwort. Der Inhalt beider Schreiben lässt sich lediglich aus den in Brods Autobiographie wiedergegebenen Zitaten rekonstruieren.

92 Brief an Milena Jesenská, 20. Juli 1920 (*M* 133). Alena Wagnerová (Hrsg.), *»Ich hätte zu antworten tage- und nächtelang«. Die Briefe von Milena*, Mannheim 1996, S. 51.

93 Erstmals veröffentlicht in: Max Brod, *Der Prager Kreis*, Stuttgart 1966, S. 116–118. Wiederabdruck: *Koch* 223–226.

94 Georg Gimpl, *Weil der Boden selbst hier brennt… Aus dem Prager Salon der Berta Fanta (1865–1918)*, Prag/Furth im Wald 2001, S. 28, 309.

95 Hugo Hecht, ›Franz Kafkas Maturaklasse – nach 60 Jahren‹, in: *Prager Nachrichten*, 14. Jg., Heft 2 (Februar 1963), S. 2–6. – Hugo Hecht, ›Zwölf Jahre in der Schule mit Franz Kafka‹ (*Koch* 32–43).

96 *BKB* 365, 421f. sowie die hier fälschlich auf 1918 datierten Briefe *BKB* 256f., 257. Unterstreichungen nach dem Original.

Das Testament I befindet sich auf einem zusammengefalteten und dann adressierten Zettel: »Herrn Dr Max Brod/Prag V/Brehová 8«. Das Blatt mit dem Testament II legte Kafka in einen Umschlag mit der Aufschrift »Max«.

97 Mit Erläuterungen ist der Brief abgedruckt in: Franz Kafka, *Briefe an die Eltern aus den Jahren 1922–1924*, hrsg. von Josef Čermák und Martin Svatos, Frankfurt am Main

1990. Ein vollständiges Faksimile liegt der folgenden Publikation bei: Josef Čermák, *»Ich habe seit jeher einen gewissen Verdacht gegen mich gehabt«. Franz Kafka. Dokumente zu Leben und Werk*, Berlin 2010.

Das Original des Briefes befindet sich im Nationalen Literaturmuseum in Prag-Strahov.

99 ›Milenas Nachruf auf Franz Kafka‹, in: *Forum*, Wien, Januar 1962. Eine weitere Übersetzung ins Deutsche erschien in: Milena Jesenská, *»Alles ist Leben«. Feuilletons und Reportagen 1919–1939*, hrsg. von Dorothea Rein, Frankfurt am Main 1984, S. 96f. – Brief an Milena Jesenská, vermutlich 8. Mai 1920 (*M* 7, Datierung hier fehlerhaft).

Bildnachweis

Die Zahlen beziehen sich auf die Nummern der Fundstücke.

Akademie der Künste, Berlin 16
Antikvariát Ztichlá klika, Prag 55
Archiv Hans-Gerd Koch, Köln 93
Archiv Hartmut Binder, Ditzingen 4, 7l., 27, 29, 36l., 57, 59, 74
Archiv Klaus Wagenbach, Berlin 8, 20
Archiv Kritische Kafka-Ausgabe, Wuppertal 42, 48, 67, 90, 95, 96
bpk/Marta Wolff 52
Deutsche Bibliothek, Frankfurt am Main 7r.
Deutsches Literaturarchiv, Marbach am Neckar 3, 12, 49, 82
Else Lasker-Schüler-Gesellschaft Wuppertal 15
Lady Lever Art Gallery, National Museums Liverpool/The Bridgeman Art Library 25
Library of Congress, Prints & Photographs Division, [LC-DIG-ggbain-01593] 73
Miranda Short, Princeton 94
Musées de la Ville de Paris, Musée Carnavalet, Paris, France/Giraudon/The Bridgeman Art Library 32
Muzeum české literatury, Prag 24, 97
Národní Archiv, Prag 23
NORDICO Stadtmuseum Linz 19
Reinhard Pabst, Bad Camberg 22, 84
S. Fischer Verlag, Frankfurt am Main 5, 30, 66, 75, 92
Hans-Jürgen Sarfert, Dresden 11
Roland Templin, Berlin 36r., 76, 77
The Jewish National and University Library, Jerusalem 2
The Schwadron portrait collection, The Jewish National and University Library, Jerusalem 86
Yale Collection of German Literature, Beinecke Rare Book and Manuscript Library 89